SUÁSTICA YANKEE

CHRISTIAN PICCIOLINI

SUÁSTICA YANKEE

Memórias de um Ex-skinhead Neonazista

Tradução
Martha Argel
Humberto Moura Neto

Título do original: *Romantic Violence.*

Texto de acordo com as novas regras ortográficas da língua portuguesa.

1ª edição 2016.

Foto do autor: Mark Seliger (www.MarkSeligerPhotography.com)
Fotos dos capítulos: diversos fotógrafos

Editor: Adilson Silva Ramachandra
Editora de texto: Denise de Carvalho Rocha
Gerente editorial: Roseli de S. Ferraz
Revisão técnica: Adilson Silva Ramachandra
Produção editorial: Indiara Faria Kayo
Editoração eletrônica: Join Bureau
Revisão: Nilza Agua

Dados Internacionais de Catalogação na Publicação (CIP)
(Câmara Brasileira do Livro, SP, Brasil)

Picciolini, Christian
Suástica yankee : memórias de um ex-skinhead neonazista / Christian Picciolini ; tradução Martha Argel, Humberto Moura Neto. – São Paulo : Seoman, 2016.

Título original : Romantic violence : memoirs of an american skinhead.
ISBN 978-85-5503-038-3

1. Ex-membros de gangues – Estados Unidos – Biografia 2. Neonazistas – Estados Unidos – Biografia 3. Picciolini, Christian – Infância e juventude 4. Skinheads – Estados Unidos – Biografia I. Título.

16-05919 CDD-920

Índices para catálogo sistemático:
1. Ex-skinheads : Biografia 920

Seoman é um selo editorial da Pensamento-Cultrix.

Direitos de tradução para o Brasil adquiridos com exclusividade pela
EDITORA PENSAMENTO-CULTRIX LTDA., que se reserva a
propriedade literária desta tradução.
Rua Dr. Mário Vicente, 368 — 04270-000 — São Paulo, SP
Fone: (11) 2066-9000 — Fax: (11) 2066-9008
http://www.editoraseoman.com.br
E-mail: atendimento@editoraseoman.com.br
Foi feito o depósito legal.

Para meu Buddy, meus filhos e minha Britton

Qualquer tolo inteligente pode tornar as coisas maiores,
mais complexas e mais violentas.
É preciso um toque de gênio – e muita coragem –
para ir na direção oposta.

– E. F. Schumacher, *Small is Beautiful*

SUMÁRIO

PREFÁCIO À EDIÇÃO BRASILEIRA

Surpreendente. A narrativa de Christian Picciolini gera de imediato uma conexão com o leitor. As memórias descritas são de uma nitidez espantosa e provocam a cada página. Picciolini enveredou pela cena skinhead racista neonazista aos 14 anos. Saiu aos 21. Descreve não apenas as passagens em que se via separado do mundo, como um *outsider*, um marginalizado, quando, "em minha solidão, sonhava ser o herói, o ator principal, o protagonista", mas também as esperanças que o levaram ao movimento supremacista branco. Relata sua paixão pelo poder, legitimada pelo movimento, negociada pelo ódio radical, e expõe com nitidez o momento em que, para reconstruir-se, decide abandonar o movimento e enfrentar suas dificuldades pessoais, plenamente consciente de carregar um passado que jamais o deixará, mas disposto a transformar esse fardo num alerta, jamais numa definição de si. Mais que uma biografia, a contemplação de Picciolini de sua trajetória mostra a possibilidade de restauração do ser humano em meio ao ódio extremo.

Suástica Yankee interessa a todos que desejam se aprofundar em temas de grande referência para a compreensão da contemporaneidade: como jovens e pessoas absolutamente comuns podem ser seduzidos por discursos de ódio, como esse ódio é construído, que negociações de sentido são concebidas e vivenciadas nessas interpelações. Este livro revela, com o mesmo sentido em que ponderou o historiador Jacques Le Goff, "primeiro e acima de tudo, a vida de um indivíduo", numa mescla contínua entre a sua experiência no interior da cena skin neonazista, narrada em *flashback*, e dados e informações a respeito dessa cena, legitimando o gênero biográfico por atender ao seu máximo propósito: "a apresentação e explicação da vida de um indivíduo na história".*

Picciolini vivia em um reduto italiano de classe média baixa no sudoeste de Chicago. Seus pais eram cabeleireiros. Ele não veio de um lar desfeito. Seus pais não eram viciados em drogas. Eles não eram alcoólatras. Foi no ano de 1987, segundo ele, sua aproximação com o primeiro líder de um grupo skinhead neonazista dos Estados Unidos. Ainda adolescente, fumava maconha com um amigo, num beco, quando encontrou pela primeira vez Clark Martell. O jovem de cabeça raspada, camiseta branca, suspensórios vermelhos e coturnos brilhantes, então com 26 anos de idade, surpreende-o ao perguntar se ele não sabia que consumir drogas era "exatamente o que os capitalistas e os judeus querem que você faça, para que seja dócil". Na mente do garoto, as palavras "capitalismo" e "dócil" não faziam sentido algum, mas a força, a energia e o carisma de Martell se tornariam para ele um porto seguro, um modelo; e o skinhead, um mentor, uma direção em sua vida.

Em seguida, Martell indaga seu nome e, ao responder, Picciolini é apresentado a um novo passado: seus ancestrais "romanos, especificamente os comandantes centuriões, estão entre os maiores guerreiros brancos europeus da história da humanidade. E as mulheres romanas eram deusas divinas". Martell estava definitivamente oferecendo ao adolescente

---

* Le Goff, Jacques. Comment Écrire Une Biographie Historique Aujourd'hui? *Le Débat*, n. 54, mar./abr. 1989.

algo diferente. E para um garoto ítalo-americano habituado a modelos múltiplos de interação, mas sem grandes perspectivas, sem grandes possibilidades de mobilidade social, imerso num bairro operário em que relações formais e informais surgem, desaparecem e renascem novamente, marginalizando em especial "os rapazes de esquina",* que mesmo sonhando em ser grandes líderes não encontram oportunidades, o convite de Martell era a possibilidade de sair da condição de não lugar para um lugar definitivamente marcado e diferenciado. Da condição híbrida de ítalo-americano, hifenizada, para o lugar de homem branco, singular, posição definida como de supremacia dentro do movimento neonazista. A angústia da esquina, da margem, não lhe acompanharia mais. Ele agora teria um lugar, e um lugar muito especial.

A filósofa política Hannah Arendt explicitou um mecanismo facilitador da leitura dessa relação entre o homem da margem e o mentor, o grande chefe, o tirano. "A ralé, deslocada e insegura, brada sempre pelo 'homem forte', pelo 'grande chefe'. Porque a ralé odeia a sociedade da qual é excluída."** O antropólogo indiano Arjun Appadurai também aponta nessa direção quando, em *Medo das Minorias* (2009), assinala a incerteza social como um *locus* engendrador de concepções de violência, nos termos do autor, uma "ansiedade da incompletude". A violência pode criar uma forma macabra de certeza" (2009, p. 16), balizada pelo que Appadurai denomina identidades predatórias, cujo alvo é a eliminação de seu foco de ansiedade: as minorias que, a seu ver, parecem ameaçar sua existência.

Picciolini começa a circular com sua bicicleta pelas reuniões skins racistas e aos poucos adentra as cenas. Começa a participar de reuniões, inicia-se na música. Aqui cabe uma distinção: o movimento skinhead, bastante estruturado num tipo específico de música muito popular nas periferias – *reggae*, *ska* e *soul music* –, começou nos subúrbios da Inglaterra, em núcleos de imigrantes jamaicanos. Eram fanáticos por futebol e vinham do proletariado, e sua

---

* Whyte, William Foote. *Sociedade de Esquina*. Rio de Janeiro: Jorge Zahar Editor. 2005 [1943].

** Arendt, H. *As Origens do Totalitarismo*. Lisboa: D. Quixote. 2006.

imagem se construiu privilegiando um tipo mais urbano: os sapatos pesados, suspensórios, marcas operárias, o corte de cabelo muito curto ou com a cabeça totalmente raspada, as roupas alinhadas, para contrastar com o estilo *hippie* da época. Muitos negros participavam do movimento, nada racista em seus primórdios, apesar de bastante violento e dado a cenas públicas, expressas por atos extremamente agressivos, com ataques, combates e violações entre gangues rivais, como *mods* e *beats*. Posteriormente, surgiram os skinsheads racistas. Atualmente há também skinheads anarquistas e comunistas (redskins), entre outras tendências. Todos eles expressam-se pela cena musical, como aponta Picciolini em seu livro, e alguns dos grupos mais controversos de skinheads estão ligados a movimentos racistas ou neonazistas.

O movimento de extrema-direita nos Estados Unidos é composto por um espectro de grupos que vão desde as mais variadas organizações relacionadas à Ku Klux Klan, fortemente nazificadas depois dos anos 1960 como uma resposta de ódio à luta pelos direitos civis, até os grupos que nacionalizam debates a respeito da segregação racial na África do Sul. Há grupos autodenominados neoconfederados, neonazistas, extremistas religiosos racistas e skinheads racistas. Cada um desses grandes grupos abriga centenas de movimentos, e ao todo somam milhares de células. Nos Estados Unidos, muitas pessoas disputam a liderança do movimento como um todo, e cada grupo se especializou de forma a se legitimar como mais verdadeiro, mais puro, mais branco, para autenticar seu líder. Ao mesmo tempo, há um solo fértil comum em todos eles, e se é verdade que todos são racistas, paranoicos, homofóbicos, de veio ideológico negacionista com relação ao Holocausto, antissemitas e adoradores do universo hitlerista,* também é verdade que todos esperam que os

---

* Denomino universo hitlerista tanto os símbolos neopagãos utilizados em profusão pelo regime nazista alemão, como a suástica, as runas, a linguagem expressa por siglas, entre outras características que os neonazistas dos Estados Unidos também adotaram, como as biografias dos oficiais nazistas, transformados em grandes heróis no revisionismo histórico realizado pelos grupos do movimento racista. Hitler e seus oficiais são sempre considerados mártires da raça branca e exemplos a serem seguidos.

Estados Unidos ocupem o lugar de grande nação libertadora dos povos brancos do mundo.

É interessante notar, todavia, que a Alemanha nazista se construiu a partir de uma constelação simbólica definida pelo partido, programática e unificada, enquanto nos grupos neonazistas dos Estados Unidos o universo simbólico, mítico, religioso de cada grupo varia bastante. Apesar disso, alguns símbolos são fortemente marcados por uma sacralidade. Esses símbolos fixam o neonazismo como neonazismo, e como neonazismo dos Estados Unidos. Primeiramente, em comum com todos os movimentos neonazistas do mundo, há o uso da suástica. Ela os torna reconhecidos como defensores da "causa ariana". Em seguida, há a bandeira confederada. O símbolo do neonazismo nos Estados Unidos.

Portanto, se a suástica nazista é fundamental para o movimento supremacista branco dos Estados Unidos, a bandeira confederada é sagrada: é a "suástica *yankee*". Na bandeira confederada, símbolo dos que lutaram pela manutenção da escravidão, estão as reminiscências racistas e preconceituosas de séculos atrás, atualizadas cotidianamente por eles em suas vidas.

Clark Martell, o neonazista que induziu Picciolini a entrar para o movimento, era membro do Partido Nazista Americano, recrutava jovens para o movimento e importava e comercializava discos de música da cena neonazi. Odiava especialmente os denominados *muds*, apelido dado aos não brancos que circulavam em bairros brancos, como se estivessem "tomando o lugar da raça ariana". Ele pretendia, em especial, "proteger" as mulheres brancas, o "futuro da raça". Apesar de descrever com precisão a agenda de Martell, Picciolini revela não ser ela a causa de seu primeiro encantamento com ele. Foi seu carisma, sua preocupação com seu futuro, seu cuidado para que não usasse drogas. A ideologia e o doutrinamento vieram depois. "Eu nunca gostei da escola, e isso tornava mais fácil aceitar que os professores estivessem mentindo para nós quanto à história, apresentando-a da forma que mais lhes convinha. Talvez Martell soubesse algo sobre os judeus que não nos ensinavam na escola. Talvez tivesse razão ao afirmar que as pessoas que escreviam os livros de história eram todas judias – e nos despejavam um monte de merda histórica adulterada. Os negros com certeza estavam relacionados ao aumento da criminalidade." Pouco importava a realidade histórica, Picciolini havia encontrado seu lugar.

Em 1987, Martell liderou um grande ataque neonazista em Chicago, na data de aniversário da simbólica Noite dos Cristais. Sinagogas são pichadas e a violência é noticiada na imprensa local. Picciolini se aprofunda na negação do Holocausto e em outras categorias do estudo neonazista. Seu ódio aos judeus e aos negros, vistos como ameaças ao povo branco, começa a crescer.

A proposição negacionista, uma tese que se pretende historiográfica embora seja extremamente frágil diante dos fatos, é central no espaço simbólico da extrema-direita racista. Em todos os movimentos neonazistas do mundo, negar o holocausto não é apenas contestar o número de mortos, é reescrever as origens da guerra, a existência das câmaras de gás, o modo de extermínio; é assassinar novamente, desta vez a memória. Ora, a própria necessidade de defender a realidade histórica diante desses grupos denuncia os descaminhos da objetividade e de registro da memória contemporânea do que ainda ousamos denominar civilização. O evento parece fragilizado e o tempo real discutível. Diminuir o impacto do massacre nazista sobre judeus, ciganos, testemunhas de Jeová, pessoas com deficiência, comunistas e outros opositores e dissidentes políticos é fornecer, segundo o sociólogo italiano Franco Ferrarotti, um álibi ao crime. Contra a tentação do esquecimento, é preciso romper, segundo Ferrarotti, com qualquer forma de silêncio, e denunciar a realidade que se esconde sob o negacionismo: uma mentalidade conspiratória, demarcada por um anti-intelectualismo, que "vocifera violentas manifestações xenofóbicas". Contra elas, adverte o sociólogo, há o "imperativo moral de recordar".*

---

* Ferrarotti, Franco. *La Tentazione dell'Oblio* – Razzismo, Antisemetismo e Neonazismo. Roma: Editori Sagittari Laterza. 2002.

Martell acaba preso. Uma vez. Outra. Picciolini, depois de mergulhar na violência neonazista, torna-se vocalista de duas bandas skinhead racistas *white power,* White Aryan Youth (WAY) e Final Solution, e participa da formação de um dos grupos mais violentos da cena skin neonazista, o Hammerskin Nation. A Final Solution, a primeira banda dos Estados Unidos a tocar na Europa, faz um concerto em Weimar, descrito pelo autor como uma experiência de autoengrandecimento na qual ele se sentiu um Hitler. Um Hitler ressuscitado, diante de uma multidão que o adorava. Para quem não tinha nenhum lugar essa é uma experiência marcante. "Eu era mais forte do que Clark Martell jamais havia sido. Adolf Hitler ressuscitado. (...) E, se não era o próprio Hitler, eu era a personificação de seu espírito. As ideias dele fluíam por minhas artérias, aumentando meu coração cem vezes. Batendo mais alto que a bateria. Mais alto que a multidão ensurdecedora. (...) Dezoito anos e com a missão de salvar a raça branca." Para Picciolini, o show da banda o transfigurava na ressurreição de Hitler e líder do Estado nacional-socialista.*

Em sua concepção, ao expor sua proposta, os grupos neonazistas intervêm para se servir de um modelo de classificação e hierarquização; e, para eles, esses grupos estão sob a égide da evolução, favorecem a natureza, em última análise sustentam a vida. Nessa espécie de odisseia racial, no entanto, os próprios conceitos de evolução, natureza e vida são emoldurados, ressignificados, tecidos em uma rede complexa para auxiliarem primorosamente sua própria fetichização. A evolução quer, a natureza espera e a vida anseia. Ao atribuir sentimentos e desejos radicalmente racializados à evolução, à natureza e à vida, os grupos neonazistas delineiam duas direções discursivas: por um lado, "preservar a raça ariana" é servir ao natural, portanto, pretendem eles, trata-se de um objetivo perfeitamente justificável. Por outro lado, qualquer que seja o meio utilizado

* Contrapondo-se ao poder cedido por acordo no contrato social, o biopoder do qual emana o ideal de Estado racista apenas se exerce. "Só existe em ato". Cf. Foucault, M. *Genealogía del Racismo*. Buenos Aires: Altamira. 1996. p. 27.

para atingi-lo, não cabe ao indivíduo qualquer responsabilidade, pois estaria ele apenas validando as regras e regularidades nas quais está inserido, sem qualquer possibilidade de modificação. Qualquer mal ocasionado por ele se banalizaria, pois está servindo a fatores que, independentemente dele, resultariam no mesmo fim; ele estaria apenas "cumprindo ordens" e, como pretende a imposição discursiva desses grupos, isso é meritório.* Trivializada, a violência adere à prática e o mal é banalizado, e assim não há culpa. A experiência totalitária tecnifica as atividades racistas dos grupos, que agem dentro de uma lacuna reflexiva: abstêm-se de questionar o líder, mas efetivam minuciosa reprodução de suas ordens, práticas e abusos, como disse Arendt, ao explicar o mal banalizado, tanto em *Eichmann em Jerusalém* (1963) como em *A Vida do Espírito* (1971).

As letras compostas e cantadas por Picciolini condenam gays, negros, judeus, e conclamam jovens a se engajar na luta pelo poder e o orgulho branco. "Por que você não abre os olhos?", indaga uma canção do ex-skinhead neonazi. Paralelamente, ele organiza ataques a seus "inimigos". Nem crianças negras são poupadas de sua violência.

Atribuindo construções rígidas, regularizadas por leis ditas "naturais", ao "ariano", ao "negro", ao "judeu", aos "gays" da mesma forma como elabora um conceito inquestionável de "evolução", "natureza" e "vida", o discurso racista se mobiliza fertilizando negociações de sentido e obsessões por diferenças. Pretendendo-se profético, o discurso neonazista se mantém vivo por meio de uma pulsação contrátil de símbolos, se alimentando de paranoias distintivas, excretando interpretações criptografadas. O governo dos países "brancos", a exemplo dos Estados Unidos, estaria sob o domínio sionista.** Os judeus teriam estruturado um plano para destruir o "mundo

---

* Cf. "regras de direito que fazem funcionar as relações de poder para produzir discursos de verdade". Foucault, Michel. *Genealogía del Racismo*, Buenos Aires. Editora Altamira. 1996. p. 24.

** Eles denominam esses governos Zionist Occupation Government ou Zionist Occupied Government (abreviado como ZOG). Trata-se de uma teoria conspiratória antissemita segundo a qual os judeus controlam secretamente todas as forças de um país, usando ou não a maçonaria, enquanto o governo formal é um regime de fachada.

dos brancos" e se valem do liberalismo, da democracia, dos gays, negros e mestiços e da diversidade cultural para executá-lo. O "Estado Nacional Socialista" é uma esperança, para eles, contra a possibilidade de aniquilação, o genocídio do povo branco, executado por meio de casamentos inter-raciais, adoções de crianças negras por casais brancos, pela admiração coletiva de esportistas e artistas negros.

A esposa de Picciolini, que não pertence ao movimento nem é racista, exige que ele rompa com os grupos, principalmente depois do nascimento dos filhos. Mas ele continua e participa de uma passeata da Ku Klux Klan. Abre uma loja de discos, a Chaos Records, em que 25% do acervo não é composto de discos de música racista, o que o leva a conhecer outras pessoas fora do círculo de controle skin neonazista. Assim, ele começa a questionar seu mundo. Mas, quando tenta não vender mais música racista e antissemita, as vendas despencam e ele é obrigado a fechar a loja. O casamento acaba.

Ele se casa pela segunda vez, e seus filhos o ajudam a reencontrar sua humanidade. Interrompo-me neste ponto. O restante é o prazer de uma desafiante leitura. Embora eu tenha dado algumas pistas de como se dá esta "história de realização", a complexidade dela é muito, muito maior que uma trajetória de mártir ou de herói. Na trama absolutamente apaixonante de Picciolini, o "contínuo fluxo de negociações entre indivíduo e contexto"* revela o desamparo da alma humana diante da sedução pelo poder, ainda que seja o poder pelo ódio absoluto. Em seguida, o resgate da humanidade pela renúncia, pelo arrependimento, pela perda, para um mundo de coragem, de bravura, de liberdade. Obviamente, Picciolini enfrenta e sabe que sempre enfrentará a história de seu passado, que pretende narrá-lo como traidor ou negar-lhe qualquer descrição, objetivando um "mecanismo eficaz de instituí-lo, metaforicamente, como

* Shapin, Steven. Essay Review: Personal Development and Intellectual Biography: The Case of Robert Boyle. *British Journal Hist. Science*, n. 26, p. 337, 1993.

'morto'".* Por isso, por muitos motivos, é maravilhoso ler este livro. Cada leitor é uma afirmação de vida. Da vida humana, de Picciolini, uma trajetória de redenção.

– Adriana Dias,
doutora em antropologia social pela Unicamp, pesquisadora de movimentos neonazistas no Brasil e nos Estados Unidos

---

* Cf. Kofes, Suely. *Uma Trajetória, em Narrativas*. Campinas: Mercado de Letras. 2001. p. 12.

PREFÁCIO

A BATALHA UNIVERSAL PARA ENCONTRAR A NOSSA IDENTIDADE e o nosso lugar no mundo é o que nos une a todos. É essa busca, no fim das contas, que nos torna humanos; que nos torna, sobretudo quando crianças, vulneráveis.

Quando eu estava na The Runaways, a primeira banda americana de rock exclusivamente feminina, na década de 1970, como mulher enfrentei todo tipo de preconceito e fanatismo. Às vezes estive a ponto de desistir de tudo. Mas minha guitarra, junto com minha caneta e minha voz, me conduziu para fora desse medo vazio, rumo a uma carreira longa e bem-sucedida no rock'n'roll, e ainda estou surfando nessa poderosa onda até hoje.

Em grande parte, foi graças a Kenny Laguna, meu produtor, empresário, amigo próximo e confidente de toda a vida, que cheguei a este nível de sucesso comercial e fui capaz de viver da música. Kenny foi naquela

Christian Picciolini e Joan Jett, 1996

época, e ainda é, uma espécie de mentor para mim. Sem sua orientação e ajuda, eu não estaria onde estou hoje. Ele acreditou em mim quando a maioria das pessoas não acreditou.

Conheci Christian Picciolini em 1996, durante uma turnê em Chicago. Eu não sabia na época o que hoje sei sobre ele. Precisávamos de alguém para abrir nosso show e, quando vi a banda punk dele, o Random55, se aquecendo no palco, vi algo especial no estilo deles e senti, em algum lugar dentro de mim, que eram as pessoas certas. Depois da apresentação, fui até Christian, que parecia abatido e retraído, nos bastidores. Ele parecia triste por algum motivo, e conversei um pouco com ele; passei um braço ao redor de seus ombros, tentando aliviar seus medos. Assim como acontecera comigo, quando era uma adolescente angustiada, senti que Christian também estava em algum lugar sombrio, em busca de sua identidade e seu lugar no mundo – em busca de aceitação. Ele precisava de alguém que acreditasse nele.

O Random55 acabou pegando estrada conosco naquele ano, e foi a banda de abertura para uma série de shows. Christian e eu tivemos muitas outras conversas profundas, e gosto de pensar que algo do que eu disse ajudou-o a lidar com o que quer que estivesse enfrentando naquele momento. Sempre vou me lembrar de sua dedicação à música e de sua motivação. Eu percebia, na época, que ele estava buscando algo na vida, em sua alma. Agora ele escreveu este relato incrível, detalhando e expondo a verdade, após tantos anos. E, ao fazer isso, espero que ele tenha se libertado para sempre de seus demônios interiores.

A compaixão é uma qualidade humana importante, e todos temos a capacidade de senti-la. Eu a sinto pela versão anterior de Christian, mais jovem e desajustada. Ele não era um garoto perverso, mas um jovem tentando desesperadamente pertencer a um grupo; fazer algo que fosse importante; compreender sua solidão e a sensação de rejeição e de abandono. Odiar a comunidade LGBT, as minorias não brancas, os judeus e outros enquanto estava envolvido com o movimento skinhead de supremacia branca (ou *white power*) equivale a uma lealdade cega e repulsiva ao ódio.

Apesar disso, Christian foi capaz de erguer a cabeça acima do esgoto daquela ideologia nefasta e ver os equívocos de seu comportamento, de conduzir o barco na outra direção e de sair daquilo. Ele não apenas abandonou, e a seguir denunciou o movimento no final dos anos 1990, mas se tornou uma voz ativa contra o ódio, fundando a organização sem fins lucrativos Life After Hate (Vida Após o Ódio), em 2010.

Suástica Yankee: Memórias de um Ex-skinhead Neonazista é o testemunho de Christian de como é assustadoramente fácil tomar o caminho errado e depois não conseguir sair. É sua história de redenção, sua Jornada do Herói, sua descida ao inferno e finalmente seu retorno ao mundo dos vivos. Tenho uma enorme admiração por ele, não porque no passado ele odiou, mas porque ele no passado odiou e em seguida lutou bravamente contra sua própria determinação arraigada, descobrindo que seus preconceitos e ódio eram mentiras frágeis como papel. Todos temos de descobrir a vida em nossa própria caminhada, encontrar nossa verdade. Christian escreveu este livro para expor a verdade, e podemos sentir gratidão, pelo menos até certo ponto, por seu sacrifício de percorrer por algum tempo o lado negro para em seguida correr a toda velocidade rumo à luz no fim do túnel. O resultado é um chamado de alerta que nos enriquece e ensina a todos.

No fim das contas, todos precisamos de orientação, instruções e ajuda ao longo da estrada da vida. Todos precisamos de um mentor. Para muita gente, a música é uma influência importante, e ela pode ser usada para o bem ou para o mal. Consegui encontrar a mim mesma por meio da música e, de certa forma, o mesmo aconteceu com Christian. Naquela noite, depois do show, passar o braço pelos ombros dele foi meu modo de demonstrar empatia, compaixão. De dizer a ele que, o que quer que estivesse sentindo, como muitos outros, eu também havia sentido. Levar a banda dele em turnê foi a demonstração de minha confiança nele. Como Kenny fez comigo, espero ter sido capaz de conduzi-lo, mesmo que por um breve instante, para fora do nevoeiro espesso que pairava a sua volta. Depois da turnê, Christian dedicou-se à música em outras funções, e manteve contato com Kenny e comigo durante os anos seguintes. Tenho um orgulho incrível do trabalho a que dedicou sua vida depois de abandonar o movimento em 1995, e posso perceber a mudança e a transformação reais pelas quais ele passou.

Portanto, se você quer conhecer um tremendo relato de redenção – ou se quer apenas praticar a empatia –, embarque nesta jornada e descubra como tudo começou, que caminho tomou e por que ela terminou. Faça a viagem junto com Christian e deixe-se cair no abismo com ele. Sinta a raiva, a violência e a fúria à medida que ele galga os degraus do movimento *white power* americano. Sinta o medo e a depressão quando ele finalmente larga tudo. Sinta a tristeza e o vazio depois que o embate das ondas cessa. E veja a beleza com que ele muda e cresce, evoluindo para um ser humano bom, que aceita todas as pessoas, inclusive a si mesmo.

Veja-o tornar-se o homem que, bem lá no fundo, ele sempre quis ser. Veja-o deixando você orgulhoso por fazer parte dessa experiência de vida, parte desta diversificada comunidade global, parte deste mundo.

Veja a si mesmo mudando também, junto com ele.

– Joan Jett,
cantora, guitarrista, baixista e fundadora das bandas The Runaways e Joan Jett & The Blackhearts

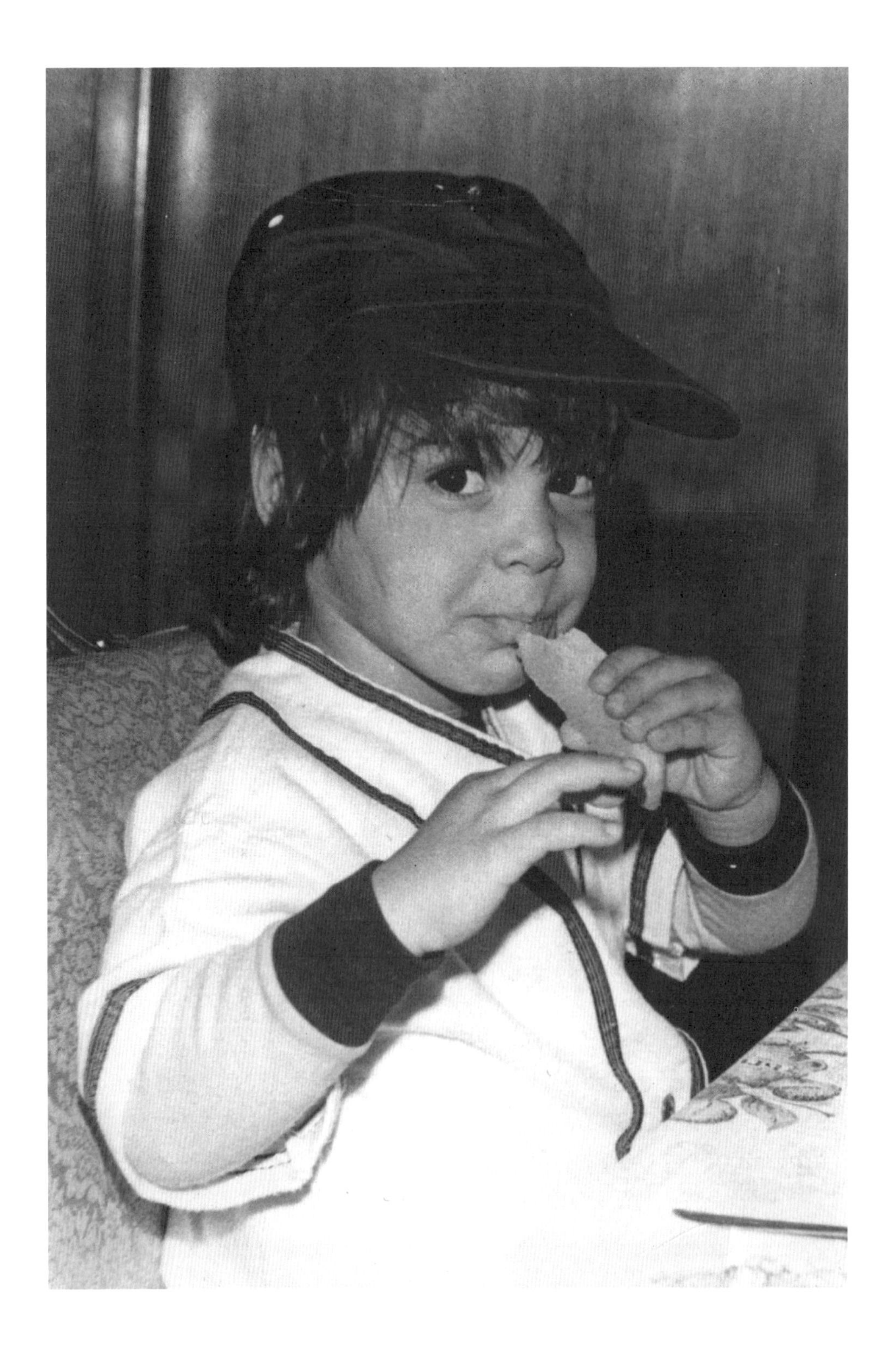

INTRODUÇÃO

NÃO SOU MEU PAI.

Nem sou minha mãe.

Nem meus avós.

Não sou nem meu irmão nem meus amigos.

Minha vida é só minha.

Os atos e decisões de minha adolescência e início da vida adulta não foram determinados por ninguém que tivesse vindo antes de mim.

Sou minha própria invenção, moldado por minha imaginação e minha ambição, e só depois do nascimento de meus dois filhos é que comecei a compreender minhas responsabilidades e conexões com as outras pessoas.

Mas estou pondo o carro na frente dos bois.

E você merece uma explicação, um vislumbre da vida dessas pessoas que afirmo não ser – uma afirmação que não implica qualquer falta de amor da parte de ninguém.

Christian Picciolini, 1976 (foto de Maddalena Spinelli)

Uma coisa que me diferencia de meus familiares mais próximos é que fui o primeiro a nascer nos Estados Unidos. Quando minha mãe conta a história de meu nascimento, seus cálidos olhos mediterrâneos se iluminam e sua voz, em geral firme e segura, acelera. Ela alinhava a história com frases italianas quando a conta a alguém em Blue Island, a cidade operária na zona sul de Chicago para onde sua família italiana imigrou quando mamãe tinha 16 anos. Quando fala sobre meu nascimento a parentes e amigos, ela pontua a narrativa com constantes referências ao fato de que todos, fossem italianos, fossem americanos, me amavam.

Se eu pudesse me lembrar de minha entrada no mundo e contar eu mesmo a história, suspeito que minha versão seria um tanto diferente da versão de mamãe. Enquanto ela empurrava e se contraía durante quase 24 horas para me colocar para fora, eu me contorcia, impaciente para sair do útero, pronto para assumir o controle, suponho, ansioso para ver o que me aguardava logo adiante. Posso ter ficado contrariado por não ter sido avisado com antecedência, mas ao sentir a primeira lufada de ar encher meus pulmões, eu com certeza já devia estar calculando a melhor forma de lidar com a situação.

Para o médico que realizou o parto, eu era mais um pequeno milagre, um recém-nascido escorregadio e coberto de muco, como todos os outros bebês que ele ajudou a nascer. Ele estava tão concentrado garantindo que eu começasse a respirar e verificando se não me faltava nenhum membro, que deixou de observar os sinais claros de que eu havia nascido alerta, corajoso e pronto para aceitar a nova realidade à qual chegava.

Piscando rápido, os olhos impacientes para se ajustar às luzes brilhantes e cruéis, eu estava ansioso para assimilar tudo o que acontecia a minha volta. Se fosse capaz de falar, teria dito à enfermeira para recuar um passo, teria pedido a minha mãe para se acalmar e teria advertido o médico para pensar duas vezes antes de me dar outra palmada. Eu teria protestado contra os exames que realizaram, e insistido em dizer que não queria ser comparado, rotulado, tabulado ou medido de modo algum.

Fui embrulhado numa manta macia e quente. O amor cálido e inconfundível que minha mãe derramou sobre mim quando a enfermeira me depositou nos braços dela implantou em mim, para o resto da vida, a nítida noção de que amor e atenção eram algo pelos quais valia a pena lutar.

Nasci munido do desejo de viver plenamente a vida, de explorar o desconhecido e de fazer com que minha existência valesse para alguma coisa. Por muitos anos, achei que isso significava ser um membro destacado de um grupo dedicado a uma missão importante. Considerando o modo como a ânsia por um lugar no mundo definiu meus atos durante a infância, a adolescência e o início da vida adulta, sou forçado a crer que esse desejo já nasceu comigo.

Desde que me conheço por gente, eu queria ser o atleta vitorioso que era carregado para fora do campo nos ombros do time, depois fazer uma jogada genial e vencer o campeonato nos momentos finais do jogo; queria ser o herói que derrubava o sequestrador armado; queria ter um feriado nacional com meu nome, em homenagem as minhas contribuições para a raça humana. Nem sempre me preocupava em saber de que modo eu me tornaria grande, mas essa ânsia pela glória era o que me impulsionava.

Esforcei-me para tentar realizar esse sonho, e alguns dos atos que realizei ainda me enchem de horror e de arrependimento. Por mais de duas décadas tenho vasculhado minha alma, perguntando-me como consegui me desviar tanto do caminho, como cometi atos de ódio tão vis e preguei a aniquilação de pessoas com base apenas na cor de sua pele, em quem elas amavam ou no deus para o qual oravam.

Na tentativa de me reconciliar com meus atos, passei a crer que na base de minhas motivações está uma necessidade humana básica. Muito mais forte do que meu desejo avassalador de alcançar uma posição de destaque era a necessidade humana profunda e essencial de pertencer a um grupo – uma força que à época eu não teria conseguido expressar em palavras, mas que me levou a cometer atos bons e perversos, inofensivos e traiçoeiros, de autorrealização e autodestrutivos. Essa necessidade, em conjunto com minha tendência à ambição, definiu meus atos e me conduziu por um caminho conturbado e sombrio rumo ao preconceito, ao racismo e à violência.

O que se segue é minha história. Por não conseguir me recordar das palavras exatas das conversas, tomei certas liberdades em recriar cenas que capturam acontecimentos e retratam as pessoas envolvidas da maneira mais fiel que posso me lembrar. A memória dá colorido às coisas, e admito abertamente que outras pessoas podem ter percebido os eventos de modo diferente. No entanto, tive o cuidado de relatar tudo do modo mais real que a memória me permitiu, com o propósito de mostrar de forma acurada os fatos ocorridos. Ainda, alterei de forma proposital muitos nomes, para proteger a privacidade das pessoas envolvidas.

Embora eu quisesse reescrever boa parte de minha vida, fui sincero. Não suavizei meu passado, mesmo que a amargura de minhas convicções durante meus anos atormentados tenha sido brutal e imensa. As reservas que eu tinha quanto a minhas ações odiosas eram também verdadeiras à época, e não as alterei para encaixá-las em uma visão em retrospectiva. No mínimo, espero que o leitor sinta desprezo por minha duplicidade, e também que ache abomináveis meus feitos. É ainda pior que eu tenha agido como agi sabendo estar errado, e incluo minhas dúvidas para dar ênfase a minha culpa, não para atenuá-la.

Minha esperança, ao escrever este livro, é que outras pessoas o leiam e atentem para a perturbadora facilidade com que alguém, sem inclinação prévia para o preconceito ou a violência, pode entrar em um mundo carregado de ódio no estado puro; que as pessoas possam ver que o desejo de pertencer a um grupo – se levado ao extremo e não for reconhecido o quanto antes – pode causar resultados repugnantes; e que a promessa de poder é às vezes tão sedutora que, na tentativa de obtê-lo, uma mente impressionável pode ser persuadida a cometer atos atrozes.

Escrevo este livro com otimismo, crente de que outros buscarão encontrar sua identidade, lugar no mundo e aceitação em comunidades saudáveis e inclusivas, e que terão força para se afastar de promessas vazias. De que as pessoas darão ouvidos àqueles que as encorajam a se tornar seres humanos cheios de compaixão, em vez de se encaixar entre aqueles que se aproveitam dos inseguros e se valem da solidão, do medo, da confusão e dos sentimentos de desmerecimento.

Tenho a esperança de que, ao expor o racismo, o ódio tenha menos lugares onde se esconder.

1

OS DIREITOS DOS OPRIMIDOS

JAKE REILLY ME ESCOLHEU AO ACASO, naquela tarde úmida de abril, para ser o alvo de suas provocações maldosas no *playground*, insultando-me de todas as formas em que pudesse pensar. Ele era o clássico valentão da classe – "Golias", era como nos referíamos a ele em segredo, desde o primeiro ano – e adorava viver atormentando seus colegas menos afortunados do oitavo ano na Escola Primária Saint Damian.

Naquele dia, pelo que parecia a milionésima vez, ele me escolheu.

"Vai se foder!", respondi.

De imediato desejei poder retirar as palavras, quando me virei e dei de cara com o peito estufado do Golias sorridente; só então percebi que tinha sido ele quem acabava de me acertar atrás da cabeça com um punhado de uvas congeladas.

Fodeu.

Christian Picciolini, foto do anuário do 8º ano da Escola Saint Damian, 1987

As garotas tagarelas, com seus vestidos xadrezes do uniforme e seus rabos de cavalo, e os atletas de *playground*, reunidos em grupinhos ao redor das poças no pátio, não perderam tempo em pressentir o sangue fresco na água. Como tubarões famintos sentindo o cheiro da carnada, eles nos cercaram em um instante.

"Ah, olha só, não é o machão *Pick-my-weenie*?", gracejou Jake enquanto enfiava com força seu dedo indicador gorducho em meu peito.

Ele adorava ridicularizar meu sobrenome estrangeiro, e nunca lhe faltava uma forma criativa de fazer isso. Como eu sonhava com um nome normal, como Eddie Peterson ou Dan Cook ou Jimmy Mayfair. Qualquer coisa menos o nome impossível de pronunciar Christian Picciolini – pronunciado "Pitcholini" – que dava origem a apelidos com rimas horríveis. *Pick-my-weenie. Suck-my-weenie. Lick-my-weenie.** Ou seja, qualquer coisa *weenie.*

"Você vai mandar aqueles seus amigos sebentos mafiosos de Blue Island atrás de mim?", ele caçoou, debochando da comunidade em sua maior parte italiana, vizinha a Chicago, para onde minha família tinha se mudado antes de virmos para aquele inferno suburbano chamado Oak Forest, em Illinois. "Depois da aula, seu brocha, vou chutar sua bunda italiana nojenta daqui até o gueto, que é o seu lugar."

Jack não hesitava em chamar os outros alunos de "cuzão" ou "pau com orelhas", quando tinha vontade. E ele nunca mentia ao prometer uma surra. Mas até então ninguém jamais ousara desafiá-lo com um "vai se foder". Mesmo que aquilo tivesse escapado de minha boca num acidente lamentável. Eu era um homem morto, e todo mundo sabia. Mas tinha sido gentil da parte dele sugerir que eu tinha amigos.

"E se dessa vez você não aparecer de novo, sua bichona", ele grunhiu, puxando-me mais para perto pelos cordões de meu capuz, "eu juro que te mato."

---

* Em inglês, *weenie* é "pênis", em linguagem infantil. Respectivamente, "pega meu pau", "chupa meu pau" e "lambe meu pau". (N.T.)

Durante os oito anos de escola fundamental eu tinha conseguido inventar desculpas suficientes para evitar ser fisicamente remodelado por Jake. Mas antes que eu conseguisse formular uma mentira boa o bastante para me safar dessa encrenca em particular, a notícia se espalhou mais depressa do que manteiga numa torrada quente. E quando soou o último sinal, todo mundo já estava sabendo da briga. Menos os adultos, claro. Eles nunca estavam lá quando você precisava deles.

Rezei para que algum dos professores – ou até mesmo a diretora – se inteirasse da briga e pusesse um fim a ela, mas minhas preces não foram atendidas. Meu destino parecia sombrio. Jack Reilly era muito maior – robusto, alto e forte – e com certeza estaria acompanhado por seus capangas. Eu estaria sozinho. Não tinha nenhum amigo em Oak Forest e, aliás, tampouco em Blue Island, para me apoiar. Fora os poucos golpes que aprendi quando assisti Rocky Balboa surrando Mister T, no cinema, ou a maneira como o lutador Rowdy Roddy Piper batia na cabeça de Hulk Hogan com uma cadeira de aço, nas lutas pela televisão, eu não fazia ideia de como lutar ou de como me defender. Não, agora não tinha como recuar. Não desta vez. Não com a perspectiva de ter pela frente quatro anos de ensino médio sob a dominação de Golias e um estoque inesgotável de gozações. Fugir e ser para sempre tachado de "bichona" seria muitíssimo pior do que ser massacrado.

Na esperança de que ganhar tempo pudesse me ajudar a encontrar, no último momento, uma desculpa plausível para não aparecer e levar uma surra, peguei o caminho mais longo de volta para casa depois da última aula. Mas não adiantou. Tudo em que eu conseguia pensar era como convencer meus pais a deixar que eu mudasse de escola no dia seguinte, para não precisar enfrentar a gozação de meus colegas de classe na manhã seguinte. Mas meus pais não estavam em casa.

Troquei de roupa, tirando o uniforme escolar azul-claro e as calças azul-marinho, peguei meu skate Santa Cruz e, cheio de medo, percorri as seis quadras até o parque onde a briga aconteceria. Eu sabia que todo o oitavo ano estaria lá para testemunhar meu massacre. Tinha até gente fazendo apostas e decidido que o perdedor – que, para todo mundo com certeza seria eu –, teria de pagar dez paus ao vencedor.

No momento em que a luta terminasse, eu estaria acabado para sempre. Derrotado. Estigmatizado e esquecido. Jogado no alto da pilha cada vez maior de zé-ninguéns que já tinham sido humilhados por Golias. Eu não me preocupava em saber onde conseguir dinheiro para pagar a aposta idiota, sabendo que podia facilmente roubá-lo da bolsa de minha avó sem que ela percebesse. Mas também sabia que, uma vez despachado para o fundo do poço, não haveria volta. Ninguém nunca se recuperava depois disso.

Ao me aproximar, vi o gigante avançando, pesado e confiante, por entre a multidão que havia se juntado, como abutres à espera de um atropelamento na estrada para se banquetearem. Tentando firmar meus joelhos bambos e manter o medo sob controle, desci do skate e lutei para sorver meus últimos goles de ar. Limpei o suor nervoso que já escorria pela testa e pensei pela última vez em fugir dali. Talvez ser exilado dos contingentes da ordem mais baixa de Saint Damian não fosse pior do que ter minha cara esmurrada por aquela besta enorme.

Enquanto eu recuava, posicionando de novo o pé sobre a prancha de skate e virando-me para dar impulso com a perna trêmula, alguns dos espectadores mais maldosos de repente começaram uma gritaria:

"*Pick-my-weenie! Pick-my-weenie! Pick-my-weenie!*"

Pressentindo meu pavor, a turba toda se voltou contra mim.

Comecei a me sentir zonzo, distanciado da realidade – como se me desintegrasse no éter –, e fiz uma série de inspirações rápidas e rasas, tentando acalmar os nervos. Virei-me para meu torturador, aceitando meu destino, bem na hora em que uma cusparada colossal cruzou os ares e aterrissou, com um baque úmido e nojento, bem na minha bochecha.

Um silêncio total. Exceto por Jake, cujo bufo gutural e potente só podia significar que outra escarrada estava por vir.

Um pânico nervoso me invadiu e, antes que eu pudesse limpar de meu rosto o cuspe dele, outra catarrada amarela e espessa me atingiu no peito como o disparo de um atirador de elite, e escorreu devagar por minha camiseta Ocean Pacific turquesa.

"Que foi, boqueteiro? Se borrando como um frangote? *Cócóó, cócóó...*", zombou Reilly, cruzando os braços roliços diante do peito. A multidão formou uma muralha a nossa volta. "*Suck-my-weenie* não tem colhão", ele afirmou.

Uma gargalhada explodiu entre os espectadores que nos cercavam.

Jesus Cristo. Aquele cara era *grande*. Parado ali na minha frente, Golias ia crescendo e ficando duas vezes maior, enquanto eu encolhia mais e mais. *Isto é suicídio*, pensei. Ele avançou um passo em minha direção e cuspiu uma terceira vez, acertando o chão a meus pés, como se estivesse marcando o local de minha execução.

Enquanto a turba provocadora se aglomerava mais e mais a nossa volta, nós dois rodeávamos um ao outro, com os devidos xingamentos jorrando do sorriso torto do ogro. Jake me insultava. Eu ganhava tempo. Meu olho roxo e inchado – que eu ganhara na semana anterior, quando três garotos negros de Blue Island me atacaram e roubaram minha bicicleta – estava finalmente começando a sarar, e eu não queria ter que explicar a meus pais os ferimentos novos. O terror me inundou, e eu mal conseguia ouvir a ladainha da multidão, cada vez mais abafada por meus próprios pensamentos descompassados e pelo som reverberante das folhas secas se partindo sob meus pés.

"Deixa de ser veadinho, que nem a bichona do seu pai cabeleireiro, e fica parado para eu poder te matar!" Jake avançou direto para cima de mim.

Os tendões de meus braços se retesaram. Eles pulsavam. Minha mente rodopiava com o medo, ficando ainda mais desconectada dos arredores. Meu coração parecia querer saltar do peito. Por puro desespero, reuni sangue-frio suficiente para me adiantar e desferir o primeiro golpe. Matar ou morrer. Que mais eu tinha a perder? Ao menos marcharia para a morte com bravura. Meu irmãozinho Buddy, ainda bebê, ficaria orgulhoso por eu não ter sido um completo covarde. Fechei os olhos e contraí a suada mão direita, recuei o braço e desferi um golpe às cegas, acertando em cheio.

Jake desabou.

Puta merda.

Meu primeiro instinto foi sair correndo, mas minhas pernas não estavam cooperando.

Da repentina balbúrdia de gemidos e exclamações atrás de mim, distingui a voz frenética do comparsa de Jake, Kyle McKinney, gritando:

"Acerta ele! Acerta ele!"

Mas Jake continuava caído no chão, confuso, choramingando, cobrindo o nariz que sangrava.

"Acerta ele de novo!", gritou o amigo dele.

Chocado, percebi que ele na verdade queria que *eu* surrasse o melhor amigo dele. Seria possível? Será que todo mundo estava tão farto quanto eu do assédio de Golias? Ou será que a excitação da briga era tão inebriante que até os súditos mais leais a ele preferiam o sangue e a violência à amizade?

Expulsei o pensamento da cabeça e parti com tudo pra cima daquele maldito Jake Reilly, só pensando na retribuição de oito anos inteiros de escola católica. Com a adrenalina a mil, prendi o cara no chão com os joelhos, recuei os punhos e esmurrei a cara dele de novo. E de novo. E de novo.

Soluçando, ele gritou:

"Para! Para! Desisto! Chega! Você ganhou!" Os filetes de lágrimas se transformaram em rios vermelhos que escorriam por suas faces feridas.

Fiquei de pé e limpei na camiseta os nós dos dedos ensanguentados e inchados.

"Você me deve dez paus", foi tudo que consegui murmurar, a boca sem nenhuma saliva. Virei-me pra ir embora, as pernas trêmulas mal conseguindo me sustentar, e achei que fosse desmaiar bem ali na frente da atônita classe do oitavo ano. Foi então que meus pulmões privados de oxigenação se lembraram de respirar. Inspirei fundo, enquanto os sons débeis de uivos e gritos aos poucos se tornaram audíveis e então encheram meus ouvidos.

O gigante jazia derrotado diante de mim.

Na manhã seguinte, meus colegas de turma se juntaram ao meu redor no momento em que cheguei à escola. Minha antes inexistente importância havia aumentado e atingido proporções épicas da noite para o dia: eu havia me transformado em um Caçador de Valentões. Até os alunos mais populares, que haviam me ignorado pelos últimos oito anos, agora me respeitavam, porque eu havia derrotado um deles. Sem falar que eu estava dez paus mais rico.

Eu estava eufórico com minha recém-descoberta importância. De repente, eu não era mais o garoto italiano esquisito que passava todo seu tempo livre com os avós idosos no "gueto" de Blue Island, e não no tedioso bairro suburbano de Oak Forest, habitado pela classe média alta. Por um breve momento, eu não era o garotinho com pais estranhos, que não conseguiam falar inglês direito. Que tinham um salão de beleza e que traziam para os filhos almoços improvisados dentro de sacos de papel manchados de gordura.

Não, eu era o garoto durão. O garoto mais perigoso da escola, na verdade. De toda Oak Forest. E se Oak Forest não estivesse a vinte quilômetros de distância do centro de Chicago, então quem sabe até o prefeito tivesse preparado um desfile em minha honra na State Street.

Durante a aula de matemática do primeiro período, flexionei os punhos, estudando-os em silêncio, tentando absorver a realidade de que aquelas duas mãos cerradas e machucadas eram meu passaporte para o respeito e o poder. Meu irmãozinho não seria mais o único garoto a me respeitar.

Aprendi muito bem aquela lição, absorvendo-a em cada fibra de cada músculo e órgão de meu corpo. Ela me serviria muito bem nos anos seguintes, quando eu ajudaria a construir uma das organizações terroristas mais violentas surgidas nos Estados Unidos.

2

FRIO

Talvez o início de quem de fato somos esteja no estado emocional de nossos pais na hora da concepção, multiplicado ao menos dez vezes pelos sonhos que nossas mães grávidas acalentam para nós. O início pode muito bem ser a combinação aleatória do DNA, que pega algo do papai aqui e algo da mamãe ali, mas essa é só a estrutura básica – a cor do cabelo e dos olhos, a forma do nariz, altura e outras características físicas por meio das quais o mundo exterior nos reconhece.

Talvez a pessoa real, o ser interior, seja determinada não pela mistura arbitrária de genes, mas por algum mistério que a ciência ainda não desvendou – o evento metafísico em que duas almas convidam uma terceira a vir para a vida.

Em meu caso, as duas almas foram Enzo Picciolini e Anna Spinelli.

Christian, Blue Island, 1978 (foto de Maddalena Spinelli)

Meu pai, o caçula de seis irmãos, ficou órfão de pai quando era bem novinho e morava em Montesano Scalo, uma cidadezinha minúscula situada em um vale no sudoeste da Itália, perto de Salerno.

Depois da morte do pai de meu pai, minha avó se mudou com a família da Itália para Chicago, para ficar perto de uma irmã que já havia emigrado para os Estados Unidos. Assim, em 1962, aos 16 anos, meu pai embarcou em um navio de passageiros superlotado e um mês depois se estabeleceu com a família na parte sul de Chicago, perto do aeroporto de Midway.

Mais tarde, Enzo matriculou-se em uma escola para profissionais de beleza e aprendeu com seus irmãos mais velhos inglês suficiente para passar nos exames para obtenção da licença de trabalho. Quando tinha 25 anos, ele conheceu minha mãe, que, assim como ele, também era uma imigrante italiana e cabeleireira.

Em seis meses, estavam casados. Sei pouco sobre o namoro deles. Vi fotos do casamento e velhas filmagens, mas não saberia dizer se estavam apaixonados ou apenas naquela idade em que ambos sabiam que tinha chegado o momento de se casar. Imagino que ambos sentissem alívio por se casarem com alguém de histórico semelhante – alguém que compreendia os desafios de ser estrangeiro, de lutar com um idioma que não era o seu, de ter de se ajustar a costumes estranhos e desconhecidos, ao mesmo tempo que tentava construir uma nova vida fora da sua terra natal.

E assim, em Chicago, em um dia gelado de São Valentim, em 1973, fui concebido por dois jovens imigrantes italianos divididos entre duas pátrias. Sem jeito e pouco à vontade em uma delas, e muito distantes da outra, eles decidiram que seu filho não passaria por nenhuma de suas dificuldades. O filho de Anna e Enzo não sofreria as barreiras do idioma, teria uma boa educação americana e teria opções muito além do trabalho operário naquela grande terra de oportunidades na qual haviam plantado suas raízes.

Preparando-se para meu nascimento, meus pais tomaram uma decisão drástica e bem fora do comum, considerando a cultura a que pertenciam.

Eles deram um passo muito maior do que seus recursos financeiros permitiam e compraram uma casa em Oak Forest, bairro situado a 16 quilômetros de Blue Island, a cidade operária de italianos, no extremo sudoeste de Chicago, onde a família de minha mãe morava.

Nonna Nancy, a mãe de minha mãe – a matriarca de nossa família – e Nonno Michele, meu avô, haviam saído de Ripacandida, comunidade agrícola pitoresca e muito unida, localizada perto do tornozelo da bota italiana, sete anos antes, em meados da década de 1960, para unir-se às hostes de outros europeus que acreditavam que os Estados Unidos eram a "Terra Prometida". Depois de anos tentando emigrar – e o processo foi complicado, pois meu avô havia morado e trabalhado na América do Sul depois de servir o exército como cabo, na força aérea italiana de Benito Mussolini, durante a Segunda Guerra Mundial –, eles por fim se estabeleceram em Blue Island, um bolsão urbano formado por pessoas parecidas com eles – famílias trabalhadoras ripacandidenses que acreditavam na família, em tradições do velho mundo e no consumo diário de massas e de azeite de oliva.

Meus avós foram contra a decisão de minha mãe de se mudar do bairro. Nonna e Nonno viviam com suficiente conforto em uma vizinhança amistosa, formada por residências multifamiliares de três andares, construídas com tijolos e blocos de concreto, e dotadas de jardinzinhos onde cresciam pimentões, ervas culinárias e tomates e de *cantinas* (adegas) repletas de potes de vidro com molho de tomate caseiro, salames curados e garrafas de vinho. Eles haviam se mudado para um país cheio de gente com costumes estranhos, comportamento grosseiro e sem respeito pelos modos antigos, mas tinham o bom senso de viver em meio a gente que seguia o modo de vida correto – o modo de vida italiano.

As pessoas de fora podiam considerar Blue Island como uma cidade de classe média baixa, mas ali existia tudo o que minha mãe pudesse desejar. Família, amigos, uma horta no quintal. Ovos frescos e leite eram entregues à sua porta todo sábado de manhã. Os primeiros imigrantes italianos haviam até mesmo construído a igreja de São Donato, santo padroeiro da cidade natal de Ripacandida. E, todos os anos, os fiéis faziam uma tremenda festa em honra do santo, uma comemoração que rivalizava com a festa original italiana em termos de devoção, vinho, música e alegria.

Minha avó não conseguia entender por que a filha queria trocar Blue Island pela esnobe Oak Forest ("Floresta de Carvalhos").

"Floresta?", caçoava ela em seu inglês ruim. O lugar só tinha sobrados e gramados bem aparados. Naquele lugar tão organizado, as árvores não teriam coragem de se reunir, mesmo que houvesse lugar depois que tantas garagens para dois carros foram construídas. Para começo de conversa, por que as famílias precisavam de dois carros? E por que queriam casas todas iguais, revestidas de alumínio e madeira? Aquela ideia não fazia nenhum sentido para ela. Para Nonna, minha mãe estaria pagando mais por muito menos. Além disso, onde iam arranjar o dinheiro? Anna e Enzo não iam conseguir só com o que ganhavam fazendo permanente em velhinhas.

Mamãe consolou Nonna com a promessa de que me levaria a Blue Island todos os dias.

"Agora que o bebê já tem alguns meses, vou voltar a trabalhar no salão com Enzo e a senhora toma conta dele enquanto estivermos fora. Não vamos deixar de nos ver nem um dia, e Christian vai conhecer a senhora tão bem quanto nos conhece."

Eu mal tinha 2 meses de idade quando teve início uma rotina que durou cinco anos de minha vida. Toda manhã minha mãe me prendia com o cinto de segurança no banco do carro, dirigia até Blue Island, me colocava nos braços de Nonna e voltava depressa para trabalhar no salão de cabeleireiros que ela e papai haviam aberto depois que nasci. Meio dia mais tarde, ela ou meu pai, ou ambos, voltavam para me pegar, jantavam com meus avós, me punham de novo no carro e voltavam correndo para Oak Forest. Enquanto era bebê, eu em geral estava dormindo quando chegávamos em casa, e imagino que devia ser confuso para mim acordar em um lugar e passar o dia todo em outro, para acordar de novo no lugar onde tinha começado o dia anterior, sem nenhuma lembrança de como havia voltado para lá.

Nunca parei para pensar quem desempenhava qual papel em minha vida, e se os vários adultos envolvidos estavam fazendo bem as coisas ou não. Nonna me dava o carinho e a orientação que uma mãe normalmente daria, e nunca achei estranho que ela na verdade fosse minha avó. E assim como ela desempenhava o papel de mãe enquanto meus pais estavam ocupados trabalhando, as responsabilidades paternais recaíam sobre meu avô, Nonno. Eu passava horas ao lado dele, observando-o serrar madeira e martelar pregos. Ele era um mestre carpinteiro, e me ensinou como segurar um prego do modo correto. Eu confiava a tal ponto nele que nunca me ocorreu que o martelo com que golpeava podia acertar meu dedo em vez do prego que eu mantinha no lugar para ele.

Meus avós praticamente me criaram, e era o predinho deles em Blue Island, de três andares, sólido, de tijolos marrons, que eu considerava meu lar, não a casa de meus pais em Oak Forest, padronizada e igual às outras.

No entanto, apesar de ter avós que me acolheram com alegria e que cuidavam de mim, quando eu era pequeno tinha saudades de papai e mamãe enquanto eles estavam no trabalho. Eu queria estar com eles, e não entendia bem por que estavam sempre ausentes. Tornei-me um bom garoto, esforçando-me para lhes dar todos os motivos para que me quisessem perto deles. Eu recolhia meus carrinhos Matchbox sem que me pedissem. Não jogava as roupas no chão e conservava o quarto arrumado. Não deixava a bola de futebol onde minha mãe ou meu pai pudessem tropeçar. E sempre dizia "obrigado" e "por favor" e tentava comer tudo o que tinha no prato.

Mas não era suficiente. Eu simplesmente não podia competir com a determinação com que ambos perseguiam o Sonho Americano. Precisavam dar atenção a seu empreendimento, que crescia, e estavam satisfeitos por eu estar bem cuidado por pessoas em quem confiavam. Mas por mais completa que fosse minha vida, e por mais que meus avós e eu nos amássemos, eu ansiava fazer mais parte da vida de meus pais.

Quando chegou a hora, minha mãe, convencida de que eu era brilhante, fez questão de escolher uma escola que estivesse à altura da mente privilegiada que ela tinha certeza de que eu possuía. Muito cedo ela decidiu que eu seria médico – rico e respeitado – e passou a procurar com afinco a prova de que ela estava com a razão.

Meu futuro como médico, porém, não foi o único fator que pesou em sua firme determinação de que eu recebesse uma educação sólida. Sua própria experiência escolar não tinha sido nem um pouco animadora. Ela havia chegado aos Estados Unidos com a família em 1966, na idade em que estaria cursando o ensino médio e sem falar uma palavra de inglês. A escola pública de Blue Island, Dwight D. Eisenhower, havia sido um desastre para ela. Totalmente alheia aos traumas que um estrangeiro poderia enfrentar, a escola não tinha aulas, tutores, tradutores ou recursos para ajudar um aluno que não falasse inglês – ou a família dele – a se integrar.

Anna, uma menina simples de 16 anos, vinda de um povoado minúsculo na Itália, que não sabia ler, escrever ou falar inglês, estava por sua própria conta.

Em vez de ajudá-la a se adaptar, os outros alunos a insultavam, jogavam bolas de neve nela quando estava no ponto de ônibus, caçoavam de suas roupas de segunda mão e remedavam os pais dela e seus costumes antiquados.

Minha mãe ficou menos de um ano na escola antes de abandoná-la, e nunca mais voltou.

Ela jurou a si mesma que seu filho cresceria sabendo tudo sobre como se ambientar e se entrosar. Todos o respeitariam, e até o admirariam. Todos perceberiam que os estudos o levariam a sua merecida carreira de médico.

Claro, tudo dependia de onde ele estudasse, e por isso ele iria para uma boa escola particular, não uma dessas escolas públicas onde os alunos agiam como se fossem animais.

A Escola Primária Saint Damian e a igreja contígua de mesmo nome ocupavam a extensão de um campo de futebol. A construção longa, baixa, de tijolos claros que abrangia a igreja pareceu imensa, em minha mente, aos 5 anos de idade. Por dentro, as pesadas portas de madeira que davam para cada uma das salas de aula estavam fechadas, tornando sombrios e tristes os corredores estreitos e desolados. Enquanto íamos para a sala da diretora, os saltos dos sapatos italianos de minha mãe ressoavam como o martelo de meu avô quando ele pregava tachinhas. As cadeiras que a idosa madre superiora nos ofereceu pareceram altas demais, e meus pés ficaram balançando muito acima do piso. Minha mãe sentou-se bem na beira da cadeira, apertando com força a bolsa de couro sobre o colo. Seu cabelo estava penteado para o lado, com muito estilo, e a maquiagem era mínima, apropriada para uma conversa com freiras.

A diretora, irmã Lucinia, sorriu para mim, debruçando-se por cima de sua enorme escrivaninha de metal.

"Então você vai começar a estudar este ano, rapazinho", disse ela, olhando-me de cima, através de grandes óculos redondos que aumentavam seus olhos, fazendo-os parecer bolas de gude gigantes.

"Sim, Irmã", respondi, olhando-a nos olhos, como minha mãe havia ensinado.

"E é aqui nesta escola que você quer estudar?"

"Sim, Irmã", minha mãe respondeu por mim.

A irmã Lucinia continuou fazendo perguntas e continuamos a responder "Sim, Irmã", pelo que me pareceu uma hora ou mais, mas que deve ter sido no máximo dez minutos.

Por fim a diretora virou-se para minha mãe.

"Teremos muito prazer em receber seu filho em nossa escola, minha cara", disse, com um grande sorriso enrugado. "É evidente que ele é uma criança muito esperta. Algum dia vai ser presidente."

Fiquei esperando que minha mãe a corrigisse, e dissesse, *Não, ele vai ser médico*, mas em vez disso ela apertou a bolsa com tanta força que até a tintura de cabelo que impregnara em definitivo a ponta de seus dedos ficou branca.

"O presidente? Dos Estados Unidos?"

"Sim", disse a velha freira, piscando para mim. "O presidente."

Depois que saímos da sala da freira, minha mãe se deteve no meio do estacionamento e apontou para o edifício lá atrás.

"Olhe para lá, Christian. Sua primeira escola. No bairro onde você mora. Em um bom lugar, com bons alunos, filhos de bons pais, que têm dinheiro e médicos na família. E um dia eles vão poder dizer que o presidente dos Estados Unidos da América estudou bem aqui, na Saint Damian, em Oak Forest. Imagine só."

Na outra ponta do estacionamento, vi que estavam jogando beisebol.

"*Mamma*, vou poder jogar beisebol quando estiver estudando aqui? Num time de verdade? Com uniformes?"

"Você vai poder fazer o que quiser. Eles sabem quem você vai ser quando crescer. Você pode fazer qualquer coisa."

Gostei de ouvir aquilo. Um raio de esperança brilhou por entre o desespero que me enchera desde que descobri que não iria à escola em Blue Island – o lugar que considerava meu lar verdadeiro.

Mas minha mãe tinha mentido. Uma semana depois de pisar nos corredores longos e escuros de Saint Damian, eu já sabia que os garotos ali não eram nem de perto como os de Blue Island.

Eles não comiam macarrão com mariscos no jantar. Eles comiam macarrão instantâneo com palitos de peixe empanados. Tomavam Pepsi nas refeições, e não vinho caseiro, como faziam as famílias em Blue Island. Viviam em casas unifamiliares, uma família por unidade. Depois de adultas, as pessoas iam para a universidade e se formavam em contabilidade e então se mudavam para longe, se casavam e tinham sua própria casa, e filhos e macarrão instantâneo e palitos de peixe empanados. Na igreja, o padre rezava a missa em inglês, não em italiano. E eles não faziam ideia de que o festival anual de São Donato era o ponto alto do verão.

Aprendi depressa a não me abrir com os outros, que a escola significava livros chatos e orações demais e uniformes que pinicavam e regras idiotas quanto a manter a camisa dentro das calças. E como todos os demais garotos que tiveram o azar de ser considerados "diferentes", eu era vítima de Jake Reilly – que percebi, assim que entrei no primeiro ano, era sem dúvida o cara que mandava ali. Mas fiquei na minha, racionalizando que aquela escola não importava. Aqueles alunos não contavam. Blue Island e as pessoas ligadas a minha vida eram o mundo real, e ninguém ali naquela escola fazia parte disso. A escola não era nada além de um lugar que eu tinha que aguentar até que mamãe ou papai largassem o trabalho para vir me buscar e me levar para Blue Island, que era meu lugar.

Durante os primeiros anos do fundamental, minha vida seguiu um caminho previsível e rotineiro. Durante a semana, eu assistia às aulas em Saint Damian e passava as tardes e finais de semana com meus avós maternos em Blue Island, em geral desenhando ou brincando de detetive, sozinho no enorme *closet* empoeirado onde eles guardavam os casacos, que era o lugar perfeito para criar meu próprio mundo de fantasia.

Através de uma pequena janela retangular que havia sido aberta no grande *closet*, eu observava os garotos de Blue Island que passavam manobrando bicicletas com magníficos guidões de aço e selins longos e lustrosos. Eu os via passar pedalando sem usar as mãos; iam até a casa de algum amigo, largavam as bicicletas de qualquer jeito na calçada, subiam de dois em dois degraus a escada da frente e batiam na porta para convocar o colega. Daí a segundos, a porta externa de tela se escancarava, o amigo aparecia, pulavam juntos nas bicicletas e os dois se mandavam, seguindo rua abaixo, e sumiam, engolidos lentamente pelo horizonte.

Eu suspeitava que pedalassem até o estacionamento da igreja de São Donato, onde até eu, refugiado de uma terra distante, sabia estar contida a força vital de toda a garotada da zona leste de Blue Island – era o *playground*, o campo de *softball* e de *wiffle ball** e o ponto de encontro para todos os jovens da região.

Às vezes eu ensaiava que estava fazendo amizade com os outros garotos do quarteirão enquanto estava sentado sozinho no *closet*, desenhando Snoopy e outros personagens dos Peanuts em meu caderno de desenho. Aninhado sobre os casacos e sobretudos do inverno passado, infestados de traças, eu me imaginava batendo à porta de alguém, ou que minha avó me mandaria à casa de algum vizinho para pedir açúcar e que algum garoto atenderia à porta e me convidaria para entrar e brincar. Enquanto estava ali, sozinho e pensativo no *closet*, de repente eu fazia uma pausa inesperada, a mão que segurava a canetinha colorida imóvel no ar enquanto eu imaginava alguém largando a bicicleta junto à porta dos fundos e perguntando a Nonna se eu estava e se poderia sair para brincar.

Mas eu sabia que isso não ia acontecer. Os garotos de Blue Island tinham uns aos outros. Eles iam à escola juntos, provavelmente copiavam

* Uma variante do beisebol criada para ser jogada em áreas cobertas ou em áreas externas restritas. (N.T.)

a lição de casa uns dos outros, talvez até mandassem bilhetinhos de amor na classe para garotas com nomes como Gina e Maria, que desenhavam coraçõezinhos ou carinhas sorridentes em cima dos *i* de seus nomes. Dormiam, comiam e se divertiam na casa uns dos outros e isso preenchia todos os seus momentos. Por que iriam perder tempo comigo, que nem morava nem ia à escola em Blue Island? Alguém que era diferente deles?

Eram todos muito amigos entre si, um grupo unido de companheiros. Meio alucinados, até, atirando tomates e bolas de neve nos carros que passavam, pulando cercas. Rindo. Divertindo-se juntos.

Fazia anos que eu me distraía sozinho, sentado solitário naquele *closet,* mas agora eu estava desesperado para fazer parte de algo. E não fazia. Lá estava eu, sozinho, pairando entre dois mundos totalmente diferentes, separados dezesseis quilômetros um do outro. Eu sabia que era considerado um *outsider* – na escola da suburbana Oak Forest por pertencer a uma cultura diferente e passar todo meu tempo livre em Blue Island com meus avós, e na urbana Blue Island por não morar ali nem ir à escola com o resto das crianças italianas da vizinhança. Mesmo que os adultos estivessem à minha volta o tempo todo, eu me sentia muito solitário.

Tudo mudou quando eu fiz 10 anos e ganhei de Natal algo tão comum e inocente quanto uma bicicletinha vermelha reluzente.

Como fazíamos todo ano, meus pais e eu fomos para Blue Island comemorar o Natal em família e esperar o Papai Noel, embora eu tivesse parado de acreditar nele no momento em que percebi que ele usava o anel de ouro e os sapatos italianos de meu pai. Mamãe e papai não entendiam bem toda aquela coisa americana de Papai Noel descendo pela chaminé, mas eles sabiam que as crianças americanas recebiam presentes dele, então faziam questão que tivéssemos uma árvore enfeitada e muitos presentes para seu filho maravilhoso que todo mundo adorava.

Abríamos os presentes na véspera de Natal, depois de um tradicional jantar comemorativo italiano. Muita massa, claro, e vários pratos com peixes e frutos do mar, incluindo bacalhau, ou, como era chamado, *baccalà*. O vinho que tinha sido fermentado no porão, e que era armazenado em qualquer garrafa de vidro que minha avó pudesse guardar – reciclando cascos de vinho, refrigerantes e uísque – fluía como água da torneira.

Depois do jantar, íamos todos para a sala de estar, sentávamos nos sofás revestidos de plástico e abríamos os presentes.

Naquele Natal em particular, os adultos ficaram conversando tempo demais, o vinho e o café *espresso* tornando-os mais falantes do que o comum, o que é realmente algo extraordinário em uma família italiana em que as línguas nunca param dentro da boca e as opiniões quase nunca deixam de ser expressadas. Lembro-me com clareza de pensar que o jantar não iria terminar nunca, mas por fim mamãe se inclinou mais para perto de mim e disse, em seu tom provocativo:

"E você, o que tem a dizer, Christian?"

Olhei desolado para meu prato. Aquela conversa não acabava nunca?

Mamãe brincou com meus cabelos, percebendo de repente, assim como todos os outros adultos, que eu só tinha uma coisa em mente – abrir os presentes.

"Vamos ver se o Papai Noel trouxe alguma coisa este ano?", ela perguntou. "Você foi um bom menino? Aposto que ele trouxe algo muito, muito especial para você."

O suspense era demais para manter meu bom comportamento. Empurrei a cadeira para trás e pulei para o chão, gritando com euforia:

"Quero ver!"

Os risos deles e o som das cadeiras arrastando nos ladrilhos do piso preencheram a cozinha abafada, enquanto eu corria através do arco que dava para a sala de estar. Eles vinham logo atrás de mim quando entrei na sala e acendi as luzes.

E lá estava ela.

Uma maravilhosa e reluzente bicicleta vermelha, com o maior laço de fita que eu já tinha visto. Ignorando todos os outros presentes, corri até ela e arranquei o laço.

Tinha que existir um Papai Noel no final das contas. Meus pais nunca teriam pensado em comprar para mim algo tão perfeito. Tão legal. Tão incrível.

Eu abracei a bicicleta, beijei e pulei no selim, meus pés se esticando até os pedais.

"Não, Christian, não!", gritou minha avó. Dentro de casa, não! Bicicletas não foram feitas para dentro de casa! Você vai estragar o tapete. Vai arranhar o piso."

Desci da bicicleta e, segurando o guidão com força, com as duas mãos, atravessei a pilha de presentes na direção da porta dos fundos.

"Pode parar!" Nonna gritou atrás de mim. "Está congelando lá fora. Está escuro demais. Você vai cair e se machucar. Ou vai pegar um resfriado e morrer." Ela fez o sinal da cruz e acrescentou, "Que Deus me perdoe".

Ignorando as súplicas, abri a porta e consegui escapar. Precipitei-me pelos degraus abaixo, segurando firme minha preciosidade, e depois de descer a escada me empoleirei no selim e saí meio desequilibrado pela calçada que rodeava a casa. Fieiras de luzinhas reluzentes de Natal nos arbustos e cercas iluminavam meu caminho como uma passarela, enquanto eu fazia a viagem inaugural na bicicleta mais incrível do planeta. Se estava frio, eu não notei. Se Nonna e meus pais gritaram algum aviso ou pediram a Deus por minha segurança, não ouvi. Só uma coisa importava.

Liberdade. Eu já não era um garotinho indefeso sob o perpétuo cuidado de pessoas velhas, uma criança transportada de um lugar a outro sem direito a dar palpite. Ah, não, eu havia crescido. Tinha meu próprio meio de transporte. Havia adquirido vida! Agora podia me juntar aos outros garotos da vizinhança. Pedalar com eles, percorrer becos e ruas laterais enquanto ia visitar ainda mais amigos. Mas primeiro eu tinha que fazer algumas amizades.

Quando o verão seguinte ao quinto ano chegou, segui os sons da torcida e o som dos golpes dos tacos e, pedalando minha bicicleta nova, percorri vários quarteirões de Blue Island. Descobri o campo Schrei Field. Assisti a jogos de beisebol por trás da cerca do campo esquerdo. Eu sabia quem era uma ameaça no *home plate*, que arremessador tinha uma bola rápida incrível, quem chorava quando seu time perdia. Quando conseguia surrupiar algum trocado da bolsa de minha avó, eu comprava um cachorro-quente e um refrigerante gelado.

Eu analisava os pais nos jogos – mães conversando umas com as outras nas arquibancadas, avisando a seus bebês que não subissem nos degraus mais altos, pais resmungando em voz baixa contra o juiz, dizendo aos filhos para não se deixarem afetar por algum erro de arbitragem. Eu tinha uma sensação de vazio no estômago, desejando fazer parte do time, imaginando como seria fazer um *home run*, apanhar uma bola difícil, comemorar com os colegas de time, fazer coro de "*Hey, batter, batter... swing batter*".* Era inimaginável ter meus pais ali me vendo jogar, gritando meu nome e me incentivando, sentindo orgulho de mim, mas ainda assim eu deixava a imagem surgir e desaparecer em minha mente.

E assim eu assistia por detrás da cerca do campo esquerdo, sentado em minha bicicletinha vermelha, os dedos da mão direita segurando o alambrado, a pequenina luva plástica na mão esquerda, pronta para apanhar qualquer bola de *home run* que passasse por cima da cerca. Eu a imaginava acertando bem no meio de minha luva. Eu giraria ao agarrá-la, erguendo minha mão, triunfante, mostrando que eu tinha a bola, e sem qualquer esforço eu recuaria o braço e a arremessaria como um raio laser, direto até a *home plate*.

O treinador ficaria de queixo caído ao ver meu braço poderoso.

---

* Palavras que, por tradição, os espectadores de jogos de beisebol gritam para tentar atrapalhar o rebatedor adversário. (N.T.)

"Quem é aquele garoto?", ele perguntaria, cuspindo na linha da primeira base.

Ele descobriria. Ligaria para meus pais. Insistiria para que me deixassem jogar.

"Diabos!", ele diria. "Eu mesmo o levo de carro de volta a Oak Forest depois dos jogos. Vou até pegá-lo na escola. Ele tem que ser nosso."

Como meus pais poderiam dizer não?

Eu socava a palma de minha luvinha de plástico com a mão direita.

"Vamos lá, *baby*", eu sussurrava. "Bem aqui. Coloque a bola bem aqui."

Mas a bola nunca passou por cima da cerca, e dia após dia, semana após semana, eu montava de novo em minha bicicletinha vermelha e pedalava para casa, desejando de todo coração que alguém – qualquer um – emparelhasse comigo e dissesse:

"Quer apostar uma corrida?"

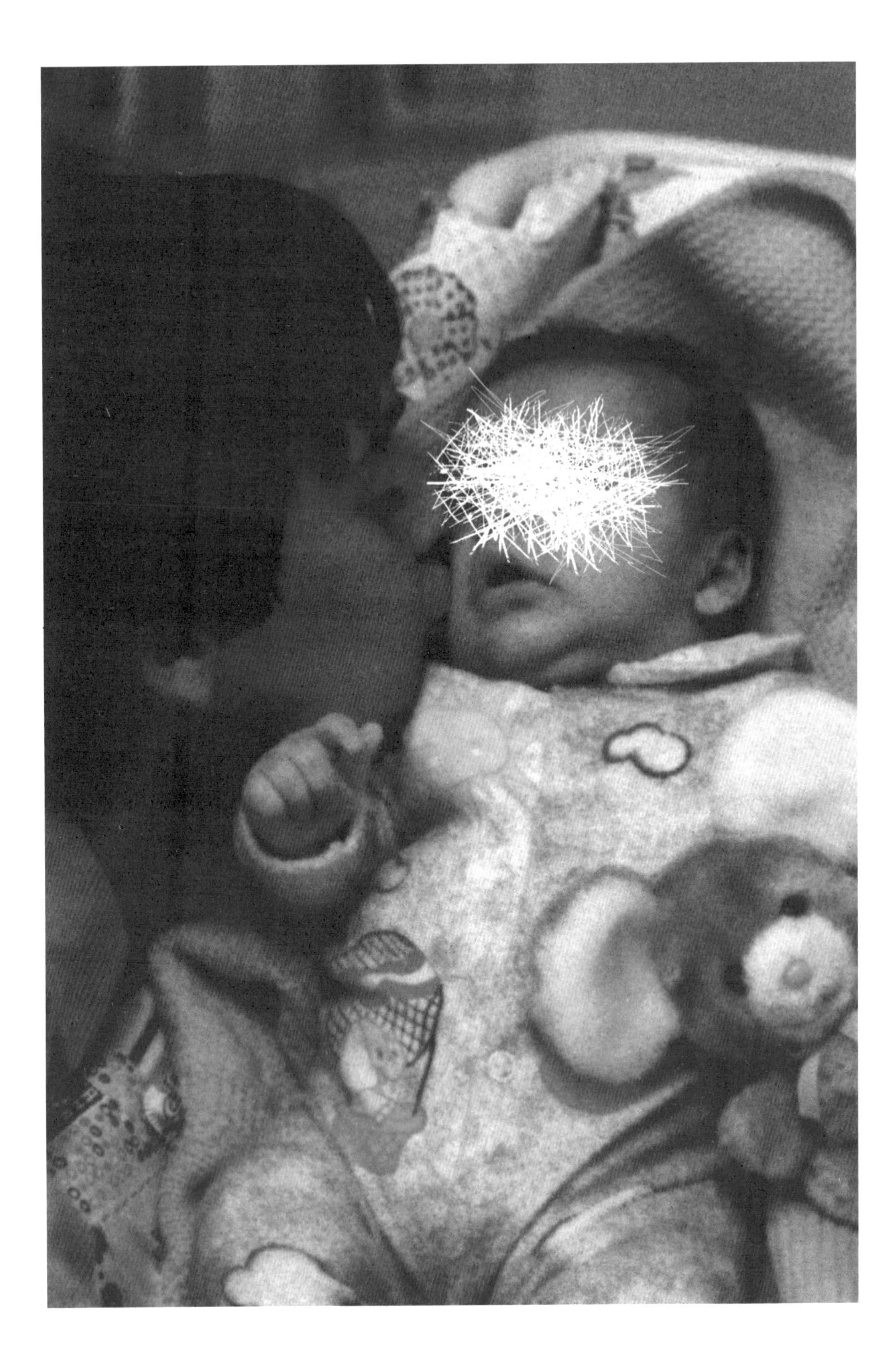

3

VITÓRIA

Quando estava no sexto ano, eu já não aguentava o estigma de ser um pária em Saint Damian. Eu abominava tanto isso que cheguei ao ponto de rezar todos os dias, por volta da hora do almoço. As outras crianças compravam refeições quentes da mulher que vendia almoço na escola, ou tinham lancheiras metálicas coloridas, cheias de biscoitos caseiros e sanduíches de presunto e queijo, preparados por suas mães. Minha mãe muitas vezes tinha pressa de chegar ao trabalho pela manhã, e assim ela aparecia na hora do almoço trazendo algo que havia comprado, entre um corte de cabelo e uma permanente, pela janela do carro, em alguma lanchonete de *fast-food.*

Um pouco antes do sinal do almoço, todo dia, eu fechava os olhos e rezava – voltando-me para a falsa esperança que as freiras nos haviam transmitido, de que Deus olharia por nós se tivéssemos a humildade de pedir ajuda.

Christian e Buddy, 1983

"Querido Deus, se você está aí mesmo, só desta vez, por favor me escute. Sei que provavelmente tem um monte de outros pecadores aqui embaixo, mas eu ficaria muito grato se você ignorasse todo mundo menos eu esta tarde. Ouça minha prece, ó Senhor, e você pode descansar o resto do dia. Não estou pedindo nada difícil como um novo *walkman* Sony, nem a paz mundial, ou que outra rajada de vento levante o vestido da senhorita MacGowan até o pescoço dela outra vez. Só quero uma coisa simples."

Eu fazia uma pausa de um minuto para dar ao Cara lá em cima a chance de perceber como era pouco o que eu pedia.

"Por favor, Deus, eu suplico, não deixe que minha mãe apareça de novo na hora do almoço com outro Lanche Feliz do McDonald's."

Mas parece que as palavras nunca tinham tempo suficiente para ir de minha boca aos ouvidos Dele, porque todo dia, como um relógio, quando o sinal tocava e a minha turma ia para o refeitório, lá estava mamãe, parada na porta, acenando para que eu me apressasse, com a longa jaqueta de couro que só parecia elegante para ela e o cabelo loiro espetado em ângulos esquisitos, porque tinha saído correndo do salão, no meio do processo de tingimento de seu próprio cabelo. Suas botas de salto alto golpeavam o piso de linóleo polido com um barulho abrupto e decidido, assinalando uma catástrofe iminente.

Naquele dia em particular não foi diferente. Jake Reilly me fez tropeçar enquanto estávamos na fila da cafeteria.

"O que você tem para o almoço, *Lick-my-weenie*?", ele zombou. "A mamãezinha hoje vai te trazer outro McLanche Feliz para seu bebezinho?"

Quando o sinal tocou, rezei para que ela não estivesse no corredor, mas lá estava ela. Mamãe abriu um enorme sorriso, seus braços se estenderam para mim, a gordura das batatas fritas já empapando a caixa e as luvas negras dela.

"Merda!", soltei, alto o suficiente para que Kathleen O'Hara ouvisse. Com certeza ela ia me dedurar por falar palavrões. "Que bosta!", acrescentei, só para garantir. Se preces não funcionavam, quem sabe praguejar desse certo. Talvez Deus me acertasse um raio e me matasse.

Mas não tive essa sorte. Mamãe foi até onde eu estava, puxou minha mão de dentro do bolso e colocou nela a infeliz caixa empapada.

Desejei ser como Jake Reilly. Imaginei que suas preces eram atendidas. Ele tinha tudo o que queria, no instante em que a ideia brotava em sua cabeça. Ele provavelmente falava com Deus em monossílabos e devia até pular a parte do "Querido Deus", com que as freiras insistiam em começar cada prece.

Quem sabe minhas preces devessem ser mais específicas. Talvez eu devesse dizer: "Queridos Deus, Jesus, Maria e José, e todos os santos, não deixem que minha mãe ou meu pai ou nenhum conhecido que deve qualquer favor a eles ou que trabalhe no salão de beleza deles ou que veio da Itália, ou mesmo que conheça alguém da Itália ou que tenha cabelo castanho, ou que fale com um sotaque estranho, chegue perto de mim trazendo qualquer coisa para meu almoço. Nem estou com tanta fome assim, e de todo jeito Dickie Cooper me deve seu pudim de chocolate porque eu falsifiquei a assinatura do pai dele no exame em que ele foi mal na semana passada. Amém".

"*Christian*", trinou minha mãe, com seu forte sotaque e a voz anasalada por viver inalando tintura de cabelo. "Você achou que eu tinha esquecido seu almoço hoje? Que *mamma* faria isso? Vim até aqui para trazer o almoço para você, mas tenho que voltar correndo para o salão e tirar a senhora Foster do secador, senão o cabelo dela vai secar e cair, e não é bom ter uma cliente insatisfeita."

Atrás de mim eu podia sentir Golias arreganhando os dentes, filetes de baba caindo e começando a formar uma poça a seus pés. Como se inalasse sais, o aroma dos *nuggets* de frango havia despertado a fera dentro dele.

Nesse mesmo instante, todos os dias, eu desejava não ter mãe. Quem precisava de mãe? Ou de pai, aliás? Tudo o que faziam era me transformar em alvo de piadas, sempre que decidiam aparecer. Eu queria que eles voltassem para a Itália, deixando que eu me virasse sozinho. Ou que deixassem que eu fosse morar com meus avós. Pelo menos eu poderia estudar em Blue Island, e não em Saint Damian, com os riquinhos mimados que moravam na entediante Oak Forest.

Eu não conseguia entender por que meus pais queriam tanto ser aceitos entre aquela gente. Nós não éramos como eles. Não tínhamos dinheiro como eles tinham. Além disso, meus pais trabalhavam tanto, todo dia, que nem teriam tempo de desfrutar do dinheiro, se quisessem.

Graças a Deus, quando o sinal tocasse às três da tarde, eu deixaria tudo aquilo para trás. As crianças malcriadas e os pais esnobes. Meus próprios pais. Os padres. As freiras. As preces. O Deus que me mandaria para o inferno se eu comesse carne na sexta-feira.

Às três horas, eu sairia pela porta e um carro me levaria para o paraíso.

Quando o sinal do fim das aulas tocou naquela tarde, deixei-me ficar para trás e fiquei divagando sobre o que o fim de semana me reservava. Embora ansioso para chegar à casa de meus avós, eu tinha aprendido a não me apressar. Meus pais eram sempre os últimos a chegar após as aulas, e ainda que os outros pais já tivessem parado de me perguntar se eu precisava de uma carona ou se eu tinha certeza de que alguém vinha me buscar, eu ainda odiava a desgraça de ser o último a ser buscado.

"Você ainda está por aqui, *Pick-my-weenie*?", Jake Reilly zombou, interrompendo meu transe, quando a mãe dele chegou na perua deles.

Meu corpo se enrijeceu e meu sangue gelou, mas não havia nada que eu pudesse fazer. Eu era um dos menores garotos da minha classe. Ele era grandão. Mau. O valentão da escola. Golias. E o cara mais popular do sexto ano. Assim como tinha sido no quinto ano, e no quarto, no terceiro, no segundo e no primeiro, e provavelmente até no jardim de infância e na pré-escola – e no berçário da maternidade onde ele nasceu.

Assim como eu havia sido o garoto estranho, diferente e raquítico em cada um desses anos.

O menino estrangeiro tímido que ia para Blue Island, aquele lugar italiano pobre e distante, todos os dias depois da aula e todos os verões. O garoto com pais esquisitos que ganhavam a vida fazendo penteados em mulheres. O bobão com cabelo tigelinha cuja mamãe lhe levava *fast-food* encharcada de óleo todo dia na hora do almoço, em vez de mandá-lo para a escola com um sanduíche de manteiga de amendoim e geleia num pão de forma sem casca, cortado em triângulo, numa lancheira colorida do seriado *Os Gatões*. O pária de nome impronunciável.

Por fim, vi chegar o Corvette prateado de papai. Outro brinquedinho que não podíamos pagar ou manter, mas papai precisava tê-lo. Era a cereja em cima de sua torta americana.

Ele estendeu o braço e abriu por dentro a porta do lado do carona.

"Depressa, vamos logo, tenho que voltar para o salão", disse, mesmo eu já estando com meio corpo dentro do carro, fechando a porta atrás de mim.

Em geral não nos cumprimentávamos. Para quê? Os pensamentos de papai estavam sempre em outro lugar e, se eu dissesse algo, o som alto de Frankie Valli ou de Elvis Presley que saía do toca-fitas do carro teriam abafado minhas palavras. Uma vez, comigo no carro, ele estava tão distraído que passou direto pelo alarme luminoso de uma passagem de trem. Por trinta metros o trem de subúrbio não nos acertou. Também não falamos sobre isso.

Quando, mais tarde, naquela noite, contei a mamãe sobre o risco que havíamos corrido, meus pais começaram a discutir por causa disso. Para descarregar sua frustração, papai se virou contra mim, gritando e me dando um tapa atrás da cabeça, seu meio preferido de comunicação. Ele não era um cara com um físico impressionante – era um tanto quanto baixo, com uma barriga protuberante, e gostava de usar joias pesadas de ouro – e seus tapas nunca eram fortes o bastante para me machucar, mas a forma como ele golpeava minha cabeça era ofensiva, exasperante e humilhante.

Rodamos até Blue Island sem falar, meu pai corpulento e indiferente em seu assento ergonômico de couro vermelho. Ocupei meu tempo imaginando-me no volante de um veloz carro de espião e vendo a paisagem desaparecer atrás de mim. Fileiras de fachadas de lojas e de edifícios industriais, quilômetros de asfalto manchado e de pavimentação de concreto rachada, semáforos e placas de trânsito balançando com a brisa passavam por nós num borrão, enquanto meu pai corria para me entregar aos cuidados de terceiros. Um fardo descarregado.

Não tentei prolongar a agonia dele. Antes que ele parasse, de forma abrupta, eu já havia aberto a porta e um pé já estava se esticando para tocar o meio-fio.

Não nos despedimos. Não combinamos um horário para ele vir me buscar. Não discutimos o jantar ou o dever de casa ou mesmo se voltaríamos a nos ver. Não me incomodava que nem ele nem mamãe nunca me perguntassem sobre meu dia na escola ou sobre o que eu estava aprendendo. Eu nem sabia que os pais de outras crianças ficavam em cima delas por causa das lições, das notas, que queriam saber se tinham comido a fruta no almoço, ou como haviam se saído em um trabalho de ciências.

Fiquei olhando o Corvette de papai desaparecer, como uma bala de prata. Seu orgulho e sua alegria. Algumas pessoas podiam achar que era o máximo, mas eu não achava. Era só mais uma das coisas que me separavam das crianças de Blue Island. Eu era só um garoto "rico", vindo de alguma outra vizinhança onde ninguém alugava apartamentos no porão de suas casas e que talvez até tivesse dois carros.

Com um suspiro resignado, percorri a calçada até a porta dos fundos da casa de meus avós. Senti o vento cortante ao virar a maçaneta e entrar na cozinha.

"É você, Christian?", soou a voz de minha avó, em italiano.

"Sou eu, Nonna. Cheguei", gritei de volta, em inglês.

Ainda estava cedo demais para o jantar, e assim peguei uma colher e um pote enorme de Nutella e me instalei em meu santuário no *closet* para um doce lanche.

Poucos minutos depois, entreouvi vovó dizendo a meu avô algo tão fora do comum que abri um tantinho a porta do *closet* para poder decifrar melhor o pesado sotaque italiano deles.

"Anna cometeu um erro se mudando para tão longe. Já é difícil com um filho, imagina com outra criança a caminho. Eles não têm dinheiro para isso. O que ela está pensando?"

Apoiei-me na parede, recostado em uma coleção considerável de sacolas da Alitalia.

Outra criança? Minha mãe ia ter um bebê?

Emoções desencontradas me inundaram. Será que eu ia ter que tomar conta dele? Tomara que não. Se tivesse, não ia poder andar de bicicleta. Pensei nos outros meninos da vizinhança. Todos tinham irmãos mais novos. Agora eu seria mais parecido com eles, e quem sabe eles aceitassem minha companhia. Talvez não fosse tão ruim assim.

Ouvi os passos de Nonna no corredor. Erguendo a voz, ela gritou:

"Christian, hora do jantar. Lave as mãos antes, como um bom menino."

Quando meu irmão ou irmã chegasse, íamos apostar corrida até a cozinha. Se é que havia mesmo um bebê a caminho.

O nascimento de meu irmão, em 8 de agosto de 1983, mudou minha vida, embora isso só ficasse claro para mim muitos anos depois.

Sem praticamente nenhuma experiência com bebês, eu não fazia ideia de como um recém-nascido era pequeno. Eu não tinha passado muito tempo pensando sobre o pequeno Alex, mas com certeza eu esperava alguém maior que o pequenino ser que minha mãe me mostrou no dia em que ele nasceu. Na minha cabeça, eu sabia que os recém-nascidos não andavam, mas imaginei uma criancinha maior. Fraldas, sim. Mamadeira? Claro, bebês tomavam mamadeiras. Mas uma trouxinha azul, embrulhada num cobertor, com um bebezinho todo encolhido, tão lá no fundo que eu só conseguia ver um rostinho enrugado e o topo de uma cabeça coberta de penugem escura? Aquilo não se parecia nada com a imagem que eu tinha em minha mente.

Mas não importava. Quando minha mãe veio do hospital com Alex e se recostou para trás e afastou o cobertor para que eu pudesse olhar, meu coração se encheu de orgulho. Era como se eu o conhecesse por toda minha vida de dez anos. Ele era parte de mim e eu era parte dele. Ele bocejou e abriu seus olhos castanhos brilhantes. Estiquei a mão e toquei sua face, macia como os coletes de esqui acolchoados sob os quais eu flutuava durante meus sonhos frequentes no *closet* de casacos. Nossos olhos se encontraram numa admiração tão pura que nada além de nós existiu por breves e infinitos momentos.

Aceitei essa pessoa com todo meu coração, mas eu ainda era um garoto, e sabendo que eu não poderia me divertir com meu irmão tão cedo, perguntei:

"Posso ir lá fora andar de bicicleta?"

"Amanhã", respondeu mamãe. "Hoje vamos para casa, em Oak Forest, para ficarmos todos juntos."

Eu tinha vontade de cutucá-lo e ficar olhando para ele.

Descobri que ter um irmão tinha muitos benefícios. Por exemplo, minha mãe parou de ir ao salão de beleza, de forma que as coisas ficaram bastante tranquilas em Oak Forest pelo resto do verão. Quando as aulas recomeçaram, eu ainda passava os finais de semana com meus avós em Blue Island e tinha tempo para andar de bicicleta, mas foi fácil me acostumar a passar a semana toda em um só lugar.

Quando Alex me ouvia subindo os degraus da varanda, ele engatinhava até a porta de entrada e envolvia meus joelhos com seus bracinhos gorduchos. Seu sorriso torto, com os dentões de leite da frente, era contagiante. Nós brincávamos de lutar; minha mãe me dizia para ter cuidado e Alex, cheio de energia, pedia mais. Ele queria fazer tudo que eu fazia, e então tentei ensiná-lo, antes que ele saísse das fraldas, como apanhar e rebater as bolas de beisebol. Eu cantava para ele e fazia desenhos engraçados e inventava histórias com os personagens, narrando com vozes engraçadas. Quando ele tinha 2 anos, dei a ele um boneco My Buddy* de presente de Natal. O boneco se parecia com ele, com o cabelo castanho liso, leves sardas no nariz e um corpinho rechonchudo que a gente podia virar de qualquer jeito, sem ouvir reclamações. Ele estava sempre com um sorriso no rosto. E daquele dia em diante, só nos chamamos um ao outro de "Buddy".

Meus pais davam mais atenção a ele do que haviam me dado, talvez por estarem mais velhos ou por não terem mais tanta preocupação em se dar bem em um novo país. Mas ao ficarem mais conscientes das necessidades dele, é justo dizer que fizeram o mesmo com as minhas, até certo ponto.

E assim, nunca me ressenti por ter um irmão mais novo. Éramos companheiros, ficávamos à vontade um com o outro, sentíamo-nos em segurança juntos. Compartilhávamos um vínculo que nenhum de nós duvidava que duraria até o fim. Buddy preencheu um enorme vazio em minha vida. Senti que tinha de fato um membro da família que estava a fim de ficar junto comigo.

Não importava o quanto eu me sentisse bem em Oak Forest, meu coração, e portanto meu verdadeiro lar, estava ainda em Blue Island.

Blue Island havia sido meu segundo lar desde antes de eu começar a engatinhar, e eu já sabia muita coisa sobre os garotos da vizinhança. A maioria dos moradores era originária de uma mesma região da Itália, e por isso nossas famílias falavam o tempo todo umas das outras.

Já fazia algum tempo que eu observava os garotos mais velhos. Eu os via jogando *wiffle ball* no estacionamento da igreja de São Donato,

---

* Em inglês, "meu amigão". O boneco era parecido com um garoto pequeno, e foi lançado, na década de 1980, para estimular os meninos a cuidarem dos seus amigos. (N.T.)

futebol americano na High Street e jogando beisebol de encontro à parede de tijolos da escola Sanders.

Eles eram conhecidos nos arredores como os High Street Boys (Meninos da High Street), porque todos moravam no mesmo quarteirão. E já estava na hora de eu me tornar um deles, apesar de morar uma rua mais para cima e ser mais novo.

O mais difícil de conquistar, calculei, seria Dane Scully. O garoto mais popular da escola. Ele era atlético e descolado e uma das primeiras pessoas que vi fazer manobras de skate. Todas as garotas o adoravam. Mas ele não prestava muita atenção nelas, mesmo quando iam aos jogos de beisebol só para vê-lo jogar. Eu achava que ele talvez percebesse que nós dois éramos parecidos porque nenhum de nós tinha irmãos de idade próxima à nossa, embora, no caso dele, ele fosse o irmão muito mais novo, em vez do irmão muito mais velho, como eu.

Havia dois primos em High Street que agiam como se fossem os maiorais – Little Tony Gianelli e Big Tony Gianelli. Little Tony era bom em esportes e era o chefe não oficial da turma de High Street. Ao contrário, Big Tony era alto e magricela e em geral era um dos últimos a ser escolhidos para um time porque tinha tanto talento para esportes quanto um banco de jardim. Eles não apenas eram parentes, mas tinham o mesmo nome e sobrenome, haviam nascido no mesmo ano e moravam na mesma rua, em casas de frente uma para a outra. Nenhum dos dois tinha reputação de ser particularmente simpático, e eu não tinha certeza de que iriam querer minha companhia.

Havia Jimmy Callahan. Desde pequeno era o melhor amigo de Scully. Magro como um caniço, tinha cabelo muito ruivo e o rosto coberto de sardas. Morava com a mãe e uma irmã mais velha. Todos tinham curiosidade quanto a seu irmão mais velho que tinha ido embora de casa, um caubói que vivia em algum lugar do oeste com o pai. Eu tinha esperança de descobrir mais sobre esse lance de caubói se conseguisse fazer amizade com Jimmy.

Chuck Zanecki era alto e magro como Callahan. Ele morava na casa em frente à de Little Tony e eu senti pena dele ao saber que seu pai havia morrido em um horrível acidente de trabalho na refinaria de petróleo da região. Um gozador constante, Chuck era rápido em pregar peças nas pessoas – trocar as luvas dos jogadores no banco, colocar creme de barbear nos bonés das pessoas, esse tipo de coisa –, mas tinha um bom coração. De todos os garotos do quarteirão, ele era o único que eu achava possível – quem sabe – que quisesse ser meu melhor amigo.

Eu não tinha exatamente um plano de como faria para ser amigo daqueles caras. Acho que eu imaginava que, se ficasse perto deles e conversasse mais com eles, isso acabaria acontecendo. Assim, foi o que fiz.

Depois de assistir a um jogo de beisebol em Schrei Field, fui até a High Street em minha bicicletinha vermelha e me juntei a eles, sem falar muito, mas ouvindo o que diziam e dizendo algumas palavras vez ou outra. Quando eu os via jogando *softball* no estacionamento de São Donato, eu corria até o campo externo para pegar algumas bolas e entrava no jogo por tabela. Eu jogava do lado de fora, e não exatamente com eles, mas para mim era a mesma coisa que ser amigo deles.

Quase a mesma coisa.

Little Tony gostava de me ridicularizar. Ele me punha em meu lugar quando eu me metia no jogo, rindo de minha bicicletinha. Na verdade, todo mundo ria de minha bicicleta. Eles também riam por causa de meu tamanho pequeno, salientando que eu era baixo para minha idade, por não morar na mesma vizinhança ou por estudar em uma escola de "riquinhos".

Eu tinha que provar meu valor, se queria que me levassem a sério.

Cheguei a meu limite no dia em que fui de bicicleta até um jogo importante de *wiffle ball*, que já tinha começado.

"Ora, se não é o bebezinho Christian", Little Tony zombou, pontuando o comentário com uma cuspida no asfalto. O cuspe não era pessoal.

Todos nós cuspíamos o máximo que podíamos. Tínhamos, na verdade, um fascínio por cuspir – saliva, sementes de girassol, chiclete, qualquer coisa que fosse possível colocar para dentro e para fora da boca estava valendo.

"Bela bicicleta!", zombou Callahan. "Para um bebê."

Todos eles caíram na gargalhada.

Passei a perna por cima da bicicleta e deixei-a cair ao chão.

"Posso jogar?", perguntei, ignorando as provocações.

Eu havia perguntado isso uma dúzia de vezes antes, como todos que chegavam quando um jogo já estava em andamento, mas desta vez minha pergunta provocou riso.

"O time está completo", zombou Little Tony.

"Não entra mais ninguém", Big Tony reiterou, cuspindo.

"Bela bicicletinha de brinquedo", Chuck Zanecki atalhou.

Aquilo foi a gota d'água. Eu estava farto de que fizessem pouco de minha bicicleta e de que dissessem que ela era pequena demais para um garoto de 12 anos.

Sem dizer mais nada, ergui a bicicleta com uma das mãos e subi de dois em dois os degraus da igreja adjacente. Quando cheguei no patamar mais alto, eu me virei, montei na bicicleta tão ofensiva, pedalei o mais depressa que pude e ao chegar na beira da escada soltei as mãos e com um salto desmontei dela. A bicicletinha planou através do ar enquanto eu a observava, hipnotizado, me sentindo ao mesmo tempo extasiado e magoado por estar destruindo uma parte intrínseca de mim. Antes que eu pudesse piscar, minha antes adorada bicicleta vermelha chocou-se contra o piso, rebotando de três em três degraus, em seu trajeto rumo ao estacionamento lá embaixo. Um pedacinho de meu coração se partiu ao ver aquilo que no passado fora minha passagem para a liberdade precipitando-se degraus abaixo e chocando-se contra o asfalto com tanta força que a corrente arrebentou.

Corri para apanhá-la de novo, meus olhos frios desafiando o silêncio atônito da turma da High Street.

De novo subi a escada, correndo pelos degraus, com a bicicletinha vermelha a meu lado, ainda mais rápido, com ainda mais fúria, deixando que ela voasse do alto do patamar.

Quando a bicicleta despencou pelas escadas e caiu com estrépito pela segunda vez, o silêncio reverente irrompeu em urros, e Little Tony, Big Tony, Chuck Zanecki, Callahan e Scully vieram correndo atrás de mim.

Num frenesi selvagem, nós nos revezamos, atirando escadaria abaixo o que sobrara da bicicleta, de novo e de novo, até que a tinta vermelha tingiu os degraus da igreja como sangue e os pedais e o guidão se soltaram do resto.

Os fragmentos despedaçados de minha infância jaziam espalhados pelo estacionamento de São Donato.

Eu era um deles, agora. Um dos High Street Boys.

Um mês depois, quando eu estava voltando de um jogo informal de beisebol, um grupo de três garotos negros do outro lado de Blue Island me parou e me deu uma surra. Eles roubaram minha bicicleta preta e vermelha novinha, uma Schwinn com rodas de magnésio que eu havia comprado um mês antes com o dinheiro ganho em meu aniversário de 13 anos. Não me lembro muito daquele dia, a não ser que fiquei com raiva e desapontado comigo mesmo por não ter conseguido proteger minha bicicleta nova. Fiquei furioso ao pensar que alguém podia vir a meu bairro e roubar o que me pertencia.

Com o episódio, ganhei um olho roxo, mas o que ficou mais ferido foi meu orgulho. Mamãe ficou irritada por terem feito isso comigo, papai me repreendeu e pontuou suas palavras com tapas atrás de minha cabeça, dizendo que eu era um idiota por deixar roubarem minha bicicleta nova, e meu irmãozinho chorou porque alguém tinha batido em mim. Tive que ficar repetindo a Buddy que o machucado parecia feio, mas o olho não doía.

Uns dias depois, um garoto maconheiro da zona oeste de Blue Island me contou que tinha visto a bicicleta num complexo de apartamentos barra pesada, na periferia da cidade, e fui até lá checar. Dito e feito, vi minha bicicleta em uma varanda no terceiro andar de um conjunto habitacional que chamávamos de "Projetos Blue Island".

Sem pensar nas possíveis consequências de meus atos, subi correndo as escadas e bati à porta com força. Um homem negro com mais do dobro de meu tamanho e pelo menos dez vezes mais forte atendeu.

"Porra, que história é essa de bater na porta que nem um filho da puta de um policial, seu branquelinho?"

"Aquela bicicleta na sua varanda é minha, senhor", eu disse. "Eu quero ela de volta."

Ele me olhou intrigado por uns três segundos, antes de gritar o nome de um garoto.

O menino, que imaginei ser filho dele, apareceu mais rápido do que eu conseguiria bolar um plano se ele negasse a acusação. O homem gigantesco estendeu a mão para o filho e agarrou-o pelo colarinho.

"Este menino está dizendo que aquela bicicleta é dele. É verdade?"

O garoto devia saber que não adiantava mentir, porque logo fez que sim e se encolheu. Plaf! O pai acertou-o com as costas da mão, com tanta força que o menino caiu. Sem perda de tempo, o homem puxou o filho do chão, colocou-o em pé de novo e bateu nele outra vez. Fiquei imóvel, olhando, de boca aberta, dividido entre os sentimentos de vingança e de arrependimento. Não me parecia certo bater numa criança daquele jeito, mas por outro lado aquele garoto e seus amigos tinham batido em mim. Eu tinha um olho roxo bem feio como prova. E mais ainda, ele tinha roubado a bicicleta nova que eu havia comprado com meu próprio dinheiro para substituir a antiga, que eu destruíra semanas antes.

Deixando o filho caído no chão, chorando, o homem imenso passou por cima dele, foi até a varanda e voltou com minha bicicleta.

"Tenha mais cuidado com ela da próxima vez", ele me disse. Não ousei observar que era injustiça ele me culpar por algo que o filho dele havia feito. Eu tinha visto a força do punho dele, e com certeza não queria senti-la em minha própria carne.

O verdadeiro impacto não foi revelado até que eu apareci na escola na segunda-feira. Achei que todo mundo de minha classe de oitavo ano ia rir e fazer piadas de meu olho roxo e inchado, mas em vez disso eles me contemplaram como se eu fosse algum artefato raro. Não tinham um interesse especial em saber quem havia vencido; o simples fato de ter me envolvido em uma briga séria o bastante para acabar com aquele respeitável olho roxo tirou-me da obscuridade e me ergueu a um pedestal momentâneo.

E isso deixou Golias furioso de verdade.

Meu punho latejou no momento em que socou o rosto dele pela primeira vez. Um estalo súbito e inesperado, uma explosão rubra, e então mais nenhum som. Minha visão ficou distorcida, e fiz uma pausa para pensar na estranha sensação reconfortante que aqueles respingos de sangue nos nós doloridos de meus dedos me davam. Num instante minha audição retornou, e eu me vi montado sobre Golias, que estava encolhido em posição fetal. Movido somente pela adrenalina e pelo incentivo sonoro cada vez mais intenso de parte dos espectadores, soquei-o mais quatro ou cinco vezes até que ele se rendeu, o rosto todo rajado de sangue.

Com as pernas cansadas, fiquei em pé acima de Jake Reilly. E enquanto ele chorava, meu coração parecia querer sair do peito. Minha boca desidratada murmurou algo antes que meus membros trêmulos me levassem de volta a meu skate, e eu me apressei em sair dali.

Depois de algumas quadras, desisti de tentar ir em frente e desabei num gramado junto à rua. Tirei a camiseta e limpei o sangue dos nós dos dedos, antes de jogá-la em uma lata de lixo. Sentei no meio-fio inspecionando os punhos doloridos, e então fui inundado por uma onda de emoção. O alívio percorreu meu rosto.

Percebi que, naquele instante, algo dentro de mim começava a mudar. Minha inocência e minha insegurança tinham se rompido, e estavam dando lugar à sensação de ter direitos e a um senso de dever. Eu havia derrubado um gigante. Podia fazer qualquer coisa.

Quando voltei para casa, em vez de me perguntarem por que eu estava sem camisa, meus pais me fizeram sentar e me deram a melhor notícia que eu poderia ter imaginado.

A mudança para Blue Island não foi importante.

A mudança para Blue Island foi *importantíssima*!

Não foi importante porque foi meu verdadeiro lar durante toda minha vida.

Foi importantíssima porque agora eu podia ficar com meus novos amigos da High Street todos os dias. Nunca mais eu seria considerado o esquisitão.

Tinha encontrado meu lugar.

Formei-me em Saint Damian em 1987, dei uma banana para a escola e mostrei o dedo para Oak Forest ao sair da cidade, por fim pronto para ficar no lugar ao qual pertencia, com pessoas como eu. Tanto americanos quanto italianos, praticamente todos nós. E, na minha opinião, as melhores pessoas do mundo.

Oi

Oi

THE FINAL SOLUTION

THIS IS WHITE NOISE

The music of the Skinhead is a most powerfull, hard driving style of Rock N Roll we call "Oi". Oi is nothing like Punk Rock, Hardcore or Heavy Metal. Oi stands alone in classification with its crisp beat and melodic tune variation. Oi is for warriors

FOR RACE AND NATION

Stronger than Before

SKIN HEADS

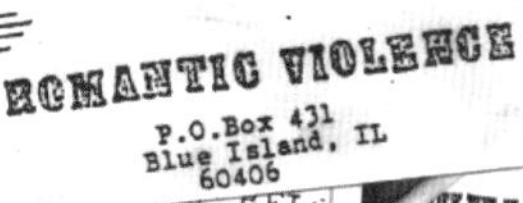

ROMANTIC VIOLENCE

P.O.Box 431
Blue Island, IL
60406

WHITE POWER

ROCKNROLL

-there is a band with guts!

Sick shit!

DEAD REDS

Send Names & Addresses OF Commies To:

COMMUNISM IS JEWISH!

ADOLF HITLER

Romantic Violence
P.O. Box 431
Blue Island, Illinois 60406

BACK WITH A BANG

...MARCHING MUSIC
...R. ROCK AND ROLL MU...
...BAND IN THE WES...
...ALL OVER EUROPE,...
...RISINGS IN GERM...
...RANKED ALL THE...
...ARTIES AND PERS...
...Y THE FAT CATS A...
...QUANTITY. ORDER
...C TODAY FOR ONLY $7
...BOX 5031...

WHITE POWER ROCKERS UNITE AGAINST COMMUNISM IN CHICAGO

A NEW BREED OF HEROES HAVE SPRUNG FROM THE MIDWESTERN SOIL, BRAVE SKINHEAD PATRIOTS READY TO FIGHT FOR RACE AND NATION.

THESE TALENTED MUSICIANS AND COURAGEOUS WARRIORS HAVE PUT TOGETHER WHITE POWER LYRICS WITH AN ENERGETIC BEAT TO PRODUCE THE BEST AMERICAN SKINHEAD ANTHEMS.

THE FINAL SOLUTION

Chicagoland

Oi The word means "hey" in London cockney slang. It refers to a British social and sound movement that has been characterized as "music to riot by."

THE WHITE BACKLASH!

TO HELP THE CHICAGO AREA SKINHEADS SPONSOR WHITE POWER ROCK BANDS SEND DONATIONS OR PURCHASE HIGH QUALITY CASSETTE TAPES OF U.S AND ENGLISH WHITE POWER ROCK BANDS THROUGH:

ROMANTIC VIOLENCE
P.O. BOX 50317
CICERO, IL. 60650

1. SKREWDRIVER 24 SONG TAPE
2. WHITE PRIDE, U.S CHA... TAPE
$ 8.00 EACH

BAC...

4

SUPREMACIA BRANCA

Carmine Paterno foi um de meus ídolos desde que tinha idade suficiente para tê-los. O pai dele era o melhor amigo de Nonno, e por isso Carmine havia sido ao menos uma pequena parte de minha vida em Blue Island desde que podia me lembrar. Ele era impulsivo e extrovertido e andava por aí orgulhoso do seu 1,67 metro de altura. Atarracado. Com a compleição de um buldogue americano e comportamento não menos feroz. Ele tocava bateria e dirigia um carrão envenenado. Era seis anos mais velho que eu, e se eu pudesse ter um irmão mais velho, teria escolhido Carmine.

Carmine sempre me dava atenção quando ele e seu pai visitavam meu avô para tomar umas cervejas na garagem que vovô usava como oficina. Ele nunca me tratou como se eu fosse menos importante só por ser mais novo que ele. Ele praguejava quando eu achava que praguejar era pecado, e fumava e bebia abertamente na frente dos adultos quando eu

Diversos folhetos do Romantic Violence, dos Chicago Area Skinheads e do Final Solution, por volta de 1987

ainda estava comprando cigarros de chocolate e *root beer* na venda na esquina da High Street.

"Isso é uma tatuagem, Carmine?", perguntei ao ver a tinta recente em seu braço.

O novo desenho era uma tocha ardente envolta numa bandeira, e algumas palavras que eu não conseguia ler.

"É, fiz na semana passada", ele respondeu, depois de drenar as últimas gotas de cerveja de sua lata de Old Style.

"O que diz aí?", perguntei, de olhos arregalados, tentando ver melhor.

Ele ergueu a manga para me mostrar o desenho inteiro.

"Diz 'The Power and the Glory' ['A Força e a Glória']. É o nome de uma música de uma banda punk/*Oi!* da Inglaterra chamada Cockney Rejects."

Achei engraçado o nome da banda, mas não tive coragem de rir de Carmine.

"Que legal!"

Passei o resto da tarde atrás da garagem, cantando para mim mesmo o que achei que poderia ser o refrão de uma música com aquele nome.

Quando eu tinha 13 anos, Carmine havia se firmado como um dos caras mais irados de toda a zona leste de Blue Island.

Meu amigo Scully morava na casa em frente à de Carmine, e estava sendo orientado por ele a assumir níveis cada vez mais elevados de insubordinação. Seguindo de perto a pulsação da música *underground*, Carmine fazia Scully piratear em fitas cassetes os discos das melhores bandas punks, assim que eles surgiam na cena de Chicago – The Effigies, Naked Raygun, Bhopal Stiffs, Big Black, Articles of Faith.

Com essas gravações, Scully e eu nos ligamos na música punk rock e começamos a colecionar discos de vinil de qualquer banda punk que encontrássemos, fosse local ou não, competindo para comprar todos os lançamentos novos e discos importados que tivéssemos a sorte de encontrar.

Scully parecia ser o primeiro a descobrir as bandas, graças principalmente a Carmine. Qualquer um que Carmine achasse que valia a pena ouvir ganhava nosso respeito imediato. Cockney Rejects. Clash. Ramones. Pogues. Stray Cats. Joan Jett and the Blackhearts. Angelic Upstarts. X. Sham 69. Combat 84. 4-Skins. The Business. Cock Sparrer. Bad Religion. Social Distortion.

Scully e eu desenhávamos os nomes das bandas e seus logos em nossos *jeans* rasgados, em camisetas brancas e em nossos tênis de cano alto. Quando minha mãe encontrava minhas roupas rabiscadas, ela jogava tudo fora, convencida de que elas me transformariam em um delinquente. Assim, eu as escondia. Antes de sair de casa, eu as jogava pela janela de meu quarto e me trocava no beco antes de ir a qualquer lugar.

O punk rock tornou-se parte de nossa vida, a tal ponto que quem via de fora nunca conseguia compreender, em especial adultos. Ele dialogava conosco e permitia que nos expressássemos, mesmo sentindo que não tínhamos voz. Ele dizia as coisas sem censura e abertamente, e provava que tudo bem estar sozinho, ou com raiva, ou confuso por ser um adolescente no mundo. A música era o elo comum que nos permitia a todos ver que não estávamos perdidos e sozinhos. Nela, encontrávamos uns aos outros, e por meio dela canalizávamos, de forma coletiva, nossa angústia adolescente contra a sociedade de adultos, que enxergávamos como intolerante quanto a nós.

A cena punk nos dava uma alternativa à cultura popular pobre e fabricada, e promovia a criatividade individual e a ação pessoal, embora através da revolta. Por meio das letras punks nos libertávamos da pressão de nos tornar adultos. Vendo nossos pais, tínhamos vislumbres deprimentes das pessoas que estávamos condenados a ser um dia. Agitar como loucos numa roda de pogo* – ao som dos ritmos contagiantes do *hardcore, Oi!* e *streetpunk* era uma forma de extravasar a energia, a raiva, a frustração

* Dança em que as pessoas formam uma roda em que se chocam ou empurram umas às outras. (N.E)

e as inseguranças reprimidas. Éramos apenas crianças tentando fazer parte. De qualquer coisa. Ser aceitas, apesar da amarga promessa do mundo desinteressante que nossos pais haviam construído para nós.

Em meados da década de 1980, era empolgante ser parte de algo que não se caracterizava pelo conformismo das massas, dos sapatos *top siders*, dos colarinhos erguidos de cores berrantes, do veludo marrom por todo lado. A rebelião punk dava a sensação de ser algo natural, a coisa certa, importante. Era sedutora.

Os shows do Naked Raygun eram nossa forma favorita de fugir da rotina. Originária de Chicago, a banda se apresentava em clubes e salões alugados, e Scully e eu íamos a todos os shows que podíamos. Não importava onde eles tocassem, tomávamos o trem para a zona norte da cidade para ir a um show livre para menores no Cabaret Metro, a cinco dólares, ou para ludibriar os seguranças em alguma apresentação só para maiores, no Club Dreamerz ou no Cubby Bear.

Os shows eram incríveis. Cabelos moicanos coloridos, coturnos e roupas esfarrapadas cheias de alfinetes de segurança eram a base da moda para as centenas de punks amargurados que lotavam os locais onde a banda tocava. As músicas da banda tinham uma força eletrizante e a multidão se agitava como se um pico de energia acendesse um pavio e disparasse toda nossa agressividade coletiva. Nossos corpos suados, lançados uns contra os outros pelas guitarras afiadas como navalhas e pela batida alucinada, pulsavam e rodopiavam em uníssono, espremidos como sardinhas na frente do palco. Um fluxo interminável de jovens determinados, usando cintos de munição e jaquetas de couro com tachas saltava da borda do palco para nossos braços ansiosos na plateia, onde aguardávamos seus corpos suados e escorregadios. A energia elétrica no recinto era profunda, e nos sentíamos vivos a cada *power chord* distorcida.

Além do Naked Raygun, Carmine também espalhava por toda a vizinhança o som de um grupo chamado Skrewdriver, e me apaixonei loucamente pela nervosa banda punk britânica no momento em que a ouvi – suas melodias e suas batidas, a forma como se vestiam e a voz áspera de

Ian Stuart, o mal-humorado vocalista. As músicas deles eram diferentes das de outras bandas punks, e não se pareciam com nada que eu já tivesse ouvido. Eles elevavam a vida a um outro patamar, diferente e muito mais excitante. Tinham algo a dizer, que Ian Stuart expressava com uma intensidade sem igual. Mas isso era irrelevante. Eu estava absorto demais com a energia da música em si, e mal registrava a letra.

> *I stand and watch my country* [Fico parado, vendo meu país]
> *Going down the drain* [descendo pelo ralo]
> *We are all at fault* [O erro é de todos nós]
> *We are all to blame* [A culpa é de todos nós]
> *We're letting them take over* [Estamos deixando que tomem conta]
> *We just let 'em come* [Simplesmente deixamos que venham]
> *Once we had an empire* [No passado tínhamos um império]
> *And now we've got a slum* [E agora temos uma favela]
> *Are we going to sit and let them come?* [Vamos ficar sentados e deixar que venham?]
> *Have they got the white man on the run?* [Será que puseram o homem branco pra correr?]

Minha apreciação passiva da música terminou de forma abrupta na noite em que conheci Clark Martell.

Num fim de tarde, Scully e eu estávamos chapados, olhando para um corvo negro que crocitava pousado no alto de um dos postes de luz tortos que se enfileiravam ao longo do beco atrás da casa dele. Passávamos o baseado de um para o outro, rindo como duas crianças assistindo a desenhos animados.

As garagens de ambos os lados do estreito beco sem saída estavam abarrotadas de móveis velhos, pilhas de caixas com tampas órfãs de potes de vidro, montes de presépios de plástico e cadeiras de jardim desfiadas.

Sem espaço livre para entrar sequer meio carro, não nos preocupávamos com a possibilidade de alguém nos pegar de surpresa. Para nós, essas ruas secundárias existiam somente para servir como local de encontro para nós, garotos – e para velhos pássaros negros barulhentos.

"Ei, Scully", disse eu, o rosto voltado para o céu, enquanto estudava o intruso alado, que por sua vez nos olhava lá do alto do poste de rua bruxuleante. "Você acha que aquele corvo velho sabe o que estamos fazendo?"

"Sei lá, cara", ele riu. "Mas essa é uma pergunta bem idiota."

Quando Scully esticou o pescoço para ver melhor o pássaro, o rugido de um carro entrando a toda pelo beco pôs fim à tranquilidade.

"Merda!" Ele jogou fora o baseado.

Eu o apanhei de novo.

"Fica frio, cara. É só Carmine."

Mas eu estava enganado.

O Pontiac Firebird 1969 preto de Carmine freou, derrapando no cascalho a nosso lado. Fiquei olhando, com admiração, o contraste intenso da caveira branca recém-pintada com *spray* no canto do capô fosco. *Caramba*! Será que alguém conseguia ser mais maneiro que Carmine?

O brilho amarelado intermitente do poste da rua iluminava o carro por cima; a porta do passageiro se abriu de repente e um cara mais velho, de cabeça raspada e coturnos pretos, veio em nossa direção. Ele não era muito alto nem impressionava pela forma física, mas o cabelo cortado rente e as botas reluzentes transmitiam autoridade. Por cima da camiseta branca, suspensórios vermelhos sustentavam os *jeans* com manchas desbotadas.

Ele passou na frente do facho de luz dos faróis dianteiros e cruzou com rapidez a distância até nós. Parecia que tinha entrado naquele beco só para nos pegar. Recuei, perguntando-me o que tinha feito para irritar aquele sujeito.

A centímetros de mim, ele parou e debruçou-se, bem perto, seu olhos duros, cinzentos, fixos nos meus. O branco que rodeava as pupilas de granito parecia velho, gasto pelo tempo. Intenso. Mal abrindo a boca, ele falou baixinho, com uma atitude do tipo "agora escute aqui".

"Você não sabe que isso é *exatamente* o que os capitalistas e os judeus querem que você faça, para que seja dócil?"

Sem saber exatamente que diabos era um capitalista, ou o que "dócil" significava, fui, por instinto e nervosismo, dar uma tragada rápida no baseado e involuntariamente tossir a fumaça bem na cara dele.

Com uma rapidez assombrosa, tipo ninja, aquele cara com penetrantes olhos cinzentos me deu um tapa atrás da cabeça com uma das mãos e ao mesmo tempo arrancou o baseado de meus lábios com a outra, esmagando-o com sua bota preta reluzente.

Eu estava mudo. Paralisado. Virei-me para Scully, mas ele havia desaparecido.

O sangue fluiu como água gelada através de minhas veias e se acumulou em minhas extremidades, que estavam pesadas e formigavam. Sacudindo a cabeça para recuperar a compostura, reuni confiança suficiente para não passar vergonha diante de Carmine.

"Do que... do que você está falando... e quem diabos é você, afinal de contas? Você não é meu pai", gaguejei. Minha voz soou fraca a meus ouvidos.

O homem de barba por fazer e queixo anguloso endireitou-se e segurou meu ombro com força, puxando-me para perto de si.

"Como se chama, filho?" A voz dele era firme e séria.

"Christian... Chris... Picciolini", balbuciei nervoso, em fragmentos tímidos.

"É um bom nome italiano", ele disse, e sua voz de repente soou bondosa.

Preparei-me para a inevitável conclusão arrasadora. Sentindo meu nervosismo, ele chegou mais perto e disse:

"Seus antepassados eram excelentes guerreiros. Líderes de homens. Você precisa ter orgulho de seu nome." Depois de minhas experiências em Oak Forest, porém, eu não tinha orgulho nenhum dele. "Você sabia que os exércitos romanos, especificamente os comandantes centuriões, estão entre os maiores guerreiros brancos europeus da história da humanidade?"

Eu não sabia.

Ele tirou do bolso de seu *jeans* um papel dobrado e uma caneta, e escreveu a palavra "Centurião".

"E as mulheres romanas eram deusas divinas", acrescentou com um sorriso maroto.

Isso eu sabia. Esbocei um sorriso, enquanto ele enfiava o papel em minha mão.

"Vá à biblioteca e pesquise. Então me procure e me diga o que você descobriu sobre você e seu glorioso povo."

Mais para trás na rua, Carmine estava apoiado em seu Firebird que roncava suavemente, as botas lustrosas, de cadarços passados paralelos, cobrindo-lhe os tornozelos cruzados. Ele parecia diferente. Concentrado. Segurando nos dedos o cigarro e exalando uma pluma espessa de fumaça, ele poderia ser uma versão moderna de James Dean.

"Esse garoto é legal, Clark. Estão esperando a gente. Precisamos ir."

"Bom, Christian Picciolini", ele disse, apertando minha mão suada. "Meu nome é Clark Martell, e vou salvar a porra da sua vida."

Em seguida, ele acenou a cabeça para Carmine, que entrou no carro e parou diante de nós. Tão depressa quanto havia chegado, o cara embarcou de novo no veículo, e ele e Carmine saíram em disparada pelo beco, como uma fênix flamejante, deixando-me envolto em uma nuvem de fumaça de escapamento e confusão.

Clark Martell. Eu já havia ouvido o nome dele na vizinhança antes – provavelmente mencionado por Carmine –, mas não tinha dado muita atenção. Agora eu queria descobrir tudo que pudesse sobre ele.

Comecei com o pedaço de papel que ele me entregara. Rabiscada no verso estava a palavra "Centurião", mas o outro lado trazia um folheto fotocopiado de um serviço de vendas pelo correio chamado "Romantic Violence", que vendia fitas do Skrewdriver e outras músicas para "gente branca de valor", por meio de uma caixa postal em Blue Island. O panfleto datilografado descrevia as músicas do Skrewdriver como "música para marchar, música para lutar, rock'n'roll *white power* de assombrar o espírito, da melhor banda branca nacionalista skinhead do Ocidente". Aquela foi a primeira vez que ouvi falar do termo "*white power*",* termo que fui saber mais tarde era ligado ao neonazismo norte-americano e a grupos de "supremacia branca".

As roupas de Martell o identificavam como um skinhead. O Skrewdriver era uma banda skinhead e eu já tinha visto como eles eram, na parte de trás da capa dos discos de Carmine; já vira alguns skinheads nos shows do Naked Raygun, e eu sabia o bastante para reconhecer um quando o visse. Carmine me contara que eles haviam se originado das culturas punk rock e *hooligan* de Londres,** e que alguns skinheads tinham outros interesses além da música e de criar confusão em jogos de futebol. Mas aquilo não me interessava muito. Eu não me sentia motivado pelas letras das músicas deles, que falavam de política, opressão policial, guerra e história, e o desemprego britânico. Não tinha a ver comigo.

Os skinheads se vestiam com estilo. Eram durões. Pareciam ameaçadores e eram mais agressivos que os punks. Usavam botas inglesas Doc Martens, estilo coturno militar, como seus pais operários, calças *jeans* justas ou calças de trabalho ajustadas, e suspensórios finos. Raspavam a cabeça, tinham tatuagens e moravam na Inglaterra e em alguns outros lugares na Europa, mas não havia muitos nos Estados Unidos, que eu soubesse. Com certeza não em Blue Island.

Eu queria saber mais. Assim, peguei um ônibus urbano e fui até a livraria do shopping e roubei um exemplar do único livro que encontrei sobre o assunto, apropriadamente intitulado *Skinhead*, de um fotógrafo

---

* Termo cunhado pelo líder e fundador do Partido Nazista Americano, George Lincoln Rockwell, o oposto do que ele ouviu durante um debate de Stokely Carmichael, líder estudantil negro e "primeiro-ministro honorário" dos Panteras Negras, que clamava por um "poder negro" (*black power*). Com o tempo, *white power* se tornou o nome do jornal do partido e o título de um dos livros de Rockwell. (N.E.)

** Adriana Dias oferece, no Prefácio à Edição Brasileira, outras informações sobre as origens da cultura skinhead. (N.E.)

britânico chamado Nick Knight. Nele, descobri que os skinheads, ou "skins", haviam surgido inicialmente em Londres, em algum momento da década de 1960, entre adolescentes da classe operária, como uma reação à cultura hippie. Investigando mais, soube que os skinheads estavam putos com a falta de trabalho e de oportunidades para ter uma vida decente, e assim eles se revoltavam contra o que acreditavam ser as causas desses problemas. Eles não acreditavam nas ideias "*flower power*" de paz e amor, e culpavam a todos, de políticos a imigrantes, por seus problemas. Raspavam a cabeça para se diferenciarem dos hippies e para evitar que seus adversários os agarrassem pelos cabelos durante suas frequentes brigas de rua.

Aprendi que nem todos os skinheads eram violentos – muitas facções adotavam somente a música e o visual, não a política nacionalista nem as atitudes agressivas contra os imigrantes –, mas aprendi também que aqueles que eram dados à violência costumavam atacar principalmente *beatniks*, gays, estudantes de classe alta e paquistaneses, que, segundo eles, estavam roubando empregos valiosos. No início dos anos 1970, a Scotland Yard reprimiu os skinheads em Londres, e meio que pôs um fim à desordem que causavam.

Por um tempo.

Então, graças a Ian Stuart e ao Skrewdriver, cujas letras eu praticamente ignorava enquanto a batida de sua música pulsava através de minhas veias, a ramificação mais radical dos skinheads fez seu retorno em meados dos anos 1980. Stuart formou um grupo jovem de ação política chamado White Noise ["ruído branco"]. Isso, por sua vez, levou a afiliações à British National Front (BNF) ["Frente Nacional Britânica"], uma organização política neofascista, e à criação de uma coalizão musical de direita chamada Rock Against Communism (RAC) ["Rock contra o Comunismo"]. O Skrewdriver abandonou sua estética inicial de punk rock e logo se tornou a banda nacionalista skinhead mais conhecida da Europa.

As ideologias expressas nas músicas da banda encontraram um público instantâneo entre os inúmeros punks e skins que se viram desprivilegiados com os níveis crescentes de imigração e desemprego na Inglaterra dos anos 1980. Acrescente-se a isso o sentimento de alienação e um forte desejo de desestabilizar um sistema que parecia a fonte de todos os problemas, e muitos skinheads adotaram posturas de direita mais radicais – nasceu assim a subcultura skinhead nacionalista pró-brancos, que logo se viu envolvida com uma das ramificações mais violentas do neonazismo europeu.

Apostando na súbita popularidade da banda, o Skrewdriver deixou seu selo independente britânico Chiswick Records – quando estavam na companhia de bandas de *hard rock* e punks mais *mainstream*, como Motörhead e The Damned – e conseguiram um contrato de gravação com a Rock-O-Rama Records, uma gravadora da Alemanha Ocidental especializada em música *Oi!*.* Como resultado dessa parceria, a mensagem racista skinhead do Skrewdriver se espalhou pela Europa e pelo Canadá, e sua música então tornou-se disponível nos Estados Unidos, por meio do serviço de Martell de vendas pelo correio.

Carmine me contou que Martell tinha até providenciado para que o Skrewdriver viesse se apresentar nos Estados Unidos, mas que os planos foram por água abaixo quando vários membros da banda não conseguiram os vistos de viagem. Martell, com a ajuda de Carmine, acabou conseguindo ser o único importador, nos Estados Unidos, do Skrewdriver e de outros discos do selo musical Rock-O-Rama. E assim, o Romantic Violence tornou-se o primeiro serviço de vendas pelo correio a distribuir a música *white power* nos EUA.

Era 1987 e, embora eu já tivesse visto alguns skinheads – alguns deles até mesmo não racistas, negros e asiáticos – jogando garotos de um lado para o outro na frente do palco, nos shows do Naked Raygun e de outras bandas punks, eu nunca tinha conhecido nenhum pessoalmente. Isso porque aquele cara que batera em minha cabeça, e que em 1984 tinha pegado

---

* Nome popular do subgênero *streetpunk*, um tipo britânico de *punk rock*, menos pesado e mais lento que o *punk rock* original e mais nervoso e extremo nas bandas mais atuais, voltado para o público skinhead e que se originou com bandas como Cockney Rejects, Sham 69, The 4-Skins, entre outras. (N.E.)

emprestado e adotado o estilo de seus colegas radicais britânicos, fazia parte das poucas dúzias deles que existiam nos Estados Unidos.

"Fique feliz por Clark ter se interessado por você", disse-me Carmine. "Ele sabe o que está rolando por aí. Está cansado de ver os brancos perdendo terreno para toda essa merda de ação afirmativa contra a discriminação no trabalho e de ver as minorias estragando vizinhanças brancas e limpas como Blue Island. Ele também arregaça as mangas. Não fica acomodado deixando a merda acontecer."

"O que ele acha dos italianos?", perguntei, sem jeito.

"O quê, você acha que os italianos não são brancos?", riu Carmine. "Quem você acha que ensinou aqueles malditos branquelos alemães e ingleses a ser civilizados? Se não fosse pelo Império Romano e seu domínio de 1.500 anos, na maioria da Europa todo mundo ainda estaria vivendo como selvagens e teria pele preta como os mouros, que eram os crioulos invasores vindos do norte da África. Graças a nós, italianos, os europeus étnicos ainda são brancos... italianos, alemães, gregos, ingleses, os merdas dos espanhóis, os bêbados dos irlandeses, os nórdicos... todos nós."

Ele tirou um cigarro Marlboro, acendeu e me ofereceu outro.

"Valeu", dei uma tragada rasa.

Estava mais interessado no que ele dizia do que no cigarro que tinha na mão.

"Até aqueles malditos franceses afeminados", ele cuspiu. "Mas, pensando bem, quem sabe a gente devia ter deixado aqueles bichas se ferrarem. Então, se você é europeu, você é branco. Poder branco! *White power*! E não se esqueça disso."

"Então Clark é... um skinhead... *white power*?", perguntei, ainda sem saber bem o que aquilo significava.

"É, mas ele é mais do que isso. Ele é um skinhead neonazista, que está aqui para salvar os brancos de todos aqueles que estão tentando nos destruir, como os judeus e os crioulos. Depois que ele se mudou de Montana, onde nasceu, para Chicago, Clark trabalhou para o partido nazista americano. Mas ele acha que eles são um bando de velhos brancos doidos que simplesmente ficam lá sentados reclamando de como as coisas estão ruins; por isso está usando a música skinhead para difundir a mensagem entre o pessoal mais jovem. A gente tem uma banda.

"A gente?"

"Clark, Shane Krupp e Chase Sargent... Você conhece eles aqui da vizinhança, não é? E eu. Final Solution. Você tem que ouvir nosso som. Vai adorar. Não tem mais ninguém fazendo esse tipo de música e a gente já deu alguns shows pela cidade. As pessoas estão começando a prestar atenção quando Clark diz que os brancos precisam vigiar suas costas e revidar."

"Tipo quem? Quer dizer, quem está do lado dele?" Eu queria que Carmine continuasse falando.

"Olhe ao redor, cara. Presta atenção. Esses carecas que você vê aqui no beco não estão só seguindo uma porra de modinha como acontece com o punk rock de agora. Eles estão começando a mostrar ao mundo a que viemos. Nossa mensagem está se espalhando. A notícia está correndo. E está começando aqui, em Blue Island, bem diante de seus olhos. Vamos pegar nosso país de volta."

Eu não tinha motivo para duvidar dele.

Carmine explicou, ainda, que Martell acreditava firmemente na supremacia da raça branca sobre as outras etnias. Ele estava farto de ver os "muds",* como ele chamava todos os não brancos, mudarem para vizinhanças brancas tranquilas, trazendo crimes e roubando empregos. Martell desprezava as drogas, porque as via como ferramentas que os pretos e os judeus ricos com interesses políticos usavam para escravizar os brancos, e mantê-los apáticos – dóceis. Como Adolf Hitler tinha feito na Alemanha, Martell – e agora Carmine e um grupo pequeno, mas em expansão, de rapazes e garotas skinhead de Chicago – queria impedir

* De "mud", lama em inglês. (N.T.)

judeus, pretos, mexicanos e "veados" – que Martell considerava sub-humanos – de envenenar a cultura branca nos Estados Unidos. Ele fazia especial questão de recrutar e proteger mulheres brancas, para que pudessem continuar a propagar a raça branca.

"Então... o quê... ele sai por aí avisando as pessoas?", perguntei, tentando entender o que Martell realmente pretendia.

"Nos últimos dois anos, ele vem reunindo o primeiro grupo de skinheads *white power* no país. É isso que ele está fazendo", respondeu Carmine. Debruçando-se para diante e deixando cair o cigarro, antes de esmagá-lo com a bota, Carmine disse, numa voz baixa que não era costumeira, "E ele está fazendo muito mais do que isso."

"Sério? Tipo o quê?", continuei sondando.

Ele fez uma pausa, avaliando o quanto eu deveria saber.

"Ele se meteu em problemas com a polícia por causa de um lance sério que aconteceu na primavera passada."

De novo eu quis detalhes. Mas Carmine não disse mais nada.

Eu achava irado o visual skinhead, e a música deles me enchia de energia. Mas, fora o fato de ter apanhado um pouco quando minha bicicleta foi roubada, eu não tinha nada contra os negros, ou mesmo contra os mexicanos – e muito menos contra judeus e gays. Eu nunca tinha conhecido nenhum. Só estava feliz por finalmente morar na mesma vizinhança que meus amigos.

Eu não tinha visto muito racismo em nossa comunidade, pois a maioria das famílias viera do mesmo vilarejo na Itália, e havia uma quantidade considerável de orgulho italiano e nós costumávamos ser muito unidos.

Meus amigos da High Street e eu havíamos expulsado alguns garotos negros da festa de São Donato, mas não foi um ato racista ou político; nós simplesmente não queríamos gente de fora atrapalhando nossos rituais. Algumas famílias mexicanas haviam se mudado para nossa quadra, e nossos pais e avós não ficaram muito satisfeitos com isso, e ouvimos aqui e ali comentários de "lá se vai a vizinhança". Mas não havia nenhuma tensão significativa, que eu soubesse.

Assim, o discurso racista de Martell me atraiu logo de cara? Na verdade, não.

Mas ele era magnético. Cativante. Eu queria ser como ele e como Carmine, e as outras pessoas que via com eles. Por quê? Porque Martell foi o primeiro adulto – ainda que tivesse apenas 26 anos quando o conheci – que me deu uma bronca e forneceu uma explicação válida para ter feito isso. Ele não tinha exercido sua autoridade sem um bom motivo. Quando ele me repreendeu por fumar maconha no beco, foi por achar que aquilo era ruim para mim, e ele se deu ao trabalho de explicar as consequências; não foi só "Largue esse baseado, porque é ilegal e eu sou um adulto e estou mandando". Isso me convenceu de que ele queria o que era melhor para meu futuro – tanto que ele bateu em minha cabeça. Como papai fazia.

E assim, mudei meu comportamento: renunciei à maconha, ainda que mal tivesse sido apresentado a ela. Quando Martell e Carmine e seus amigos estavam no beco ouvindo música ou mexendo em seus carros, eu dava um jeito de que me vissem por ali. Eu ia atrás de Martell e observava seus maneirismos. Assimilei também sua retórica racial. Alguns de meus amigos da High Street começaram a se mudar para os subúrbios. Seria porque Blue Island estava menos segura agora, com a chegada de outras raças? Afinal de contas, minha bicicleta nova tinha sido roubada por garotos negros.

Olhava para a vizinhança, minha família e meus amigos com olhos desconfiados, questionando todas as coisas que antes me pareciam normais. Eu nunca gostei da escola, e isso tornava mais fácil aceitar que os professores estivessem mentindo para nós quanto à história, apresentando-a da forma que mais lhes convinha. Talvez Martell soubesse algo sobre os judeus que não nos ensinavam na escola. Talvez tivesse razão ao afirmar que as pessoas que escreviam os livros de história eram todas judias – e nos despejavam um monte de merda histórica adulterada. Os negros com certeza estavam relacionados ao aumento da criminalidade. Isso eu sabia por experiência própria.

Além de ser visto na companhia de Carmine, Martell começou a participar mais e mais das discussões da vizinhança. A intensidade dele assustava as pessoas, inclusive os policiais. As conversas se calavam quando ele entrava em um recinto. Eu admirava isso. De propósito ou não, Clark Martell me transformou numa pessoa totalmente diferente. Eu queria ter tanta autoridade quanto ele.

No final do verão, quando Carmine estava ocupado trabalhando em seu emprego numa oficina de automóveis da região, Clark regularmente me encarregava de ir ao correio ou de fazer cópias de folhetos e de textos para ele. Ele havia começado a publicar um boletim chamado *Skrewdriver News*, que entregava na saída de casas de shows, quando tentava recrutar jovens punks. Eu ia mais além, trapaceando na contagem de cópias quando ia pagar no caixa. Em geral o resultado era que conseguíamos ao menos o dobro das cópias pelas quais havíamos pagado.

Clark me recompensava quando eu me saía especialmente bem. Ele me dava um par de suas botas usadas, ou alguma camiseta desbotada do Skrewdriver, ou mais fitas cassete de música, as quais ele parecia ter em abundância. Eu adorava tudo e tratava de esconder os presentes, para que minha mãe não os encontrasse. Então, um dia, Clark me deu um livro de bolso vermelho, caindo aos pedaços, chamado *Turner Diaries*. Até então, eu não tinha lido sequer os livros que os professores mandavam ler na escola, e tinha falsificado todos os relatórios de leitura. Mas não via a hora de ler o presente de Clark.

Eu havia me sentido bem como um Menino da High Street, mas agora havia despertado para um mundo maior, e queria mais do que simplesmente pertencer a ele. Eu queria fazer a diferença. Desde a época em que era um menininho solitário, brincando de faz de conta no *closet* de casacos de meus avós, eu sentia um chamado para fazer algo grande. Agora eu queria que as pessoas me respeitassem, do mesmo modo que eu respeitava Clark, e pela mesma razão nobre: salvar a raça branca. Quanto mais eu pensava sobre ele e sobre sua missão, mais ela me atraía. Era algo importante.

Como a maioria das pessoas que é aprisionada pelo carisma de alguém, eu buscava as provas de que Clark estava certo, não de que estivesse errado. Eu visitava livrarias e lia os livros que pegava nas prateleiras, e me interessei por história e por eventos atuais. Claro, acabei concluindo que dar bolsas de estudo na universidade para as minorias significava passar por cima de jovens brancos que mereciam mais. Notei que havia montes de não brancos, sobretudo negros e mexicanos, empregados para trabalhos braçais e em restaurantes – o que parecia provar que os brancos estavam sendo preteridos em favor de imigrantes ilegais com salários menores. No lugar de famílias honestas vindas da Itália, desconhecidos com hábitos diferentes haviam vindo viver ali. Logo comecei a ver a vida através das lentes sagazes de Clark, e comecei a acreditar que Blue Island, meu querido lar, estava em perigo.

Minha família e meus amigos não fizeram caso de minhas novas ideias. Meus pais não estavam preocupados. Eles deram de ombros, ignorando-me, e mudaram de assunto. Isso deixou claro que precisavam ser protegidos.

Uma semente começou a germinar dentro de mim. O movimento racista skinhead havia acabado de começar nos Estados Unidos, tendo nascido bem ali em Blue Island, no meu quintal. Eu poderia me tornar parte desse novo movimento, disseminá-lo, conquistar a plena aceitação de Clark e o respeito decorrente de estar na vanguarda de algo importante.

Num piscar de olhos, a vida de diversões inconsequentes, de jogar *wiffle ball* e andar de bicicleta com os High Street Boys já não parecia mais emocionante, e a necessidade de viver para um propósito maior ficou muito clara.

Eu estava prestes a fazer 14 anos e começar o ensino médio. Ficar sentado na sala de aula o dia todo só iria me atrasar.

Eu já estava aprendendo as coisas que importavam. Coisas que a maioria das pessoas tinha por garantidas.

E eu não precisava que uma sala de aula ou algum professor de fala ambígua tentasse me fazer mudar de ideia.

5

ORGULHO SKINHEAD

Em agosto de 1987, teve início meu primeiro ano do ensino médio e, apesar de meus protestos veementes, meus pais me matricularam na escola Marista, uma escola particular católica, somente para meninos, na zona sul de Chicago. Fui bem no exame de admissão e me colocaram em classes avançadas em um monte de matérias. Com essas eu conseguiria me virar, mas a última coisa que eu queria era que martelassem mais Deus e santos e rezas na minha cabeça. Essas coisas não tinham relevância em minha vida. Oito anos de escola fundamental católica já tinham sido suficientes.

O sofrimento adora companhia, e assim, no primeiro dia, quando trombei com Sid e Craig Sargent – os dois irmãos menores skinhead de Chase Sargent, parceiro próximo de Clark e Carmine –, fiquei eufórico. Eu me lembrava de tê-los visto vez ou outra tomando cerveja no beco, e os reconheci de imediato pelo cabelo raspado e pelos cadarços brancos

Christian, 1988

das botas. A escola exigia o uso de uma gravata e de calças sociais, que ocultavam sua aparência skinhead, mas ainda assim eles podiam ser identificados.

Nós três nos tornamos muito amigos e, poucos dias depois, Craig me deu a primeiríssima fita cassete só minha do Skrewdriver, com *Hail the New Dawn* ["Saudação à nova aurora"] gravado no lado A e dois discos curtos, *Boots and Braces* ["Botas e suspensórios"] e *Voice of Britain* ["Voz da Grã-Bretanha"], do outro lado. Eu ouvia Carmine escutando o som de Skrewdriver no volume máximo, quase todo dia, e conhecia as músicas porque ouvia as fitas de Scully, mas até então não tinha minha própria cópia. Agora tinha.

"Esse som é insano! Essa banda sabe do que está falando", disse Craig, ecoando a opinião de Carmine. Embora estivéssemos no mesmo ano escolar, e Craig fosse apenas alguns meses mais velho que eu, fazia algum tempo que estava sendo orientado pelos dois irmãos mais velhos que eram skins – Sid e Chase – e ele já conhecia os macetes do recrutamento. Craig era alto e imponente, e sabia de cor o roteiro.

"Os brancos vão se ferrar se não prestarmos atenção ao que eles estão dizendo. Como na Inglaterra, os brancos europeus construíram os Estados Unidos e agora estamos sendo colocados de lado pelos judeus, para dar lugar aos negros", ele dizia. "E nós não vamos deixar isso acontecer."

O Skrewdriver, e mais especificamente Ian Stuart, tinha um dom verdadeiro para criar músicas e letras que inspiravam os jovens a partirem para a ação. A banda havia dado origem ao gênero musical *white power* e, com a imensa capacidade de Ian Stuart em identificar e oferecer o que os jovens angustiados queriam, antes de que eles mesmos sequer percebessem que queriam aquilo, foi só uma questão de tempo antes que suas canções de conteúdo político se destacassem em meio ao som das bandas contemporâneas na cena do punk rock londrino e chegassem aos Estados Unidos.

As canções do Skrewdriver incorporavam diretrizes relevantes, ao contrário das músicas punks de protesto lamurientas com as quais eu estava acostumado. As letras nos davam a verdadeira educação que as escolas se recusavam a nos dar, com medo de que desmascarássemos sua versão deturpada da história. "White Power" ["Poder branco"]. "Blood & Honour" ["Sangue e honra"]. "Tomorrow Belongs to Me" ["O amanhã me pertence"]. "Free My Land" ["Liberte minha terra"]. Músicas que me enchiam de determinação e de orgulho, e não de impulsos infantis e niilistas, como acontecia com a música punk.

Armado com minha nova fita cassete e um *walkman*, toquei as músicas do Skrewdriver sem parar, até ouvi-las em minha cabeça mesmo quando as pilhas do aparelho acabaram. Fui além da batida pesada e penetrei no âmago das letras.

> *Walk around the city and you hold your head up high*
> [Ande pela cidade de cabeça bem erguida]
> *The sheep they'll try and drag you down with their aggression and their lies*
> [Os carneiros vão tentar puxar você pra baixo com suas agressões e mentiras]
> *Your life is just a struggle 'cos you're proud of your country*
> [Sua vida é só uma luta porque você se orgulha de seu país]
> *But you just keep on fighting, that's the way it's got to be*
> [Mas continue lutando, é assim que deve ser]
> *People try and put you down and stamp you to the ground*
> [As pessoas vão tentar te derrubar no chão e pisar em você]
> *They don't seem to realize there's no way you'll back down*
> [Parece que não percebem que você não vai recuar de jeito nenhum]
> *There is nothing they can do to step on you and me*
> [Não tem nada que possam fazer para pisar em você e em mim]
> *'Cos we'll just keep on fighting, that's the way it's got to be*
> [Porque vamos simplesmente continuar lutando, é assim que deve ser]

A cadência e a convicção dessa música tinham para mim um significado que nada jamais teve, e lançavam sobre mim um feitiço que me fazia ansiar por mais informação sobre sua mensagem, a cultura por trás dela, o modo de vida dos skinheads e a atitude deles. Eu queria ser parte disso. Corpo, coração, mente e alma.

Uma vez mais, eu me voltei para os arredores da minha casa, meio que torcendo para encontrar sinais de que hordas de minorias estavam acabando com Blue Island e as vizinhanças. Determinado a achar provas que corroborassem as afirmações do som que eu estava ouvindo, comecei a ver desconhecidos que não conseguiam nem manter limpos seus quintais. Carcaças de carros se acumulavam nas ruas. Homens negros gritando com mulheres brancas, arrasando nossa cidade. Traficando drogas. Mexicanos, com suas dúzias de filhos, saindo de seu canto imundo de Blue Island e invadindo nosso lado. Trazendo com eles seu arroz com feijão fedorento. A comida gordurosa que nem porcos comeriam.

Scully aderiu ao pensamento skinhead junto comigo. Gravávamos e trocávamos mais fitas, escutando mais Skrewdriver e aumentando nossa coleção com outras bandas inglesas skinhead com ideias parecidas. Brutal Attack. Skullhead. Sudden Impact. No Remorse. Eu levava suas letras muito a sério. A música não era mais uma batida solitária que me fazia sentir mais vivo – era ao mesmo tempo cultura e profecia.

Juntamos o dinheiro que havíamos ganhado de Natal e de aniversário, compramos ordens bancárias e selos e encomendamos camisetas de Ben Sherman e Fred Perry na Shelly's, uma loja na Carnaby Street, em Londres, especializada em moda skinhead. A essa altura, meu corpo já tinha começado a se desenvolver, e eu já não era menor e mais baixo do que todo mundo de minha idade. Isso queria dizer que Scully e eu podíamos usar as roupas um do outro, e assim nosso guarda-roupa skinhead basicamente dobrava.

Fomos atrás de reluzentes botas Doc Martens, com biqueira de aço, em obscuras butiques góticas de Chicago, como a Wax Trax e a 99th Floor. Usávamos suspensórios finos, como os de Clark. Dobrei as barras de meus *jeans* Levi's, como tinha visto outros fazerem no beco atrás da casa de Carmine, e vestia uma jaqueta de aviador, de náilon preto, comprada no mercado de pulgas local, que enfeitei com *patches* simbólicos como as bandeiras americana e confederada. Itens-padrão para qualquer skinhead digno do nome. Eu parecia mais confiante. Mais durão. Todo mundo se virava para olhar, quando eu andava na rua. Os adultos ficavam nervosos quando eu chegava perto demais. Eu curtia um visual que intimidava sem que eu precisasse fazer nada. E as pessoas tiravam suas conclusões quanto a minha disposição para brigar em vez de eu ter de aguentar qualquer um que falasse merda.

Scully e eu raspamos a cabeça um do outro no porão sujo da casa dele. Piso de concreto, canos expostos e lâmpadas penduradas pelos fios eram a decoração ideal para garotos como nós, recém-entrados na adolescência e dispostos a defender os adultos trabalhadores brancos do mundo todo.

Raspei a cabeça dele primeiro. Ajustei a altura das lâminas, não sendo minha intenção deixá-lo completamente careca. Mas era a primeira vez que eu usava o cortador, e antes que eu percebesse, tinha cortado o cabelo de Scully rente ao couro cabeludo.

Ele chorou. Não o censuro por isso. Não podia culpá-lo. A careca pálida não lhe caía bem, e ele ia ter que ir daquele jeito para a escola na segunda-feira. As garotas talvez o evitassem. Quem sabe até iriam rir dele. Bosta.

Puxei-o para que ficasse em pé e coloquei o cortador na mão dele. Deixei-me cair na cadeira dobrável de metal e disse:

"Vai em frente, fiz merda na sua cabeça. Agora é minha vez. Corta. Tudo."

E foi o que ele fez.

Quando minha mãe viu aquilo, mais tarde, naquela mesma noite, ela chorou.

"Ah, meu Deus, Christian, o que você fez? Por que cortou seu cabelo tão bonito?" Ela tentou acariciar minha cabeça como se as lágrimas que brotavam de seus olhos e suas súplicas a Deus pudessem por mágica fazer meu cabelo crescer mais rápido. "Você parece que está doente e tem câncer", ela disse, soluçando, e me puxou mais para perto. "É esse lixo punk, não é? Eu sabia. Quero meu garotinho de volta!"

Deixei que se lamentasse, raciocinando em silêncio que não era eu quem estava doente, mas que minha cabeça raspada significava que eu estava trabalhando na cura do câncer multirracial que estava corroendo nossa sociedade.

Os dias de meu corte tigelinha estavam terminados. E também minha juventude.

Apenas quatro meses haviam transcorrido desde que eu conhecera Martell, mas agora éramos skinheads. Literalmente. Oficialmente.

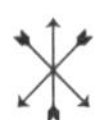

A política não significava muito para Scully. Ele só gostava do visual e da música.

E aparentemente o mesmo acontecia com outras pessoas.

Com nosso novo visual de valentões e as cabeças raspadas, nossa popularidade decolou. As garotas gostavam de estar a nossa volta. Conheci Jessica, uma gracinha que era líder de torcida em Blue Island, que passou a usar uma jaqueta de aviador e Doc Martens, e logo nós dois nos livramos do rótulo de virgens.

Eu vivia plenamente meus 14 anos. A vida era boa.

Se não fosse pela escola e pela minha mãe – que me vigiava e me infernizava com perguntas e suspeitas constantes – e por outros sinais de que a raça branca estava a ponto de ser aniquilada, eu não teria queixas.

Mas perdia o sono com o lance da aniquilação. Clark estava reunindo um exército de resistência. Em 1985, ele já havia fundado o CASH, Chicago Area Skinheads ["Skinheads da Área de Chicago"]. O primeiro grupo skinhead *white power* organizado nos Estados Unidos. Com o CASH e o Romantic Violence – operação de importância secundária do CASH, para a venda de música *white power* pelo correio –, Martell agora tinha um grupo de seguidores fiéis em Blue Island e nos arredores da cidade, formado por uns vinte skinheads. Algumas das garotas originalmente recrutadas, como Mandy Krupp – irmã de Shane Krupp – e Kat Armstrong, tinham sido devotas de Charles Manson antes de se tornarem skinheads. Agora eram devotas de Martell.

Não foi obra do acaso. Clark poderia ter mais seguidores, mas grupos skinhead adversários começaram a surgir na região de Chicago para conter os avanços racistas dele, como os Medusa Skins e os Bomber Boys, que de forma geral só gostavam de ir a baladas e de brigar, mas que não assumiam lados, e as facções mais abertamente antirracistas dos skinheads, os Pitbulls e os SHOC, Skinheads of Chicago. Os antirracistas de algum modo conseguiam atrair para seu lado alguns dos aspirantes a skinheads.

Os skinheads assustavam as pessoas. Quando um bando deles se juntava, saíam brigas. Só dava merda. Na véspera de 9 de novembro de 1987, na semana de meu aniversário de 14 anos e um dia antes do 49º aniversário da Kristallnacht da Alemanha Nazista, a infame "Noite dos Cristais", quando os soldados da SS destruíram estabelecimentos judeus na noite de 9 de novembro de 1938, skinheads *white power* atacaram a zona norte de Chicago, arrebentando vitrines de lojas que eles suspeitavam pertencer a judeus e pintando suásticas vermelhas nas paredes de sinagogas.

Eu não tinha nada contra os judeus antes, e na verdade sequer conhecia algum, mas com as letras de música que eu andava estudando e com o ódio que Martell nutria por eles, eu havia chegado à conclusão de que os judeus de fato eram gênios do mal tentando provocar a extinção dos americanos brancos incautos.

Clark estava no beco, cochichando com dois irmãos gêmeos cabeludos, do Partido Nazista Americano, quando mencionei que era meu aniversário. Carmine, que estava trocando o óleo do motor de seu carrão, tirou uma lata gelada de cerveja Old Style de uma caixa térmica de isopor que estava na garagem e jogou-a para mim.

"Feliz aniversário!"

Clark interrompeu a conversa com os irmãos de bigode e veio até mim para me cumprimentar com um aperto de mão.

"Tenho algo importante para você", ele disse, sorrindo. "Vou ter que sair da cidade por algum tempo para cuidar de algo importante. Posso contar com você para checar de vez em quando a caixa postal do Romantic Violence e guardar a correspondência até minha volta?

"Sim, claro! Pode contar comigo, Clark!", respondi, antes que a pergunta sequer tivesse saído por completo de seus lábios.

Então ele me passou uma pequena chave de metal e voltou à conversa sussurrada com os dois homens calçados com botas militares alemãs.

Eu não estava ciente de que Clark não sabia se iria voltar. O que era evidente, porém, era a tremenda importância daquilo que os três homens estavam discutindo. Passei os dedos pelos pequenos dentes da chave e apertei-a com força na palma da mão, sabendo muito bem que ela abriria muito mais do que uma caixa postal. Eu nem imaginava que aquela era a última vez que veria Clark Martell.

Corria o boato de que Clark estava por trás do tumulto da "Kristallnacht", e ele foi preso, junto com alguns membros do grupo CASH e um dos sujeitos cabeludos do Partido Nazista Americano que estivera no beco com ele. Não era a primeira vez que ele era perseguido pela polícia. Isso provava o que Carmine tinha dito – a polícia, os agentes federais e talvez até a CIA estavam vigiando cada movimento de Clark.

Não era só Clark que estava sendo vigiado. Carmine também estava, assim como Chase Sargent e seus irmãos Sid e Craig, as garotas skinhead fãs de Manson, Shane Krupp e outras pessoas que eu costumava ver ali no beco. As revistas do FBI às casas deles se tornaram constantes. Os telefones estavam grampeados, e eles viviam sendo seguidos e fotografados por agentes da lei nada discretos. A caixa postal do Romantic Violence estava sendo monitorada. Cartas eram abertas e fechadas de novo.

Meu desejo de fazer parte daquele grupo aumentou até me dominar por completo. Era algo inspirador. Fazia com que me sentisse orgulhoso de ser um skinhead. Era coisa de filmes de gângsteres e de espionagem. Mocinhos e bandidos em ação, de verdade. E enquanto nós, os mocinhos, éramos mostrados de forma mentirosa pela mídia controlada pelos judeus como arruaceiros violentos, estávamos lutando por uma boa causa. Uma causa honrada. A proteção da raça branca. Clark havia até mesmo profetizado isso numa letra que escreveu antes de ir para a cadeia.

> *We're Chicago gangsters in braces and boots*
> [Somos os gângsteres de Chicago com suspensórios e botas]
> *Bloodthirsty Vikings sticking to our roots*
> [Vikings sanguinários que preservamos nossas raízes]
> *We're the Waffen SS going off to war*
> [Somos a Waffen SS indo para a guerra]
> *White warriors here to even the score.*
> [Guerreiros brancos aqui para acertar as contas]

"Dá para acreditar nisso?", perguntei a Scully quando a história da "Kristallnacht" de Chicago apareceu nos noticiários. "Martell não está só dizendo que vai salvar a raça branca. Ele está mesmo fazendo algo com respeito a isso, como Carmine disse."

Adolf Hitler odiava os judeus porque achava que estavam destruindo sua adorada Alemanha, e eram o motivo das grandes dificuldades econômicas do país após a Primeira Guerra Mundial. Ele via os judeus como parasitas que sugavam as nações ricas, destruindo-as como um câncer. Agora Clark estava indo atrás deles assim como Hitler havia feito, porque via as mesmas coisas acontecendo nos Estados Unidos pelas mãos dos judeus que controlavam a imprensa e o sistema bancário.

Fiquei assombrado ao imaginar Clark causando danos daquele porte. Ele e seus seguidores sacudiram as pessoas, fizeram com que as minorias e os judeus fechassem as portas e pendurassem placas de "vende-se". Eu queria postar-me ao lado dele. As pessoas eram mansas demais; precisavam de um líder como Clark Martell.

Eu tinha a mesma fúria correndo através de mim, esperando para ser libertada.

Quando os noticiários descobriram que os skinheads neonazistas de Chicago estavam por trás da violência e da destruição das propriedades judias, os termos "skinhead" e "medo" viraram sinônimos. Algumas pessoas consideravam os skinheads como terroristas raciais. *Terroristas*. Gostei do som daquilo. O poder por trás daquilo. Mas elas tinham entendido errado. Os skinheads eram patriotas corajosos, não terroristas. Eles enfrentavam batalhas sobre as quais outros brancos falavam mas eram complacentes demais para travar.

Brancos honestos e trabalhadores como meus pais estavam sendo forçados a trabalhar dia e noite só para conseguir manter a família, enquanto as minorias ficavam lá sentadas recebendo seguro-desemprego e parindo bebês que já nasciam viciados, para engordar os cheques da previdência todo mês. Minha mãe muitas vezes trabalhava em três empregos – no salão, cozinhando para festas e, à noite, durante os períodos eleitorais, tabulando votos. Meu pai trabalhava no salão de beleza o dia todo e cuidava de Buddy quando mamãe saía para trabalhar à noite. E quando Buddy crescesse, teria que fazer o mesmo para sobreviver. Aquilo não me parecia certo.

Enquanto isso, Clark dizia que os judeus se divertiam com a desordem que secretamente haviam criado, sentados em suas torres de marfim e esfregando as mãos gananciosas, vendo os brancos e as minorias se acusarem uns aos outros, e beneficiando-se de tudo aquilo. Se assustar os brancos, tornando-os submissos, significava que no fim eles enxergariam a verdade oculta por trás das mentiras judias, então Clark estava a caminho de abrir os olhos deles. Era para o próprio bem deles.

Durante meus 14 anos de vida, enquanto meus pais estavam ausentes, ocupados no trabalho tentando fazer as contas fecharem, eu tinha me enfurecido contra eles, por não estarem ali comigo. Agora tudo começava a fazer sentido. A culpa era dos judeus, não de meus pais.

Em janeiro do meu primeiro ano no ensino médio, descobri mais sobre o significado das insinuações sussurradas de Carmine quanto às atividades de Clark. Ele e outros cinco skinheads do CASH haviam invadido o apartamento de uma mulher de 21 anos no mês de abril anterior.

Angie Streckler havia sido uma skinhead do CASH, mas abandonara o grupo de repente. Clark e os demais ficaram sabendo que Angie tinha um amigo negro – um comportamento completamente intolerável para uma *skinheadgirl white power*. Para discipliná-la, Clark e os demais arrombaram a casa dela, espancaram-na com uma pistola, jogaram *spray* de pimenta em seus olhos e usaram o próprio sangue dela para pintar nas paredes do quarto uma suástica e as palavras "traidora da raça". Ela não deu queixa da agressão, até que a polícia de algum modo descobriu tudo quando o grupo foi preso devido ao episódio da "Kristallnacht" e começaram a investigar outras acusações.

Algumas outras coisas que Clark havia feito em Chicago, antes de se estabelecer em Blue Island em 1984, também começaram a vir à tona, incluindo agressões físicas a seis mulheres mexicanas, o ataque com bombas incendiárias à casa de um membro de uma minoria, pichação de três sinagogas com suásticas e inúmeros atos de vandalismo contra estabelecimentos pertencentes a judeus.

Uma lenda do caralho. Era isso que ele era para mim. Ele tinha um propósito bem claro, e respaldava com ações suas palavras. A violência não me assustava. Ela me excitava, fazia meu sangue ferver de vontade de participar.

Eu não via a hora de poder falar com Clark de novo e planejava meios de me encontrar com ele quando saísse da cadeia, mas ele não conseguiu sair sob fiança. Foi sentenciado a onze anos de prisão.

Cerca de um mês depois, em uma tarde fria de fevereiro, menos de um ano depois do incidente com Angie Streckler, acomodei-me com meia dúzia de latas de Old Style para assistir ao *talk show* da apresentadora negra Oprah Winfrey, que contaria com a presença de alguns skinheads *white power* da Califórnia. Dave Mazzella. Marty Cox. Tom e John Metzger, líderes do WAR– White Aryan Resistance ["Resistência Ariana Branca"].

Os produtores do programa tinham conseguido até pôr Clark ao telefone para fazer alguns comentários de dentro da prisão. Enquanto estava na linha, Clark não apenas conseguiu colocar em seu devido lugar os falsos skinheads antirracistas, dando uma dura neles por sua relutância covarde em defender sua raça, mas também foi capaz de declarar que os ricos sedentos de poder – ou capitalistas, como os chamava – eram o verdadeiro inimigo, jogando uma raça contra a outra em nome do dólar todo-poderoso e, em última análise, do controle global. Isso era algo que fazia sentido. Aqueles de nós que não tinham dinheiro ou poder estávamos todos sendo vendidos. Era cada raça por si. A única forma de revidar era unir-se aos seus ou morrer com o resto.

E então, bem ali, em cadeia nacional, com todo o país assistindo, Cox levantou-se e disse que era um fato comprovado que os negros vinham dos macacos. Oprah surtou, empurrando para baixo o braço de Cox quando ele o ergueu numa saudação nazista. Eu não podia acreditar em meus ouvidos. Aconteceu em uma fração de segundo, mas ele a chamou de macaca, na cara dela, diante de milhões de espectadores. O trecho foi exibido repetidamente nos noticiários por todos os Estados Unidos. E eu sabia que, sem a menor dúvida, a partir daquele momento o movimento skinhead *white power* iria crescer tremendamente. Oprah, a puxa-saco da mídia capitalista, havia feito o serviço para nós. Aqueles veteranos estavam prontos para enfrentar uma celebridade como Oprah. E eles sabiam como provocá-la para que o mundo todo visse.

O público americano encolheu-se de medo. Os skinheads não eram mais uma curiosidade passageira. Os antirracistas e os skinheads negros começaram a temer que os "*boneheads*" ["cabeças de osso"] *white power*, como nos chamavam, arruinassem o cenário musical de suas cidades com sua violência, e assumiram a missão de eliminar os skinheads racistas. Mas que porra era aquela? Os skinheads *white power* eram o lance real, os antirracistas não passavam de *posers*. Só queriam saber de moda e de baladas, nada mais.

Aumentei meu empenho em ser notado. Vesti a camisa, fazia todo o discurso e expunha minhas novas ideologias sempre que tinha a chance.

Os High Street Boys não estavam nessa, e começamos a nos afastar, mas eu sabia que algo grande estava acontecendo.

Eu checava a caixa postal religiosamente e entregava a correspondência a Carmine. Em retribuição, ele começou a me fornecer pilhas de panfletos fotocopiados, que detonavam tudo que não fosse branco. Eu os usava para recrutar novos skins, como havia visto Clark fazer. Agora, a única coisa que eu ouvia era música *white power*. Deixei que as mensagens transmitidas nas letras e nos panfletos lançassem raízes profundas em minha alma. Elas me diziam algo. Eu ouvia.

6

CATORZE PALAVRAS

No que me dizia respeito, era muito mais legal ir aos encontros skinhead, reuniões realizadas em porões sujos e mofados, do que ao estacionamento de São Donato com os High Street Boys. Suásticas e frases racistas pintadas de forma tosca em paredes de cimento deterioradas. Música vigorosa. Skrewdriver. Papos sobre sangue e honra e lealdade. Garotas skinhead com minissaia xadrez e meia arrastão. Cerveja. Rios de cerveja jorrando de latas, garrafas e barris quando conseguíamos juntar dinheiro suficiente.

Mas sempre havia brigas. Pancadarias e tumulto entre bêbados. Um empurrão e um olhar torto logo se transformavam em socos que acertavam qualquer um ao alcance. O sangue corria. Pisões e chutes. Com botas Doc Martens de biqueira de aço, o resultado podia ser brutal.

Essa parte me intrigava. Que tipo de camaradagem era aquela? Não estávamos todos do mesmo lado? Estávamos no mesmo time, lutando

Christian, 1988

contra inimigos formidáveis, e precisávamos agir como uma unidade com foco único.

Mesmo os High Street Boys e eu não éramos perfeitos, e às vezes nossa propensão a zombar da autoridade e a desobedecer a regras nos metia em encrencas, mas por trás de todas nossas ações estava a alegria de descobrir a vida juntos – e não brigando uns com os outros a cada impulso movido a álcool.

Quando os High Street Boys estavam juntos, a maioria de nossos jogos envolvia o trabalho em equipe – beisebol, *wiffle ball*, futebol americano. A maior parte brotava espontaneamente, os times mudando de acordo com quem estava por ali em um dado momento. Os cães da vizinhança latiam, tentando se juntar a nós, correndo atrás de nós para cima e para baixo por trás dos alambrados, quando passávamos correndo por eles. Havia cães doidos para cravar os dentes em nós quando uma bola caía em seu quintal, mas tínhamos uma regra rígida: quem atirava a bola tinha que ir atrás dela. Ninguém gostava de fazer isso, mas todos nos revezávamos como apanhador e como isca de cachorro. E todos sobrevivemos, porque cobríamos a retaguarda uns dos outros.

Como eu comprovara durante os jogos na High Street, um time não consegue derrotar seu adversário se não agir como uma força única e sob a mesma orientação. Mas os skinheads pareciam não funcionar assim. Era como se, sem uma voz única para nos guiar, estivesse cada um por si. Precisávamos de Clark Martell. Mas eu não compartilhava com ninguém essas observações. Era cedo demais para que eu me manifestasse, mas sabia que minha percepção da situação provava que eu poderia liderar aquele grupo. Algum dia.

Eu comparecia a todos os encontros locais sobre os quais ficasse sabendo. Observando e sendo visto. Distribuindo cópias dos textos que eu recebera de Carmine e de Clark. Promovendo o CASH. Os skinheads veteranos que restavam, muitos dos quais estavam deixando crescer o cabelo para evitar atrair a atenção da polícia, apareciam de vez em quando, e eu sentia seus olhos sobre mim. Eles sabiam que eu era mais do que um simples garoto, mesmo tendo só 14 anos. Eu ansiava por uma oportunidade de mostrar que eu era igual a eles, e queria fazer isso em grande estilo.

Numa manhã de domingo, Chase Sargent emparelhou seu Cadillac Seville enferrujado comigo e com Scully, enquanto andávamos de skate no estacionamento de São Donato, e perguntou se queríamos ir a uma reunião com ele naquela tarde. Um encontro de skinheads.

Caralho, se queríamos! Junto com Clark e Carmine, Chase era um dos skins originais do CASH. Ele era alto e desajeitado, mas tinha a reputação de brigar melhor do que qualquer um, e ele também tocava guitarra, duas habilidades que eu esperava adquirir algum dia. Mais maneiro impossível. Não hesitamos em dizer sim quando ele convidou.

Scully e eu fomos à reunião, que aconteceu no apartamento malcuidado de Mandy Krupp em Naperville, Illinois, um vilarejo de imigrantes da virada do século que havia se tornado uma cidade fabril fantasma, situada a cerca de uma hora de viagem a oeste de Blue Island. Fomos de carro, com Scully ao volante do Camaro 1971 remendado de azul e cinza, que ele comprara recentemente, em seu décimo sexto aniversário.

Estávamos vestidos a caráter.

Scully usava as velhas botas de exército de seu pai. Eu tinha lustrado o par de botas que Clark me dera como recompensa por um trabalho bem feito, alguns meses antes de ir para a prisão. Eu havia colocado folhetos nos para-brisas de trezentos carros estacionados durante um *derby*, ou corrida de demolição, em Raceway Park. A pista de corridas ficava a apenas três quadras do apartamento de meus pais, e eu sabia que o público que se reunia para os eventos de domingo era o tipo de alvo fácil, que Clark podia converter sem dificuldade. Tinha sido ideia minha explorar o evento, e Clark premiou minha iniciativa com um par de botas Doc Martens usadas que tinham sido dele. Eram um pouco grandes, mas eu ainda cresceria e elas serviriam. Enquanto isso, soquei jornal na ponta delas. Tirei os cadarços brancos de meus tênis de ginástica e coloquei-os em minhas novas botas, com passadas paralelas. Estava pronto para detonar. Era uma grande responsabilidade.

Nem Scully nem eu falamos muito durante o trajeto. Em vez disso, ligamos o som estéreo do carro no último e acompanhamos cantando bem alto uma fita mal gravada do álbum *White Rider*, do Skrewdriver. Talvez fosse o nervosismo o que nos impedia de conversar sobre o assunto óbvio. O mais provável é que ambos soubéssemos que o caminho a nossa frente estava prestes a nos engolir... e eu estava doido para que isso acontecesse.

Cerca de trinta skinheads, a maioria com vinte e poucos anos, lotavam o pequeno apartamento quando chegamos lá. Skins recém-convertidos, de Michigan, Wisconsin, Texas e Illinois. Carmine. Chase Sargent. Sid e Craig. Eu era o mais novo; em seguida vinham Scully e Craig, mal chegados aos 16. Mal havia espaço para ficar em pé. Clark havia andado mais ocupado reunindo gente do que eu imaginara. Era uma pena que não pudesse estar ali para ver os frutos de seu empenho.

Alguém me passou uma lata de Miller High Life gelada. Eu já estava meio alto com a emoção de estar ali, mas não ia dizer não àquela demonstração de aceitação. Além do mais, para dizer a verdade, tudo aquilo me intimidava um bocado, e um pouco de álcool poderia acalmar meus nervos. Por todo canto que eu olhasse havia cabeças raspadas, tatuagens, botas, suspensórios. O pessoal tinha entendido direitinho o espírito da coisa. Bandeiras nazistas faziam as vezes de cortinas. Braçadeiras com suásticas eram abundantes. Algumas garotas skinhead com um jeito durão agarravam-se aos braços de alguns dos caras mais corpulentos, tornando fácil perceber quem por ali era mais importante.

Antes que eu terminasse minha primeira cerveja, um skinhead grandalhão, com o rosto cheio de marcas de espinhas e com uma grossa suástica tatuada na garganta, colocou ordem no encontro. Erguendo-se e ficando em pé a um canto da sala, ele fez uma única declaração, que ao final da noite eu já saberia de cor. Um lema pelo qual eu viveria pelos próximos sete anos de minha vida.

"Catorze palavras!", ribombou sua voz.

De imediato, todos na sala se voltaram para ele, interrompendo as conversas para gritar a uma só voz:

"Devemos assegurar a existência do nosso povo e um futuro para as crianças brancas."

"Vocês creem nas catorze palavras?", indagou ele.

Por toda a sala, os braços se ergueram em saudações nazistas.

"Heil Hitler!", todos a minha volta gritaram em uníssono.

Ergui o braço também, olhando de soslaio para Scully, que parecia assustado. Eu não. Aquilo era fantástico.

Por quase uma hora meu coração bateu cheio de propósito, enquanto eu ficava ali mesmerizado, ouvindo palavras ardentes que logo seria capaz de recitar até dormindo.

Uma bandeira americana de cabeça para baixo e parcialmente queimada pendia em uma parede ao lado do orador, que segurava firme sua cerveja e falava alto para todos ali reunidos.

"Nosso governo traidor quer convencer vocês de que a igualdade racial é um pensamento avançado, irmãos e irmãs. Que todas as raças devem viver em paz e harmonia. O caralho! Olhem ao redor. Abram os olhos e recusem-se a serem enganados. O que vocês veem quando os crioulos se mudam para sua vizinhança? Vocês veem drogas e criminalidade se instalarem nas ruas, não a igualdade. As sarjetas se enchem de lixo. O ar começa a feder porque as únicas coisas que esses macacos fazem é sair por aí fumando crack e engravidar suas piranhas viciadas. O dia inteiro. Nem se dão ao trabalho de limpar.

"A única coisa que eles limpam é todo aquele dinheiro suado que vocês e eu pagamos em impostos. Eles vivem à custa do governo. Seguro-desemprego. São os primeiros da fila para cada esmola que o governo puder dar. Seção 8 da Lei de Moradia. Programas de almoço gratuito nas escolas. O único motivo pelo qual aqueles crioulinhos vão para a escola é para ter comida de graça e os cheques do governo. Todos pagos por nós, brancos. Pelos americanos brancos que trabalham duro e que nem imaginam seus filhos comendo de graça porque nós nos viramos sozinhos.

"E enquanto vocês e eu nos matamos de trabalhar, aqueles crioulos estão por aí vendendo drogas para nossos irmãos menores, para transformá-los nuns idiotas. Vendendo lixo a eles para que seus dentes apodreçam e eles pareçam ter 60 anos quando tiverem 16. Sendo pegos no fogo cruzado das gangues e morrendo nas mãos desses criminosos.

"Tornando-os dependentes de drogas para que nossas inocentes mulheres arianas trepem com eles em troca de uma dose de qualquer substância horrível na qual eles as viciaram. Vocês acham que eles estão vendendo essas porcarias só para ficar ricos e comprar Cadillacs e correntes de ouro? Tirem a cabeça de dentro do cu, irmãos e irmãs. Eles vendem esse veneno para tornar os jovens brancos tão idiotas quanto os filhos nojentos deles. Eles querem que nossa gente morra por dentro e comece a fumar e cheirar qualquer coisa que encontrarem. Que injetem drogas nos braços e entre os dedos do pé. Eles querem ver os brancos destruir suas células cerebrais e acabar na cadeia, onde vão ser violentados pelos crioulos que estão presos por assassinar e estuprar garotas brancas.

"E quem está comandando esses animais negros degenerados quanto à destruição de nossa raça? Os judeus e o Governo de Ocupação Sionista. Eis quem!"

O orador lançou-se em um discurso contra os judeus e contra Israel que eu ouviria em todas as reuniões às quais fosse, dali em diante, mas nunca com tal fervor. Os tendões em seu pescoço pareciam a ponto de se partir, e a saliva formava espuma nos cantos de sua boca. Os olhos ardiam de fúria. Superioridade moral. Indignação. Verdade.

Ninguém falou enquanto ele nos recordava de que os judeus e seu obscuro Governo de Ocupação Sionista – ZOG (do inglês Zionist Occupation Government) – controlavam a mídia e estavam mentindo por entre seus dentes cheios de obturações de ouro, tentando jogar os brancos contra os negros, os cristãos contra os muçulmanos, para que se matassem entre si, deixando apenas os judeus, que tinham a crença ignorante, pretensiosa de que eram o "Povo Escolhido" por Deus. Justo eles, que tinham pregado na cruz o maldito Filho de Deus, aquele porra do Jesus Cristo. Até a escola católica tinha me ensinado isso.

Ele terminou como começou.

"Catorze palavras, minha família! Catorze palavras sagradas."

De pé, gritamos aquelas catorze palavras uma vez após a outra.

"Devemos assegurar a existência do nosso povo e um futuro para as crianças brancas! Devemos assegurar a existência do nosso povo e um futuro para as crianças brancas! Devemos assegurar a existência do nosso povo e um futuro para as crianças brancas!"

Encerramos com os braços estendidos em saudação, e aclamações ensurdecedoras:

"Sieg heil! Sieg heil! Sieg heil!"

A adrenalina queimava dentro de mim como fogo, e foi apagada pelo suor nervoso que se espalhou da cabeça aos pés enquanto o vapor cáustico da retórica racista enchia a sala. Eu estava pronto para salvar meu irmão, meus pais e avós, amigos e cada uma das pessoas brancas decentes do planeta. Como podiam os brancos não ver o desespero total e absoluto que estavam enfrentando? Tudo dependia de mim e daqueles como eu. Era uma missão imensa, mas eu não tinha dúvida de onde estaria minha lealdade.

A convicção era tamanha que, se pudesse ser convertida em eletricidade, abasteceria por um mês um pequeno país. A atmosfera úmida estava repleta de histórias pessoais de empregos perdidos para imigrantes ilegais dispostos a trabalhar por menos que o salário mínimo, para poderem mandar dinheiro para o México, para suas famílias com dúzias de crias, que, por sua vez, usavam esse dinheiro para contrabandear mais ilegais para os EUA, para tirarem mais empregos dos brancos. Houve um relato brutal, em primeira mão, de uma virginal irmã branca sendo estuprada no banheiro de uma escola por negros impiedosos, em uma iniciação de gangue. Aqueles skinheads calejados dissecaram a mídia, expondo as mentiras que os poderosos gananciosos lançavam para as massas ignorantes para mantê-las comportadas enquanto eles planejavam nossa extinção.

Aprendi que os judeus "inocentes" não tinham sido exterminados em massa durante a Segunda Guerra Mundial. Não tinha ocorrido nenhum Holocausto. Tinham sido apenas as necessárias baixas de guerra, na luta contra o inimigo. Hitler havia entendido a verdade de que os judeus estavam tentando minar a cultura europeia, manipulando seus sistemas financeiros e poluindo seu incrível legado de belas-artes. Ele havia tentado salvar seu povo, identificando o câncer e extirpando-o. Mas havia sido demonizado durante décadas pela imprensa judia e pelos historiadores vendidos, um herói transformado em monstro sob o fogo cerrado de mentiras e distorções grotescas.

Scully estava parado de pé a meu lado, tenso, aterrorizado e mal respirando, quando eles começaram outra rodada de aclamações ensurdecedoras, "Sieg heil", um após o outro erguendo o braço em solidariedade. Juntei-me a eles, com sua fé contagiante.

Assim é que devia ser a educação. Os alunos não deviam ficar algemados às carteiras escolares e ser forçados a aprender sobre a Proclamação de Emancipação ou o Discurso de Gettysburg. *Esta* era a Revolução Americana. A verdade. Bem aqui. Agora. Estávamos perdendo nossos direitos para minorias e judeus, e como sociedade estávamos tão alienados e éramos tão complacentes que permitíamos que aquilo acontecesse bem debaixo de nosso nariz.

Aquele encontro falava sobre ação. Sobre unir forças e colocar os vários skinheads disseminados pelos Estados Unidos sob uma única bandeira. Um bêbado do grupo Confederate Hammer Skinheads ["Skinheads Confederados do Martelo"], de Dallas, sugeriu uma versão abreviada do nome de seu grupo como denominação do novo coletivo. Outra pessoa se manifestou, propondo que um logo simples, com dois martelos cruzados, parecido com o símbolo usado no filme do Pink Floyd, *The Wall*, poderia transmitir a ideia de força e de uma ética da classe trabalhadora. Ansioso para continuar com a festa, o grupo aprovou as sugestões e o Hammerskin Nation ["Nação Hammerskin"]* nasceu oficialmente. Ainda assim, o CASH votou por continuar separado e atuar de forma independente, ao menos por ora.

Quando o encontro esfriou um pouco, alguém sugeriu que arranjássemos mais cerveja. A comida e a bebida estavam acabando. Havia um mercadinho vizinho, e parecia ser fácil roubar lá. Durante a hora seguinte, as pessoas saíram em turnos, furtando comida e bebida e trazendo para o apartamento. Alguém roubou uma câmera descartável e tirou fotos de pessoas fazendo a saudação nazista, gente abraçada, com cerveja nas mãos. Quando chegou minha vez de praticar o roubo obrigatório, comprei um saco de batatas fritas que estava em promoção. Não podia me arriscar a ser pego roubando e ter que explicar a meus pais que diabo estava fazendo tão longe, naquele fim de mundo, mas também não queria voltar de mãos abanando e parecer uma bichinha.

Aquela noite foi a coisa mais estranha e intensa pela qual eu já havia passado, mas fui fisgado de imediato. A cultura skinhead *white power* me atraía, mesmo sabendo que eu não era exatamente igual aos outros que estavam ali. Eu não vinha de uma família desafortunada. Não tinha sido criado com ódio de pessoas diferentes de mim, nem

---

* Considerado o grupo *white power* neonazista mais violento e mais bem organizado dos Estados Unidos na atualidade, o Hammerskin nasceu dessas pequenas agremiações de skinheads racistas anteriores. Composto quase que exclusivamente por homens, defendem a supremacia branca e consideram-se a "elite dos skinheads". O grupo possui divisões (*chapters*) em diversos países, como França, Canadá, Alemanha, Hungria, Nova Zelândia, Austrália, Portugal, Espanha, entre outros. (N.E.)

com uma mentalidade nós-contra-eles. Mas meu coração batia forte dentro do peito. Mais do que nunca, eu queria ser parte daquilo. Era algo avassalador.

Adulto.

Real.

E era algo preto no branco; não havia meio-termo. Eu não podia mais me omitir. Havia tomado minha decisão e foi daquele lado do muro que aterrissei com os dois pés bem firmes.

Embora eu achasse que provavelmente era mais inteligente do que a maioria das pessoas que estava conhecendo, apesar de ser mais novo que elas, os outros naquela sala pareciam saber o que de fato estava acontecendo no mundo. Eles compreendiam o perigo iminente com que a raça branca se defrontava, e haviam se comprometido a resistir àquela ameaça. Estavam dispostos a dar suas vidas em nome de suas convicções, mesmo que a maioria das pessoas brancas os desprezasse e rejeitasse, tratando-os como pouco mais do que lixo branco racista.

A política racial começou a me inflamar. Eu estava envolvido em algo muito mais significativo do que qualquer outra coisa pela qual um garoto de minha idade pudesse se interessar. Havia me tornado parte de uma irmandade secreta, uma sociedade exclusiva tão nova que aterrorizava as pessoas, que não tinham muita informação sobre ela. E ali estava eu – 14 anos de idade, na linha de frente de algo importante, com uma perspectiva real de causar algum impacto, de demonstrar minha coragem. Minha dedicação. Aquela era minha família agora.

Seriam os negros e os mexicanos – perdão, os crioulos e os cucarachas – tão maus assim? Bom, por minha própria e limitada experiência, não, mas os skinheads que diziam isso eram mais velhos, mais vividos. Eles prestavam atenção havia mais tempo e entendiam os problemas. Eram eles cujos empregos estavam sendo tirados. E eu não estava muito de acordo com as minorias se mudarem para minha vizinhança. Eu poderia ajudar a manter Blue Island branca. Italiana. Aqueles skinheads sabiam do que estavam falando. Estavam aqui para salvar o resto de nós, e eu sabia que, com meu entusiasmo e meu talento, poderia ajudar.

Vendo o rosto branco como cera de Scully, sentindo sua pressa nervosa em ir embora, percebi que ele estava fora. Ele não era um racista. Eu teria que salvar o mundo sem a ajuda dos meus amigos. Ou fazer novas amizades. Tanto fazia. Eu estava dentro.

7

LEALDADE

No fim de meu primeiro ano no ensino médio, eu ia e vinha à vontade. Pegava as chaves do carro de minha mãe e saía para me divertir como se ele fosse meu, nem um pouco preocupado com o fato de ainda ser novo demais para dirigir. Não demonstrava nenhum respeito, em minha fala ou comportamentos, por meus pais, falando palavrões para meu pai e saindo da sala quando minha mãe me interpelava sobre isso.

Eles tinham parado de se esforçar de fato para interferir em minha vida depois da última vez que meu pai tentou bater na parte de trás de minha cabeça.

Eu havia voltado bêbado para casa, bem depois da meia-noite, e teria aula no dia seguinte. Meus pais estavam esperando à porta quando entrei cambaleando.

Papai me questionou antes que eu terminasse de cruzar a porta.

"Por onde diabos você andou?"

Christian em seu alojamento nazista, 1989

Dei uma risadinha e devolvi:

"Por onde diabos *você* andou?"

A irritação de meu pai depressa se transformou em fúria quando minha reação à bronca dele manifestou-se como um apático ataque de riso. Eu o afastei de meu caminho e fui na direção do quarto. Quando entrei na cozinha, meu pai me alcançou e preparou a mão para bater em minha cabeça. Eu podia estar prejudicado no momento, com os reflexos mais lentos, mas havia me condicionado a nunca deixá-lo fora de minha visão periférica quando ele estava encolerizado. Antes que ele pudesse completar o golpe, virei-me e agarrei seu braço ainda recuado, e com o antebraço prendi seu corpo com força de encontro à geladeira. Um vaso de cerâmica com flores de acrílico que ficava em cima da geladeira caiu e despedaçou-se no chão perto de minha mãe histérica.

"Nunca mais erga a porra da mão para mim, ou vou surrar você dez vezes mais forte do que você já me bateu. E não vai ser um tapinha carinhoso atrás da cabeça. Entendeu?"

Empurrei-o para longe e continuei resmungando pelo corredor estreito até chegar a meu quarto, batendo a porta com força. De imediato ouvi minha mãe uivando como nunca ouvira antes. Porra, a troco de que ela está gritando agora, pensei.

"Meu Deus! Christian, abra a porta!"

Meu pai ficou do lado de fora de meu quarto, gritando para que eu destrancasse a porta, esmurrando-a, tentando desesperado virar a maçaneta. Minha mãe, infelizmente, tinha ficado bem atrás de mim e colocado a mão no batente da porta para me impedir de fechá-la. Eu havia esmagado seu dedo médio contra o batente, e ela agora sangrava muito, o sangue pingando no piso de ladrilhos.

"Desculpa. Mas da próxima vez não me encham o saco", foi tudo o que falei quando abri a porta e percebi o que tinha acontecido.

Nem preciso dizer que minhas palavras não correspondiam ao que eu sentia. Eu estava arrasado com aquilo, mas não conseguia pensar em nada sincero para expressar o remorso que estava sentindo. Eu estava furioso com meu pai, e foi minha pobre mãe quem mais sofreu com a violência de meu ataque.

Meu pai enrolou uma toalha na mão ensanguentada de mamãe e a levou ao pronto-socorro.

O estardalhaço acordou Buddy, que tinha na época 4 anos. Ele começou a chorar quando saiu do quarto, esfregando os olhos sonolentos, e viu o sofrimento no rosto de minha mãe e o sangue escorrendo pelo braço dela.

Eu o levei depressa para meu quarto, pegando-o no colo para que não pisasse na pequena poça de sangue no piso, e consolei-o enquanto estávamos os dois sentados, no escuro, em minha cama.

"Por que a *mamma* está chorando, Buddy?", ele choramingou.

"Porque eu fiz uma besteira." Eu não podia mentir para ele. "Ela vai ficar bem. Logo eles vão voltar."

"Tudo bem." Ele esfregou os olhos cansados. "Posso dormir aqui com você hoje? Estou com medo."

"Claro que sim. Por que você está com medo, Buddy?" Limpei as lágrimas dele com o polegar e o abracei.

Ele estava começando a cair no sono.

"Porque você está com cheiro de cerveja e você está brigando com papai."

Beijei-o na testa enquanto suas pálpebras pesadas se fechavam.

Passei o resto da noite deitado ao lado de Buddy com o peito apertado e um nó na garganta, chorando baixinho e sentindo um arrependimento enorme pela dor que havia causado a minha mãe. Ela não me falou nada sobre aquele episódio mais tarde, mas eu percebia como minhas atitudes a tinham magoado. Nunca encontrei as palavras certas para lhe pedir desculpas.

Meu pai não parou de me culpar por aquilo, mas nunca mais encostou a mão em mim depois daquela noite.

Pouco antes das férias de verão da escola Marista, comuniquei a meus pais que seria melhor que me matriculassem em outra escola para o segundo ano.

"Não vou voltar para aquela prisão mental."

"Christian, não chame de prisão uma escola católica tão boa", choramingou minha mãe. "Você está indo bem, e é claro que vai continuar lá."

"Sem chance. Eles são carneirinhos. E você nem devia querer que eu continuasse lá. Eles gastaram seu precioso tempo de trabalho chamando você só porque eu não fui à aula um dia. Babaquice."

"Foi tolice sua fazer aquilo", disse mamãe. "Mas seu pai e eu consertamos a coisa para você, não foi?"

"Consertaram?, disse eu, com desprezo. "Vocês mentiram, isso sim."

"Nós protegemos você. O que você queria que fizéssemos? Deixar que dessem uma suspensão a nosso filho?", interferiu meu pai.

"A questão é, vocês mentiram. Exatamente o que eles fazem. Vocês não consertaram nada e não preciso que vocês me protejam. É uma prisão, e não vou continuar lá. Vocês deveriam ficar felizes. Não vão mais precisar mentir por minha causa."

"Espere e verá", disse mamãe, tentando me abraçar com carinho. Afastei-me bruscamente, alertando-a de que não me tocasse. Ela recuou, acrescentando, "Quando o verão terminar, você vai perceber que é a melhor escola. Uma boa escola católica. Como você merece."

De modo algum eu iria desperdiçar mais um ano de vida numa escola onde os professores tentavam empurrar sua propaganda liberal e os tediosos dogmas religiosos por minha garganta abaixo.

Por aquela altura, meus pais sabiam que eu estava me tornando alguma outra coisa, que não era mais seu garotinho inocente, mas acharam que era uma fase da adolescência e não insistiram o suficiente para perceber que não era. Se tivessem parado para observar com mais atenção, talvez tivessem percebido que eu havia trocado a atenção que antes eu desejava que me dessem por algo muito mais sinistro.

A casa de dois andares de meus pais tinha um apartamento de bom tamanho no porão, que não estava sendo alugado e onde apenas se acumulavam caixas de roupas e móveis velhos. Com algum esforço e um pouco de tinta, seria um ótimo lugar onde morar. Sem pedir autorização, tomei posse dele. Consegui de graça alguns restos de tábuas numa serraria e construí uma divisória delimitando um quarto e uma sala.

Meus pais não gostaram da ideia, claro. Minha mãe odiava saber que agora eu podia ir e vir quando quisesse, por uma entrada separada. Ela nem sequer conseguiria ouvir a porta se abrir ou fechar, e eu poderia convidar qualquer um que eu quisesse. Mas eles não tentaram me impedir. Não tinham mais coragem de fazer outra coisa senão me dizer algumas palavras duras, na tentativa de me deixar com remorso.

A primeira coisa que fiz foi chamar Jessica. A alta e voluptuosa Jessica, com suas longas pernas, olhos escuros e faces vermelhas como maçãs. Sua boca carnuda e lábios macios. Minha namorada nazista líder de torcida.

A primeira vez que a trouxe em segredo para meu apartamento, nós dois rimos tanto que quase molhamos as calças. O lugar ainda não estava terminado, mas não conseguíamos nos conter. Quase todas as noites, e alguns dias durante o horário de aula, tirávamos vantagem da liberdade que aquele apartamento todo meu nos conferia.

Uma vez, tarde da noite, enquanto estávamos fazendo sexo ouvimos minha mãe vindo pela entrada da frente. Devíamos estar fazendo mais barulho do que pensávamos. Tentei colocar meu *jeans* com uma das mãos e com a outra empurrar Jessica, que se vestia, pela janela, enquanto minha mãe socava a porta como se fosse o maldito FBI cumprindo um mandado de prisão.

"Christian! Christian, abra a porta. O que você está fazendo que não me responde logo?"

No segundo em que o pé de Jessica estava do lado de fora, fechei a janela e, puxando o zíper das calças, fui destrancar a porta.

"O que é que você tem?", ataquei. "Por que não me deixa dormir?"

Suspeitando que havia algo errado, minha mãe invadiu o lugar e examinou-o longamente. Que diabos, afinal, ela teria feito se Jessica estivesse ali? Qual tinha sido a última vez em que eu havia lhe dado ouvidos sobre qualquer coisa? Puta merda, quem precisava daquela encheção? No máximo, meus pais tentariam me forçar a voltar a morar com eles. Uma ideia insuportável, com a qual eu nunca concordaria, de qualquer modo.

Quando minha mãe se convenceu de que suas suspeitas eram infundadas, e depois que soltei os cachorros nela, por ter me acordado e por estar sempre pegando no meu pé, saí para procurar Jessica. Ela não estava em lugar algum. Obviamente, havia decidido voltar para casa, caminhando sozinha cinco quilômetros no escuro.

Muito cavalheirismo de minha parte. Sobretudo sabendo que os crioulos estavam por toda parte, procurando uma linda garota branca como ela para estuprar. O caralho. Eu mataria alguém que sequer olhasse para ela. Não podiam ameaçar minha namorada desse jeito. Quem aqueles crioulos cuzões achavam que eram, afinal? Por sorte, nada aconteceu.

Jessica e eu não duramos muito depois daquela noite.

Eu trabalhava rápido, motivado e incentivado por planos que iam muito além do que qualquer outro jovem, incluindo os High Street Boys, ousava ter como interesse.

Buddy, ainda um garotinho valente, cheio de admiração, costumava descer para olhar as coisas. Assim como eu costumava seguir meu avô por todo lado quando ele estava construindo algo em sua oficina, meu irmãozinho gorducho de 5 anos ficava me observando erguer as paredes em meu novo domínio. Ele tentava me ajudar a pintar. Eu o deixava ficar ali, como Nonno me havia deixado quando ele trabalhava. Buddy fazia uma bagunça, mas e daí? Era assim que ele ia aprender. Observar seu irmão mais velho, de 15 anos de idade, iria lhe ensinar tudo o que ele precisava saber.

Em duas semanas, o lugar estava pronto. Usei alguns dos móveis velhos que meus pais tinham guardado ali, e decorei minhas paredes com anúncios de cerveja em néon e bandeiras nazistas e confederadas, pelas quais eu havia trocado minha velha coleção de *cards* de beisebol, no mercado das pulgas.

"Posso morar aqui com você, Buddy?", meu irmão menor perguntava.

Claro que ele ia querer isso. Eu era seu incrível irmão mais velho. Ele queria fazer tudo que eu fazia.

"Eu adoraria, Buddy", respondi, acariciando a cabeça dele. "Mas tenho certeza de que mamãe e papai iriam sentir muito a sua falta se você não morasse com eles."

"Mas eu sinto a *sua* falta", disse ele, com voz trêmula. "Por que você tem que se mudar?"

Fui dominado por uma onda amarga de tristeza, gerada pela inocência genuína de seus olhos castanhos redondos. Tentando responder sem deixar que o nó formado na garganta me dominasse, ajoelhei-me no chão e o abracei com força.

"Bom, tem algumas coisas que preciso fazer, e às vezes é melhor que eu faça sozinho."

O lábio inferior dele tremeu. Ele lutou para conter as lágrimas, querendo ser durão como eu. Mas ele não era um garoto durão. Mesmo quando era tão novo quanto ele, eu havia sido muito mais durão. Mais independente.

O nó na garganta dificultava falar.

"Por que você não sobe e vai ver o que a *mamma* fez para seu jantar?" Contendo a emoção, tentei reconfortá-lo.

Ele ainda era o garotinho da mamãe, de muitas formas. Era muito mais próximo a ela do que eu tinha sido. E por que diabos não seria? Ela tinha conseguido encontrar tempo para cuidar dele. Mas eu não devia ficar bravo com ela, pensei. Talvez nem com meu pai. Graças a minhas crenças, eu havia começado a aceitar que meus pais tivessem precisado trabalhar tanto quando eu era pequeno. Tinham que prover a família e tudo o mais. É isso que pessoas brancas respeitáveis devem fazer. Agora eu entendia isso. E mesmo que não nos déssemos bem, eu garantiria que eles pudessem manter tudo aquilo pelo qual haviam dado duro.

"Ei, você vai ficar bem lá em cima", garanti a ele. "Você pode descer para cá quando quiser."

Os olhos castanhos redondos dele se iluminaram.

"Sério, Buddy?"

"Claro, Buddy!" Acariciei a cabeça dele. "Podemos até inventar uma batida secreta na porta."

"Sério?"

"Sério." Ergui a mão para que ele batesse nela. "Agora cai fora. Vai jantar."

Fechei a porta depois que ele saiu e apoiei as costas nela, enquanto limpava uma lágrima do olho. Então, dando uma olhada ao redor, limpei a garganta e sorri. Eu tinha meu próprio alojamento nazista.

Voltei toda minha atenção para as atividades skinhead. Fui até o correio de Blue Island, preenchi um formulário, paguei vinte dólares e consegui uma caixa postal ao lado da agora abandonada caixa postal do Romantic Violence. Imediatamente comecei a me comunicar por carta com outros skinheads por todo o país. Não existia então uma World Wide Web, mas a oportunidade de construir uma rede de comunicação existia se você fizesse a coisa direito e estivesse a fim de trabalhar.

Para ser um líder, eu sabia que precisava demonstrar iniciativa e me estabelecer como alguém empreendedor. Tinha que ser inovador. Selecionei os folhetos que vinha conseguindo com skinheads mais velhos e comecei a fotocopiá-los na loja de conveniências local, enviando-os pelo correio para outros skinheads com caixas postais do outro lado do mundo. No envelope, eu sempre incluía uma nota manuscrita, pedindo ao destinatário que passasse adiante o material a uma nova pessoa depois de tê-lo lido, na esperança de dar continuidade indefinida à corrente.

A primeira correspondência que enviei continha uma cópia de um dos primeiros textos de Clark sobre os skinheads. Acrescentei um trecho de um artigo que Tom Metzger, líder do White Aryan Resistance, publicou no boletim do grupo:

> *Como rangemos os dentes, sofrendo, antes. Impotentes, de braços e pernas quebrados, enquanto a fera dançava sua dança de morte sobre nossos filhos e fazendo uma enorme pilha com os corpos deles. Como gritamos pedindo socorro, pedindo vingança, suplicando pela nossa vida. E nossas súplicas foram ignoradas por anos, até que ele surgiu – o plano para a salvação. A esperança de redenção; nós nos tornamos skinheads guerreiros!*

O material que chegava trazia o endereço de outras organizações pró-brancos, que eu acrescentava a minha lista. Ku Klux Klan. Partido Nazista Americano. Aryan Nations ["Nações Arianas"]. American Front ["Frente Americana"]. Church of the Creator ["Igreja do Criador"], atualmente conhecido como Creativity Movement ["Movimento Criativo"]. National Alliance ["Aliança Nacional"].

Assim que recebia um novo folheto ou boletim, eu fazia novas cópias e as enviava para outros grupos em minha lista, entregava maços delas para outros skinheads ou passava-as para jovens das vizinhanças – skatistas, punks, drogados – qualquer um que eu achasse que poderia estar interessado em levantar a bunda do sofá e lutar por seu futuro. Eu não perdia nenhuma oportunidade de tentar vender a ideologia da supremacia branca. Agora que Clark estava cumprindo pena na prisão, e Carmine, Chase e o resto do grupo original estavam evitando os holofotes, eu acrescentava minhas próprias palavras e informações para contato a qualquer coisa que copiasse, personalizando a mensagem sobre nossa defesa contra as raças inferiores, à medida que espalhava informações sobre reuniões e encontros. Eu me assegurava de que meu nome e caixa postal estivessem em cada texto que enviasse.

O verão de 1988 foi um divisor de águas, não apenas para mim, pessoalmente, mas também para o florescente movimento skinhead neonazista americano como um todo. Eu já havia me estabelecido como uma peça importante no mecanismo antes que as nuvens de tempestade começassem a se adensar. Os grupos *white power*, de supremacistas brancos, começaram a brotar como mato nas áreas metropolitanas por todo o país e, com os números que aumentavam rápido, e as mais altas temperaturas de verão registradas em mais de um século, um caos total irrompeu.

Em Portland, Oregon, os skins do American Front atacaram e mataram com um bastão de beisebol um estudante imigrante etíope. Ao menos um dos skinheads de Los Angeles estava sendo julgado por assassinato em outro caso envolvendo minorias. Em Tulsa, Oklahoma, o tempo árido inflamou o recém-criado grupo Hammerskin local, particularmente devotado a causar o máximo de desordens violentas que pudesse. Esse pessoal se divertia escolhendo membros de minorias e sem-tetos para surras aleatórias, que chamavam de *boot parties* ["festas de botas"]. As cartas detalhadas que me enviavam descreviam um estoque aparentemente inesgotável de ideias para suas violentas atividades recreativas. E, mais perto de casa, seis membros originais do CASH, incluindo Clark Martell, haviam sido formalmente sentenciados a longas penas em penitenciárias do Meio-Oeste por acusações que incluíam lesões corporais qualificadas, dano ao patrimônio e invasão de domicílio – um crime hediondo em Illinois.

A bem da verdade, enquanto usávamos frases de efeito floreadas, como "orgulho branco" e "pró-brancos", para apresentar nossa política publicamente, visando um marketing positivo para as massas inocentes, internamente odiávamos qualquer um que não fosse branco e que não desejasse lutar contra os não brancos.

Aqueles poucos meses de 1988 ficaram conhecidos, nos círculos skinhead, como o "Verão do Ódio".

E de fato foi.

Uma vez que os julgamentos dos casos Angie Streckler e "Kristallnacht" de Chicago, com ampla cobertura da imprensa, haviam levado à prisão boa parte dos skins do CASH, era um bom momento para eu marcar presença. Àquela altura, eu era o único do grupo original que permanecia ativo, e comecei a herdar partes do que Clark e Carmine e Chase haviam deixado para trás. Ainda era novo demais para estar no radar da polícia, e não demorou muito para que os novos recrutas começassem a me procurar em busca de liderança e de orientação.

Assumi, na prática, o papel de líder da segunda onda de skinheads *white power* de Chicago, sem grande esforço. Era fácil recrutar gente em Blue Island. A maioria dos jovens e suas famílias mal conseguia se sustentar entre um pagamento e outro, e vivia em uma vizinhança em rápida deterioração econômica. A garotada de Blue Island curtia se soltar e aliviar a tensão. Havia muitas garotas dispostas a ficar com a gente. Os caras gostavam de música e era fácil atraí-los para a mensagem que eu estava passando.

O que fazíamos era magnético. Era como atrair mariposas para uma chama. Nós nos divertíamos em festas, fazíamos questão de ser vistos, não respeitávamos autoridade alguma. Levei ao extremo o estilo de vida skinhead. Ansioso para aprimorar minhas habilidades em briga de rua, eu partia para a porrada com qualquer um que achasse que eu poderia intimidar ou derrotar. Éramos honrados valentões, dispostos a nos divertir enquanto cumpríamos o dever de defender nossa raça. E nosso contingente aumentava depressa.

Um de meus melhores recrutamentos foi Al Kubiak.

Kubiak era naturalmente violento e adorava brigar. Muito forte e musculoso, tinha um sorriso infantil que parecia ficar ainda maior quando ele estava desferindo golpes. Não gostávamos muito um do outro durante meus dias de High Street, quando nos xingávamos em vez de dividir uma cerveja ou trocar palavras simpáticas. Ele era um garoto mimado da zona oeste de Blue Island, e portanto era inimigo de todos nós da zona leste.

Não suportávamos Kubiak e seus amigos, e quando os encontrávamos do nosso lado da Western Avenue, tratávamos de expulsá-los.

Kubiak não gostava muito de fugir dos confrontos, e sempre ficava para trás e nos enfrentava, enquanto seus amigos fugiam, partindo para a porrada e só recuando se algum de nós por acaso estivesse armado com um taco de beisebol ou de hóquei. Cada vez que nos víamos, insultávamos um ao outro com os piores palavrões que conhecíamos, mas por algum motivo nunca chegamos às vias de fato. Agora estávamos do mesmo lado. Ele havia me procurado, depois de uma festa, perguntando se poderia se tornar um skinhead. Acho que ele só queria mais gente para aterrorizar. Mas eu sabia que sua força teria utilidade, de modo que colocamos de lado nossas diferenças passadas e nos tornamos grandes amigos.

Não fosse pela atitude racista inabalável de Kubiak, e sua disposição para surrar as pessoas sem provocação, eu nunca teria prestado atenção nele. Mas suas habilidades poderiam ser úteis, agora que eu estava aumentando o grupo. Ele seria minha força extra quando eu precisasse dela. Nosso comprometimento um com o outro cresceu exponencialmente ao longo do verão, cimentado por nosso desejo mútuo não declarado de enfrentar qualquer pretenso membro de gangues ou skinhead antirracista que invadisse nosso território. Kubiak não via nada errado em avançar na direção de não brancos e empurrá-los para provocar uma briga. E quando ele fazia isso, eu não hesitava em entrar na roda.

Desde meu confronto com Jake Reilly no oitavo ano, eu tinha passado a brigar com relativa facilidade e familiaridade. Meu treinamento veio na forma de trocas de socos quase diárias com qualquer um que me parecesse ameaçar a segurança de minha vizinhança. A violência se tornou prazerosa, e eu gostava de dominar os cálculos mentais que me permitiam desferir o primeiro soco e derrubar de costas o oponente. Era como uma droga. Às vezes Kubiak e eu enfrentávamos três, quatro ou até cinco caras de uma só vez. Quanto maiores, melhor. Eles nunca esperavam aquilo de garotos tão novos. Nossa lealdade total um ao outro e o elemento surpresa definitivamente estavam do nosso lado. Era isso que os melhores amigos faziam juntos.

Em um desses finais de semana repletos de testosterona, Kubiak, eu e outros dois caras da vizinhança fomos de carro até a Universidade de Illinois, em Champaign-Urbana, duas horas e meia de viagem ao sul de Blue Island, na região central do estado. O irmão mais velho de um dos outros caras estudava lá, e tinha nos convidado para uma festa noite adentro. Assim que chegamos, ajudados pelo fato de termos entornado cerveja a viagem toda, começou a confusão.

Nós quatro chegamos no conjunto de apartamentos onde em teoria nos encontraríamos com o irmão, e batemos à porta cujo número tínhamos. Estava bem claro que uma festa estava rolando, pois o barulho da música e do vozerio era ensurdecedor, mesmo quando ainda estávamos percorrendo o corredor. Ninguém atendeu quando batemos, e fomos entrando.

Ao entrarmos no apartamento superlotado, o maior ser humano branco do qual eu já havia me aproximado veio de imediato nos interceptar. Aquele sujeito enorme, de pescoço grosso, um verdadeiro touro, colocou a mão pesada em meu ombro e me empurrou para trás, para que eu ficasse cara a cara com ele.

"Ô, babacas, se querem entrar, é dez paus por cabeça." O bafo dele fez meus olhos arderem como se tivessem jogado álcool neles, e recuei.

"Só estamos procurando meu irmão. Ele me falou para vir encontrar com ele aqui", um dos nossos disse. "O nome dele é..."

"Aí, moleque. Você ouviu o que eu disse?", cortou o Incrível Hulk branco. "Vinte paus."

"Vinte paus?" Kubiak empurrou a mão do monstro para longe de meu ombro. "Você acabou de dizer dez, King Kong."

Ele encarou Kubiak.

"É, mas eu não gosto de vocês, então agora é trinta, gracinha."

"Ei, Gator, algum problema aí?" Outro colosso que estava na festa interveio e bloqueou nossa passagem. Dessa vez era um cara negro, alto, atlético e musculoso, tendo a seu lado um sujeito samoano igualmente grande e robusto.

"Não, está tudo bem. Eu tenho isso aqui", contemporizei, levando a mão ao bolso traseiro da calça, e lancei um olhar de esguelha para Kubiak, que estava pensando o mesmo que eu. Baderna.

"Bom, não tenho vinte. Só tenho cinco", disse eu, e acertei no queixo de Gator um murro com o soco inglês que eu tirara do bolso da calça.

Kubiak agarrou o crioulo e lhe deu um chute no saco. O negro caiu, e Kubiak virou-se para acertar o outro gigante; pegou uma garrafa de cerveja e arrebentou na cara dele.

Os outros dois skinheads que estavam com a gente começaram a bater em quem estivesse ao alcance. A maré de gente que vinha pra cima de nós parecia infinita.

Antes que percebêssemos, nós quatro estávamos esmurrando, chutando e arrebentando garrafas na cabeça de metade dos atacantes do time de futebol americano da Universidade de Illinois. Os caras eram grandes e fortes, mas nenhum tinha a experiência de luta que tínhamos. Parecia que um tornado tinha passado pelo lugar, com corpos caídos e móveis espalhados por todo lado.

Quando o apartamento e os estudantes universitários estavam devidamente destruídos, e o resto dos convidados da festa tinha fugido, voltamos correndo para o carro.

Enquanto saíamos do conjunto de apartamentos, vários dos participantes da festa que não tinham se envolvido, além de um cara que entregava pizza numa bicicleta que havia testemunhado toda a ação, vieram nos cumprimentar e comemorar conosco a briga animada. Sem nenhum remorso, sendo os cães de ataque movidos a testosterona que havíamos nos treinado a ser, partimos pra cima deles e também derrubamos todo mundo. Implacáveis.

Tínhamos apanhado um bocado, mas éramos aqueles que ainda conseguiam sair do lugar andando com as próprias pernas.

Em minutos, as ruas estavam tomadas por dezenas de policiais e uma legião de veículos de segurança do campus montando barreiras para tentar localizar a horrenda quadrilha de arruaceiros capaz de ferir de tal maneira seus astros do futebol americano. Para nossa sorte, estavam em busca de um grupo grande, não de quatro carinhas em um Honda Accord. Conseguimos sair da cidade, reencenando a luta e rindo descontroladamente durante toda a volta para casa.

Na segunda-feira seguinte, um policial de Blue Island pediu-me para ir até a delegacia para responder a algumas perguntas sobre o incidente. Ao que parecia, a polícia do estado de Illinois tinha emitido um alerta para uma dúzia de skinheads ou mais, que haviam atacado ferozmente os jogadores de futebol americano do time da Universidade de Illinois e mandado vários deles para o hospital. De imediato os olhares se voltaram para nós, pois éramos o único grupo skinhead do estado capaz de semelhante estrago. Mal conseguindo me controlar para não gargalhar com aquela situação hilariante, eu disse aos policiais que não fazia a mínima ideia de quem podia ter feito aquilo.

"Afinal de contas, policial, ainda nem fiz 16 anos, e não tenho carteira de motorista nem carro. Como eu ia conseguir chegar lá?"

Eles não podiam provar que tínhamos sido nós, e encerraram as investigações, mas eu e os outros rimos daquilo durante semanas.

Não foi necessário surrar muita gente para Kubiak e eu estabelecermos nossa fama como os valentões mais filhos da puta de Blue Island. Os adolescentes de nossa vizinhança ou nos admiravam ou nos temiam. Às vezes, ambos. Pela primeira vez eu me sentia no controle completo de minha vida. Por tanto tempo eu havia ansiado encontrar um lugar entre meus pares e agora eles haviam começado a se esforçar para chamar minha atenção. Gente que antes me ignorava agora me reverenciava.

Mas, fora de meu próprio grupo etário, eu ainda queria o respeito dos skinheads mais velhos. Escrevia aos que cumpriam pena na prisão. Em algum momento eles sairiam, e eu contava com eles ficando a meu lado, como iguais, quando esse dia chegasse.

A pessoa mais importante com quem estabelecer contato era Clark, lógico. Eu ainda queria sua bênção oficial. Nada seria mais valioso do que a comunicação com ele. Carmine me passou o endereço dele sem hesitação e de imediato comecei uma correspondência regular com ele na prisão. Eu não esperava que ele respondesse, mas achei que ao menos apreciaria o esforço.

Acrescentava os números "14" e "88" logo acima da minha assinatura ao final de cada carta que enviava. O "14" representava as quatorze palavras e o "H" era a oitava letra do alfabeto, de forma que "88" era o código secreto para "HH", ou "Heil Hitler". Em poucas semanas eu não apenas estava me comunicando diretamente com Clark, mas também com dezenas de outros ativistas pró-brancos e prisioneiros por todo o país.

Meus pais por fim desistiram de sua batalha para me fazer cursar o segundo ano na escola Marista. Eles ainda não queriam me deixar ir para o Eisenhower, a escola pública que eu achava tolerável, uma vez que ela havia apavorado minha mãe quando esta era adolescente. Em vez disso, eles me matricularam em uma escola experimental chamada Project Individual Education ["Projeto educação individual"], informalmente chamada de PIE, uma pequena "escola-ímã"* que recebia alunos de todas as três escolas públicas de ensino médio da área de Blue Island. A PIE era

* Em inglês, *magnet school*, escolas voltadas para temas específicos, por exemplo cursos técnicos. [N.T.]

experimental no sentido de que tentava dar aos alunos maior liberdade na educação. Como não era uma das principais escolas públicas de ensino médio da região, meus pais aceitaram que seria a melhor alternativa possível a uma escola particular. Buddy riu do nome engraçado.

Alguns detalhes da PIE faziam com que, em minha opinião, ela fosse melhor que a escola Marista. Os professores pareciam mais tranquilos, ao menos em teoria. Não havia mais religião. E quem tirasse boas notas poderia deixar de frequentar certas aulas. Alguns alunos achavam isso legal, mas para mim não fazia diferença. Eu abandonaria as aulas que quisesse abandonar, com notas boas ou sem elas. O estado ainda dava a meus pais a autoridade de decidir se e onde eu iria à escola, mas, uma vez eu estando lá, eles não podiam me forçar a fazer nada que eu não quisesse.

A única coisa realmente boa quanto à PIE era sua ligação com a Eisenhower. As duas escolas pertenciam ao mesmo distrito, e isso significava que eu poderia jogar no time de futebol americano da Eisenhower, junto com Kubiak. Jogar em um time de verdade era algo que eu queria fazer desde os tempos de High Street. Eu adorava ser um gladiador naquele campo, e cada jogo me trazia a promessa de ser um herói, carregado para fora do gramado nos ombros de meus companheiros de equipe. Além do mais, Kubiak e eu agora estaríamos conectados por meio da escola, além de por Blue Island, por nossos punhos e por nossas crenças.

Mas, a despeito de nossa filosofia ardorosa, nenhuma atividade de supremacia branca ocorria dentro do campo. De fato, meus companheiros de time – uma mistura homogênea de jogadores brancos, mexicanos e negros – me nomearam capitão do time. Um testemunho real de minha dedicação incansável a qualquer missão que eu decidisse levar adiante. Minha feroz determinação em liderar. Talvez fosse meu carisma, ou talvez fosse motivado em parte pelo medo, mas de qualquer forma a fé que depositavam em mim para conseguir resultados no campo era inconfundível.

Competidores ferozes, Kubiak e eu estávamos determinados a vencer acima de qualquer coisa. Vencer exigia força do time e, mesmo que a maioria de nossos companheiros de equipe não fosse branca, conseguíamos manter o foco pelo bem da equipe. Aprendi a trabalhar com os jogadores negros e mexicanos porque eu racionalizava que eles em particular não eram os mesmos que estava destruindo nossa cultura. Esses caras eram do bem. Eram atletas em quem aprendi a confiar, e o futebol americano me deu uma razão particular para ver além de nossas diferenças. Quando colocávamos os capacetes, todos éramos da cor vermelha – o vermelho da Eisenhower. Não éramos negros nem brancos nem pardos. A dicotomia da situação nunca foi capaz de eclipsar a emoção do combate que eu sentia com aqueles irmãos de armas. Apesar de nossas diferenças, partíamos para a ação como uma unidade coletiva, trabalhando juntos para vencer e subjugar nossos adversários, e todos nós aprendemos a pôr de lado nossas ideologias conflitantes, temporariamente. Eu posso ter sido um racista radical fora do vestiário, pregando a necessidade de expulsar os não brancos da vizinhança e das escolas, de mandá-los para longe de nossas mulheres inocentes, culpando-os por poluir nossa gente com drogas, mas, quando tocava o sinal da escola e o apito do treinador assinalava o início do treino de futebol americano, a dissonância cognitiva da situação deixava de importar. Éramos um time.

Assim que os jogos terminavam, porém, Kubiak e eu trocávamos as chuteiras pelas botas Doc Martens e estávamos prontos para pisotear qualquer um que considerássemos inimigo da nossa raça.

8

REVOLUÇÃO BRANCA

Eu escrevia para Clark contando sobre nossas brigas frequentes com os antirracistas e os não brancos, e mantinha-o informado sobre o progresso do recrutamento, sabendo que ele ficaria empolgado ao saber que eu estava dando continuidade a sua orgulhosa tradição. Por essa época, ele me mandava três ou quatro cartas por semana. Eu fazia questão de que os outros skins soubessem que eu estava em contato com ele, para manter elevado o moral de todos, mas não compartilhava com ninguém o conteúdo das cartas.

Para minha consternação, à medida que o tempo passava, os pacotes enviados por ele começaram a vir cheios de desenhos explícitos, a lápis, de mulheres skinhead nuas, junto com histórias que ele escrevia e que pareciam com uma revista *Penthouse Forum* do Terceiro Reich. Não parecia certo que ele me mandasse aquelas coisas escrotas. Tentei ignorar. Então, cadernos inteiros repletos de histórias eróticas que ele escrevia e

Christian, 1989

ilustrava começaram a chegar. Ele ficou obcecado com uma garota skinhead de Chicago chamada Reina, que afirmava ter engravidado antes de ir para a prisão, e batizou sua história pornográfica de amor com o título de *Right as Reina* ["Certa como Reina"], como uma homenagem. Eu não tinha certeza de que ela soubesse daquilo, ou mesmo se ela estava de fato grávida dele, mas ele a elevou à condição de mulher skinhead perfeita, e escreveu que ela era a "deusa de todas as mulheres brancas".

Clark também contava como os guardas da prisão o tratavam mal, e vociferava sobre como achava estar enlouquecendo.

> *De novo os guardas não querem me deixar sair para o pátio. Os pretos e os veados têm todos os privilégios especiais, como um suco extra e meias limpas. Também quero meias limpas. Não sou um animal. Sou um guerreiro. Deus quer que eu tenha meias limpas, e eu as terei, se quiser. Nesta manhã peguei uma merda com as mãos e cobri todo o corpo com ela, para ficar parecido com um crioulo e ganhar um suco extra ou um pedaço de mortadela e meias limpas. Mas eles não caíram no meu truque. Os brutamontes invadiram minha cela e me atacaram antes que eu pudesse me castrar com o pegador de salada afiado que roubei no refeitório ontem. Escrevo esta carta na enfermaria psiquiátrica. Por Deus e por Hitler e por Reina! Heil Skinheads Guerreiros – C. M. 14/88.*

As cartas de Clark me envergonhavam, e comecei a crer que ele não estava muito bom da cabeça. Pelo pouco que o conheci, nunca me pareceu um gozador, de modo que era difícil saber se estava falando sério quanto ao que afirmava nas cartas e se havia mesmo tentado castrar-se com um pegador de salada. Eu nunca quis perguntar. Aquilo fazia com que me sentisse desconfortável, e assim eu evitava por completo pensar no assunto.

Não compartilhei meus pensamentos, porém, para proteger a reputação dele, e a reputação do CASH. E, puta merda, racionalizei, talvez não fosse uma insanidade real que eu estava vendo. Talvez fosse apenas o desespero por estar trancafiado. Ele tinha sido a primeira pessoa – o Johnny Appleseed* ariano – a trazer o estilo de vida skinhead *white power* para os Estados Unidos, e as pessoas ainda estremeciam quando ouviam seu nome. Os noticiários sempre diziam que ele era um sociopata neonazista, "um dos homens mais aterrorizantes dos Estados Unidos", e isso era algo forte. Coisa de heróis e revolucionários. Ficar doido era meio patético, e por isso guardei as suspeitas só para mim e queimava seus cadernos e a maioria de suas cartas depois de lê-las.

Em novembro do meu segundo ano no ensino médio, o apresentador de televisão Geraldo Rivera convidou três skinheads, bem como John Metzger – líder do Movimento Jovem Ariano, do White Aryan Resistance – para aparecer em seu programa de entrevistas. Puxa-saco da mídia como é, Geraldo chamou o episódio de *Young Hate Mongers* ["Jovens semeadores de ódio"]. Para aumentar a audiência, ele também convidou Roy Innis, um crioulo arrogante e criador de caso, que tinha presidido o Congresso de Igualdade Racial, e algum rabino judeu do tipo "somos os escolhidos de Deus".

Logo no início do programa, Metzger chamou Innis de "Pai Tomás", por ajudar o governo dos EUA a implementar uma agenda multirracial e também criticou-o por não admitir que os negros eram prejudiciais à cultura branca civilizada. Mas em vez de reconhecer isso, Innis ficou muito doido, pulou da cadeira e começou a esganar Metzger no palco. Naturalmente, Metzger se defendeu – um direito constitucional que ele tinha. Geraldo voltou ao palco quando começou a baderna, e um skinhead da plateia jogou uma cadeira na direção dele, pegando-o em cheio na cara, quebrando aquele nariz de cucaracha. As pessoas mais corajosas da plateia

* Personagem histórico estadunidense que, durante os séculos XVIII e XIX, introduziu macieiras no leste dos EUA e Canadá. (N.T.)

foram para o palco e juntaram-se à confusão; outras começaram a agir como loucas, aterrorizadas, sem saber o que fazer enquanto se amontoavam num canto no fundo dos estúdios.

Isso virou notícia no país inteiro, em todos os canais, jornais, revistas e emissoras de radio. Comentaristas e apresentadores sensacionalistas das rádios reprisavam o vídeo uma vez atrás da outra. E esse evento provou que éramos bárbaros, como a mídia queria? De forma alguma. Os três skinheads neonazistas e Metzger estavam bem vestidos. Eram elegantes. Inteligentes. Afirmando com clareza nosso propósito, defendendo nossos ideais. O crioulo provou que era um agitador. O rabino, um inútil.

Não usávamos drogas. Acreditávamos em sustentar nossas famílias com trabalho duro e honesto. Nosso senso de orgulho era implacável. Nossos corações realmente queriam o melhor para a raça branca, mas ninguém entendia isso.

Os jornais – todos pertencentes a um bando de judeus – só se preocuparam com a violência racista. Logo depois, começaram a aparecer matérias na mídia acusando os skinheads *white power* de atacarem as pessoas nos centros de compras, de arrancar casais inter-raciais de dentro de carros e, claro, eles desencavavam cada crime antigo e irrelevante que conseguissem encontrar e os associavam a nós. A imprensa nos chamava de animais, descrevia-nos como monstros violentos que atacavam gente inocente indiscriminadamente, sem motivo algum. As manchetes continham palavras como: "Criminosos sem moral". "Foras da lei". "Semeadores de ódio". "Delinquentes". Tudo o que defendíamos foi demonizado como uma ideologia do ódio. Uma filosofia do medo.

Logo depois, outro apresentador de televisão, uma marionete chamada Richard Bey, à frente do programa de entrevistas *People are Talking* ["As pessoas estão falando"] tentou pegar carona na audiência de Geraldo e convidou uns skinheads antirracistas para sentarem o malho em seus equivalentes racistas. Ele começou o programa com um convidado alegando que skinheads neonazistas o acossaram em um metrô de Nova York e que, quando se negou a se juntar a eles, eles o agrediram e ameaçaram jogar escada abaixo seu bebê de dois meses. Só um imbecil iria acreditar que eles jogariam mesmo um bebezinho branco inocente pelas escadas do metrô, mas os idiotas sempre prevaleciam, e de novo a mídia sensacionalista publicou histórias dizendo que éramos um bando de monstros violentos, sanguinários e enfurecidos. Claro que éramos violentos. Tínhamos que ser. A revolução tinha um preço. Mas monstros enfurecidos? Eles só estavam parcialmente corretos. Não éramos monstros. Mas odiávamos os inimigos que se empenhavam para nos destruir. O ódio não era o que nos impulsionava, porém; era a manifestação de nossa luta desesperada para defender o que nos era mais caro – nosso orgulho ardente da raça branca. Éramos os heróis que tentavam salvar as pessoas. Patriotas. Por que diabos ninguém conseguia entender isso?

Minha frustração com a mídia sensacionalista me inspirou ainda mais, provando que eu estava na direção correta e que fazia parte de algo especial. Maior do que Blue Island, onde havia começado. Maior que Chicago. Maior até que Illinois. O número de skinheads estava crescendo rapidamente, e estávamos nos tornando conhecidos por todo o país.

Kubiak achava que era hora de começarmos a andar armados. Nada sofisticado. Ele me passou uma pistola semiautomática enferrujada calibre .25 que havia roubado de seu tio.

A arma era leve, mas senti seu peso em minha mão. Ela fez meu coração bater mais rápido. O poder brotou pelas pontas de meus dedos, enrijecendo em volta do aço frio. Vida ou morte seladas dentro de minha mão. Endireitei o braço, estendi-o, senti a pulsação da arma se juntar à minha.

"Puta merda!", exclamei.

Kubiak encolheu os ombros.

"Não sei se ela funciona, mas foda-se, você aponta ela para alguém e não vão nem saber. Vai todo mundo recuar, garanto."

Eu a enfiei no cós da calça, onde ninguém poderia vê-la, e voltei a pé para casa, a cada passo sentindo o metal de encontro a minha pele.

Entrei em meu apartamento no porão e me sentei na cama. Tirei a arma. Coloquei-a de volta na cintura e saquei-a, de novo e de novo, praticando para conseguir sacar rápido quando a hora chegasse. Fiz mira. Me admirei no espelho. Todo valentão. Era assim que eu parecia. Durão. Era assim que eu era.

Ouvi minha mãe do lado de fora, me chamando. Espionando de novo. Sempre ali quando era conveniente para ela. Meu pai também. Mas quando mais precisei deles – as vezes em que adotei os aplausos de outros pais, quando eles incentivavam seus próprios filhos –, eles estavam ausentes. Eu tinha superado, mesmo que eles nunca assumissem a responsabilidade por suas falhas. Apontei a arma para a porta, imaginando o que minha mãe faria se entrasse e desse de cara com o cano de minha arma.

"Estou dormindo. Me deixa em paz", respondi.

Com tudo que andava acontecendo em nível nacional, eu sabia que precisava ficar bem informado. Assim, para aprender sobre sobrevivência, recorri ao *Turner Diaries*, que Clark havia me dado. Clark o chamava de "a bíblia dos revolucionários brancos". William Pierce, um visionário, líder do grupo nacionalista branco National Alliance, escreveu-o em 1978, sob o pseudônimo de Andrew MacDonald. O romance foi escrito sob a forma de um diário, e narra o papel de Earl Turner, um ativista do movimento revolucionário ariano/branco na derrubada violenta do governo dos EUA, e a limpeza social e étnica de todos os judeus e não brancos. Não era nada menos do que uma profecia bem sacada do que iria acontecer em um futuro não muito distante se os brancos não acordassem agora e não agissem.

Li a fascinante narrativa de nosso futuro assustador em menos de seis horas. Dizer que me inspirou não é suficiente. O livro me incitou a ponto de eu querer imitar o heroico protagonista em cada ato que ele realizou.

Eu seria Earl Turner, pronto para derrubar meu próprio governo por meios violentos se isso fosse necessário para dar um jeito no mundo e proteger o que eu amava.

Primeiro, porém, tive um contratempo menor com que lidar na PIE. Um preto chamado Damarcus – típico nome de crioulo – folgado. Um bandido de verdade, em busca de encrenca, sempre falando merda. Andando pelo corredor, um dia ele teve o colhão de vir pra cima de mim de propósito e me dar um encontrão. Ele não arredou pé, como se estivesse em seu direito e eu tivesse que me desviar. Ataquei primeiro. Com um soco, quebrei o nariz dele, e então imobilizei sua cabeça com um braço, socando-a nos armários antes que ele soubesse o que o havia atingido. Arrastei-o, sangrando, de um lado do corredor a outro, e bati a cabeça dele contra as portas de aço. A maldita lésbica professora de ginástica e o cara da manutenção se enfiaram entre nós e nos separaram. Outros professores me agarraram e me levaram até a sala do diretor. Ah, cara, eu estava agitado demais, claro.

Foi o fim da minha estada na PIE.

Uma semana depois de ser expulso, voltei e pichei com tinta *spray*, "Crioulos, voltem para casa!", em letras de meio metro de altura, nas portas de entrada, para o caso de eles não terem entendido quando bati a cabeça de Damarcus até ele ter mais galos do que dentes brancos na boca.

A polícia sabia que tinha sido eu. Claro que era eu. Todos sabiam. Mas eles estavam receosos comigo naquela altura, e tinham certeza de que, se fizessem algo contra mim, haveria uma retaliação de meu grupo, pois eu havia conseguido recrutar mais de meia dúzia de alunos durante minha breve estada na PIE. Sem saber quanta influência eu tinha adquirido, e certos de que não havia nada que pudessem fazer sem provas concretas, deixaram a coisa morrer. Não podiam provar nada. E mesmo que pudessem, o que fariam? Algumas noites na cadeia não iriam me deter.

Agora eu só poderia estudar no sistema de escolas públicas de Blue Island. Isso partiu o coração de minha mãe. Ela queria que eu fosse médico. Apenas as melhores escolas particulares para seu precioso filho. E agora eu iria para uma escola pública. Eisenhower. A escola horrível que ela havia frequentado quando era uma imigrante de 16 anos. Não era o lugar para alguém tão especial quanto eu.

Nunca esqueci as histórias que ela me contou sobre sua juventude e como não conseguiu se adaptar, sendo ridicularizada por ser diferente. Mas ela não precisava se preocupar, porque eu senti a dor dela. E não deixaria que isso acontecesse comigo – ou com ela –, nunca mais. Mas, de qualquer forma, eu não tinha intenção de ficar muito tempo ali.

Eu tinha prioridades maiores em mente. Tabelas periódicas e conjugação verbal e o cálculo da soma dos ângulos de um triângulo tinham um interesse exatamente igual a zero.

A revolução branca era a principal matéria que eu queria estudar.

9

OUÇA O CHAMADO

UMA COISA FUNDAMENTAL ACONTECEU durante o período em que estudei no Eisenhower. Conheci Tracy, que se tornou o portal para um nível completamente inédito de violência. Mas dessa vez, o suposto inimigo era branco como eu. O evento revelou-se ideal para que eu estabelecesse minha posição em Blue Island e arredores.

Tracy era um ano mais velha que eu. Bonita e despudoradamente franca. Cabelos castanhos longos e um corpo miúdo e rijo. Ela fumava e bebia, e sua inocência havia desaparecido como um jato de *spray* de cabelo muito antes de nos conhecermos. Briguenta que só ela, vivia com sua mãe solteira, que ela atormentava mais do que eu atormentava meus pais. Uma façanha e tanto.

Ela não estudava no Eisenhower, e morava em Beverly, uma vizinhança predominantemente irlandesa, no extremo sudoeste de Chicago, adjacente a Blue Island. Os jovens de ambas as vizinhanças viviam a

Christian, 1989

poucas quadras de distância, mas quando seus caminhos se cruzavam era mais comum cuspirem ou atirarem garrafas de cerveja uns nos outros do que trocarem cumprimentos. Existiam poucas amizades entre os dois grupos. Se pessoas de vizinhanças diferentes namorassem, não era exatamente uma situação tipo Romeu e Julieta, mas havia uma regra tácita contra isso que poucos ignoravam.

E eu ligava? Com certeza ninguém ia me dizer com quem eu podia ou não podia me envolver. O mesmo acontecia com Tracy.

Ela era uma encrenqueira consumada. O fato de eu ser de Blue Island, ter reputação de baderneiro e ser um racista declarado me tornava irresistível. Ela até ignorou o fato de eu ter sido capitão do time de futebol americano do Eisenhower, algo convencional demais para uma rebelde autoproclamada de carteirinha como ela.

Não muito depois de Tracy e eu começarmos a namorar, a mãe dela fez com que a pegassem e internassem em uma clínica de recuperação de alcoólicos por uma semana, por ter jogado um telefone sem fio na cabeça dela, durante uma bebedeira. Tracy dava todo tipo de preocupação para a mãe. Sem falar nos pontos que ela vivia levando pelo corpo.

Quando Tracy saiu da clínica, peguei o carro de meus pais e fui até a casa dela para recuperar o tempo perdido. Nos últimos meses, eu havia aprendido a dirigir de forma bastante decente, embora ainda não tivesse idade suficiente para ter carteira de motorista.

Da primeira vez que "peguei emprestado" o Ford Taurus de minha mãe, aos 13 anos, quase o destruí, ao dirigir a toda na contramão em uma via importante de mão única. Little Tony, que havia me ensinado o básico de subir e descer pela High Street, virou rápido o volante para evitar um carro que vinha de frente para nós, e que certamente nos teria esmagado em uma colisão frontal. Depois disso, minha única direção irresponsável era de vez em quando fazer ziguezagues no estacionamento de São Donato.

Pegar o carro depois de meus pais terem ido dormir havia se tornado mais fácil depois das primeiras vezes. Eu havia pegado as chaves do casaco de papai e fiz cópias. Buddy me viu chegando de carro um sábado de manhã, enquanto assistia desenho animado, mas só sorriu para mim da janela e nunca disse uma palavra. Meus pais nunca me questionaram quanto a pegar o carro. Tenho certeza de que suspeitavam, mas tinham medo de me confrontar, sabendo que eu levaria a discussão muito além de apenas pegar o carro, e que faria algo realmente irresponsável para irritá-los ainda mais. Sobretudo meu pai. Eu o havia ameaçado com violência física da última vez que ele tentara me castigar por algo trivial; desde então, ele já quase não falava comigo.

Lá estávamos Tracy e eu, sentados na escada na frente da casa dela, dando um amasso na noite em que ela saiu da clínica de alcoolismo, sem fazer nada para incomodar ninguém, quando seis Irish Beverly Boys ["Meninos irlandeses de Beverly"] – um grupo de garotos parecido com os High Street Boys, mas violentos e com mais colhões – se instalaram do outro lado da rua, bêbados, em um campo aberto. "A Pradaria", como era conhecida na região, era a base do grupo de Beverly. Era um grande trecho de terra plana que pertencia à igreja vizinha de São Walter. Era o equivalente deles ao estacionamento de São Donato. Os jovens de Beverly reuniam-se naquele campo todas as noites. Rodeado por bangalôs irlandeses de pedra, tinha má fama por conta das bebedeiras e das festas que aconteciam mais ou menos em plena vista dos pais de todo mundo – em sua maioria policiais e bombeiros, comerciantes e suas esposas enfastiadas, de origem irlandesa.

Naquela noite, logo depois de Tracy chegar em casa, aqueles idiotas estavam enchendo a cara na Pradaria. Dando uma de durões e mexendo com ela.

"Ei, Tracy, você tem um celular aí? Sua mãe ligou e disse que quer ele de volta." Uivos.

"Por que você não atendeu o telefone quando liguei, Tracy? Acho que você não ouviu porque ele estava destruído."

Não eram exatamente palavras agressivas, mas aquela era minha namorada, e eu não ia ficar ouvindo um bando de irlandeses idiotas falando merda.

Eu me levantei. Tracy segurou minha mão tentando me fazer sentar de novo.

"Eles são seis", ela me alertou. "E estão bêbados."

Soltei a mão.

"E daí? Eles estão me enchendo o saco."

Os Beverly Boys tinham reputação de serem caras irlandeses durões e esquentados, mas isso não me deteve.

De punhos cerrados, mergulhei na noite escura, determinado a calar a boca deles. Cheguei aonde estavam e, sem uma palavra, preparei o braço e esmurrei a primeira sombra humana que vi. Eles caíram em cima de mim mais rápidos do que punks skatistas entupidos de anfetaminas. Vieram de todos os lados. Um deles tentou me jogar no chão, mas os demais estavam perto demais e impediram minha queda. Desferi um tremendo soco, calculando rapidamente que, com tanta gente me atacando, havia uma boa chance de acertar alguém. Meu punho colidiu com a cara de um deles, e fui recompensado com a calidez familiar do sangue fresco. Tomei um soco no estômago. Furioso com aquela afronta, dei uma cabeçada violenta no queixo de um deles, derrubando-o. Ao cair, na escuridão ele se agarrou em alguém, derrubando-o. Fui atingido por uma saraivada de golpes rápidos e firmes na cabeça, no ombro, no rim. Um soco me pegou no meio da barriga e me deixou sem ar. Dobrei o corpo em dois.

"Já teve o suficiente?", alguém grunhiu.

Tracy estava assistindo. Eu ia lutar até cair inconsciente. Respirei fundo, me endireitei de repente e mandei um soco poderoso na mandíbula de alguém. Ele cambaleou para trás. Continuei acertando-o com socos rápidos. Meus punhos doíam. Os segundos pareciam horas.

"Galera, deixa pra lá", gritou alguém do grupo de Beverly. "Esse cara é totalmente maluco. Não vale a pena gastar tempo com ele."

Eles se afastaram na escuridão. Tracy, agora a meu lado, segurou meu braço e apoiou o corpo no meu. Eu estava sem fôlego.

"Deixa eles irem embora", disse. "Foram eles que desistiram, não você."

"Peçam desculpas a ela", gritei.

"Só por cima do cadáver da sua mãe, italiano de merda!", alguém gritou de longe.

Palavras agressivas.

"Volta e diz isso na minha cara, sua bicha irlandesa filha da puta!", uivei.

Eles desapareceram Pradaria afora. Fim do drama.

Por aquela noite.

Mas o desafio havia sido lançado e a guerra, declarada. Eles sabiam. Eu sabia. Tracy sabia.

Pela manhã, a notícia de que seis Beverly Boys haviam me atacado e não tinham conseguido me derrubar já havia se espalhado por Blue Island e Beverly.

Meus amigos em Blue Island queriam sangue.

"Seis deles atacaram um de nós? Eles estão fodidos!", foi o grito de guerra.

A turma de Beverly preparou-se para a batalha.

E daí que todos nós éramos brancos? A raça não tinha importância. Era uma questão de território. Respeito. E uma declaração de que, se alguém se metesse com um dos nossos, haveria guerra.

Guerra.

Eu tinha dado início à porra de uma guerra.

Uma vez mais eu me encaixava perfeitamente no papel de protagonista – ou antagonista, dependendo do interlocutor. Eu havia lançado minha tribo contra outra. A emoção do combate era suprema. Comandar uma legião de soldados, um grupo determinado a atingir um objetivo definido, parecia algo natural para mim. Não importava se o adversário era outro time esportivo, uma gangue de latinos ou uma vizinhança rival. Tinha que haver lados. E eu tinha que liderar o lado vencedor.

O poder era o máximo.

A coisa mais intensa que eu já havia sentido.

10

ORGULHO BRANCO

Os skinheads de Blue Island eram uma gangue. Como os Latin Kings. Os Gangster Disciples. Os Vice Lords.

Andávamos em grupos. Vigiávamos a retaguarda uns dos outros. Instigávamos brigas quando não havia motivo. Protegíamos nosso território. Certa noite, um grupo nosso perseguiu Rooney, um sujeito do grupo de Beverly de audácia insuportável, por um beco e encurralou-o perto de uma picape carregada de entulho de construção. Quando ele escapou de minha mão e tentou correr, agarrei um tijolo na picape e atirei nele, acertando-o bem na nuca, de uma distância de quase dez metros. A partir daquela noite, os caras de Beverly passaram a me chamar de "Brickolini" (de *brick*, "tijolo" em inglês).

A guerra entre Blue Island e Beverly não se encaixava em meus planos de salvar a raça branca, mas por conta dela consolidei meu destaque

Christian cortando o cabelo de um novo recruta, 1989

como líder, como alguém capaz de controlar as atividades de uma grande área e de todos ali dentro.

O grupo de Blue Island – os skinheads CASH remanescentes, Kubiak e cerca de uma dúzia de adolescentes que eu havia recrutado desde que Clark havia ido para a prisão – e os Beverly Boys travaram uma guerra total pelo resto de meu segundo ano no ensino médio. Por algum motivo, não me passou pela cabeça que tínhamos mais coisa em comum do que diferenças.

Como meus companheiros skinhead, os jovens de Beverly eram racistas. Suas famílias irlandesas haviam mantido razoavelmente branco o bairro de Beverly, e eles proclamavam, orgulhosos, que este era um dos últimos baluartes brancos na cidade de Chicago. Os pais deles que tinham conexões políticas garantiam isso. A maioria dos Beverly Boys também usava cabelo cortado rente e havia começado a usar a moda skinhead – coturnos e jaquetas de aviador.

Mas não importava. Os dois grupos precisavam de algum meio de expressar sua agressividade. E por conta disso, era fácil um grupo odiar o outro.

Quase tanto quanto odiávamos os crioulos.

Desde meu primeiro dia na Eisenhower, os professores ficaram de olho em mim, esperando que eu fizesse merda. Eram todos hamsters submetidos a uma lavagem cerebral, como a maioria das pessoas que se consideravam adultas, e não sabiam nada do perigo que a raça branca enfrentava. Em vez de me considerarem um herói que tentava proteger seus rabos, estremeciam quando me viam, punindo-me pelas costas, por conta de minhas crenças e de meus atos. Tinham medo de mim, do que eu podia fazer para perturbar a paz da escola ou das salas de aula. Isso me dava ainda mais poder. Medo e poder caminhavam de mãos dadas.

Eu faltava a mais aulas do que assistia. Quando decidia aparecer, confrontava os professores, acusando-os de falar mentiras. Dizia que eram tão imprestáveis quanto a propaganda liberal sem sentido que tentavam em vão empurrar por nossas goelas abaixo.

"Extremista" e "neonazista" eram termos sussurrados pelos corredores quando eu passava.

"Senhor Picciolini, poderia por favor vestir sua camiseta ao avesso?", solicitou o Señor Anderson, meu professor de espanhol do terceiro período.

"Não", respondi, sem erguer os olhos nem interromper meu desenho de uma suástica gigante na capa de trás do livro de exercícios de espanhol.

"Orgulho Branco", ele sussurrou. "Essas palavras são inadequadas e ofensivas para os outros alunos. *Por favor!* Vire a camiseta ao avesso, ou vou ter que mandá-lo para a diretoria de novo."

"Vai adiantar muito", eu ri. "O que tem de errado com uma camiseta declarando que tenho orgulho em ser branco?"

"Ela está causando incômodo aos outros alunos. Por favor, poderia seguir as regras para que eu não tenha que mandá-lo para a diretoria?"

Como eu era idiota. Não tinha percebido que existiam regras me proibindo de respeitar minha herança racial.

"Escuta só, faço um trato com você. Se quer que eu esconda a camiseta, mesmo sendo direito meu usá-la, então diz para os crioulos vestirem do avesso as camisetas de Malcolm X ou 'É coisa de negro, você não entenderia'. Melhor, comece a ensinar a todos os cucarachas desta escola a falar inglês, em vez de nos forçar a aprender essa merda de língua estrangeira.

"*Te lo ruego*. Eu lhe peço. Por favor cubra a camiseta ou vire-a do avesso."

"Tá legal, tá legal. Vou vestir a jaqueta", concordei, com um sorrisinho.

"*Gracias*. Onde eu estava, pessoal? Por favor repitam depois de mim. *Buenos días. ¿Cuánto cuestan los pantalones rojos?*"

Eu sorria enquanto vestia minha jaqueta preta de aviador, fechando o zíper por cima da camiseta, tomando o cuidado de alisar o peito, onde na noite anterior eu havia pregado um *patch* com a suástica da Segunda Guerra Mundial.

¡Viva la revolución!

Uma coisa que, naquele momento, eu ainda não tinha era uma tatuagem. As roupas por si sós já não me satisfaziam. Tatuagens que demonstrassem minha dedicação à causa tornaram-se uma obsessão. O problema era que eu ainda não tinha 18 anos. Meus pais jamais assinariam uma autorização, e eu também não iria pedir. Em minha cabeça, eu era um adulto totalmente independente, encarando questões com as quais a maioria das pessoas nem sequer estava qualificada para lidar, e com certeza não precisava do consentimento de ninguém para nada. Mas minha mãe ficaria furiosa se descobrisse alguma tatuagem. Ela estava me espionando cada vez mais. Vasculhava as gavetas de minha cômoda e a roupa suja quando eu estava fora. Surtava com minhas camisetas de dizeres racistas. Ela não fazia ideia de quais eram as minhas atividades, mas tinha certeza de que era algo perigoso.

Eu preferia que minha mãe não me enchesse o saco, e uma tatuagem faria com que ela quadruplicasse a espionagem. Não conseguiria esconder por muito tempo. Mas eu mostraria a Buddy. Ele curtiria e acharia legal e pediria que eu desenhasse uma nele também.

Eu tinha ficado sabendo, por meio de vários punks, sobre o estúdio Fine Line Tattoos, de Bob Oslon, na zona norte da cidade. Ele não dava a mínima para idade, mas para a grana, sim.

“Fala que você tem 18 anos, e ele com certeza não vai perguntar nada”, disse-me Kubiak.

Segui o conselho dele e fui ao estúdio de tatuagem de Oslon, um lugar modesto na zona norte de Chicago com um luminoso que zumbia e uma vitrine pintada a mão e descascando.

Bob Oslon era um autêntico veado chupador de rola, com pesados aros de metal em ambas as orelhas e vestido de couro negro da cabeça aos pés, num estilo motoqueiro Village People. Clark teria dado uma surra naquela bicha. Não me incomodei. Era minha chance de ser tatuado.

"O que vai ser, garoto?", disse ele, ciciando, puxando uma pasta-arquivo surrada, cheia de fotos polaroides de seu trabalho, achando que eu ia examiná-la e escolher a tatuagem que queria.

"Uma Cruz de Ferro", respondi, empurrando de lado o portfólio dele.

"O quê?"

"A tatuagem. Quero tatuar no braço uma Cruz de Ferro alemã com uma águia segurando uma suástica."

Seus olhos escuros e afeminados me examinaram. Eu o encarei até ele baixar o olhar.

"Como quiser. Mas não vou fazer a suástica", ele objetou.

Não gostei do cara. Aquela bicha arrogante filha da puta achava que me comer com os olhos era algo legal. Mas eu queria a tatuagem.

"Tudo bem."

Eu não queria forçar a sorte e ele acabar pedindo minha identidade ou me mandar embora. Eu podia acrescentar a suástica depois com uma agulha e nanquim.

Ele esticou a mão.

"Pagamento adiantado. Sessenta paus."

Enfiei a mão no casaco e deixei cair na palma da mão dele, manchada de tinta, um saco de papel todo amassado, cheio de moedas de 25 *cents*.

"Deus do céu, garoto, *moedas*? Sério?", ele reclamou. "A gente vai ficar aqui a noite toda."

Depois de algumas tentativas frustradas, eu tinha conseguido descobrir como roubar moedas das máquinas pagas de lavar e secar roupas que havia no prédio residencial de meus pais, e fazia isso regularmente. Em geral eu usava o dinheiro para comprar cigarro e cerveja, mas tivera sorte e tinha comigo mais de 75 dólares. O suficiente para a tatuagem e um litro de Miller High Life.

"Tudo bem, eu conto", disse eu. "Vamos lá."

Merda, como a tatuagem doeu. Precisei de toda minha força para esconder a dor e não fazer careta quando ele enfiou a agulha mais fundo no meu bíceps esquerdo. Mas eu nunca admitiria isso. Nem a ele e nem a ninguém.

Quando saí do estúdio, sangrando e com o braço coberto de curativos, soube que meu corpo era uma tela em branco, clamando por mais tinta.

As tatuagens mostrariam quem eu era. Quem eu tinha orgulho de ser.

Um italiano.

Um gladiador.

Um americano.

Um skinhead.

Um defensor do orgulho e da supremacia branca.

E logo eu teria mais tatuagens, demonstrando minha dedicação à raça branca e servindo de alerta a todos que estivessem a fim de destruí-la.

Num sábado à noite, em nossa mentalidade geral foda-se-o-mundo-e--todo-mundo-nele, meus amigos skinhead e eu saímos de Blue Island para dar início a um de nossos frequentes ataques-surpresa aos Beverly Boys. Não precisávamos de um motivo.

A existência deles do outro lado de qualquer linha imaginária criada por nós já era provocação suficiente. Invadimos a garagem onde estavam reunidos, dispostos a uma boa briga, mas em vez disso um deles ergueu uma cerveja. Ele já estava meio bêbado, em pé sob a sombra de uma bandeira confederada que pendia do teto.

"Puta que o pariu, Brickolini", disse ele. "Já faz quase um ano. Você ainda não se cansou de brigar conosco? Pega uma cerveja e relaxa."

Um silêncio atônito de ambas as partes.

Todos me olharam, querendo saber o que fazer.

Dei de ombros.

Que diabos? A guerra terminara.

Aceitei a cerveja e a abri.

"Aliás, esse não é meu nome. Pode me chamar de Chris."

Na mesma hora esquecemos aquela coisa de sermos inimigos e a partir daí, por muitos anos, houve uma aliança inédita entre os skins de Blue Island e o grupo racista de Beverly. Minha esfera de influência dobrou, da noite para o dia. A guerra havia produzido um exército maior e mais forte.

Eu havia mudado nos poucos anos desde que encontrara meu lugar entre os High Street Boys. Os anos em que estive com eles tinham sido, de modo geral, despreocupados e inocentes. Em contraste, a época com os Beverly Boys foi marcada por bebedeiras e brigas constantes. Nós nos reuníamos todas as noites no cemitério Mount Hope, ali perto, para tomar cerveja barata que o grupo de Beverly roubava de seus pais irlandeses alcoólatras. Levando a bebida, passávamos por um buraco na cerca, perto dos trilhos do trem que cruzava Beverly e Blue Island, e entrávamos no cemitério. Nós nos instalávamos perto dos mausoléus e nos recostávamos para encher a cara.

Falávamos merdas racistas e eles adoravam. Eu lhes dava cópias em fita cassete dos discos do Skrewdriver e passava dicas quanto aos recrutamentos de jovens para o movimento. Era algo fácil. Não importava se queriam raspar a cabeça e usar coturnos – embora eles em geral quisessem; o que interessava era que estivessem dispostos a lutar do nosso lado.

Não era difícil identificar um adolescente com uma vida doméstica de merda. Alguém sem muitos amigos. Alvo de humilhações. Confuso. Sentindo-se solitário. Irado. Arrasado. Numa crise de identidade. Sempre na pior. Puxe conversa; descubra do que ele – ou ela – não gosta. Tome a iniciativa. "Cara, sei exatamente como é. Se seu pai não tivesse perdido o emprego, a coisa não seria assim. Mas as minorias ficam com todos os empregos. Eles aproveitam todas as chances. Eles se mudam para nossa vizinhança e começam a receber ajuda do governo. Nossos pais precisam trabalhar todo dia para colocar comida na mesa, enquanto os pretos e mexicanos preguiçosos recebem os cheques do seguro social enquanto dormem."

Quando você percebia, já havia meia dúzia de cabeças recém-raspadas aparecendo em nossos encontros e reuniões semanais, em busca de algo a que pudessem pertencer. De algum jeito de mudar o mundo. De fazer a diferença. Nós lhes dávamos uma razão para serem aceitos – para *precisarem* estar ali. Fazíamos com que suas vidas de merda tivessem um propósito. Eles eram exatamente como eu era dois anos antes, quando eu disputava a atenção de Clark e de Carmine. Agora, aqueles garotos solitários tentavam chamar a *minha* atenção. O súbito controle era inebriante.

Logo, havia garotos se acotovelando para me ajudar a tirar cópias dos textos no correio e a fazer fitas cassete para distribuir, espalhando o "evangelho" da supremacia branca. Recrutando sangue novo. Colocando folhetos sob os limpadores de para-brisas nos estacionamentos. Pregando *patches* nas jaquetas de aviador e fazendo tatuagens. Mais soldados leais unindo-se à guerra contra o inimigo não branco. Mais poder.

Certa vez consegui organizar uma reunião de recrutamento em uma igreja porque eu tinha na mira Tim Harrison, um novo aspirante a skinhead cujo pai, ministro luterano, o havia molestado quando criança. Ele guardava um ódio profundo do pai, e assim eu o convenci a roubar as chaves e deixar que fizéssemos a reunião lá, sem que o pai soubesse.

Quase vinte novos jovens compareceram àquela noite. Eu me vesti como um comandante nazista, com uma camisa parda militar que comprara em um brechó por um dólar, e coloquei uma braçadeira caseira com uma suástica. Flanqueado por bandeiras nazistas que eu pendurara de cada lado do altar, afirmei a todos que ali estavam que meu sonho era ver crioulos nojentos pendendo enforcados em cada poste de luz por toda a Western Avenue, de Blue Island até Beverly. Minhas palavras ecoaram no amplo salão.

Os skins veteranos que estavam sentados nos bancos da igreja, como Kubiak, ficaram em pé e estenderam os braços numa saudação gloriosa; os recém-chegados os imitaram de forma caótica, tentando se enquadrar na situação, sem saber de fato o que fazer. Kubiak empurrou para o lado as Bíblias empilhadas nas pontas dos bancos, para fazer lugar para mais recrutas. Quadros representando Jesus Cristo e a Virgem Maria pendiam das paredes da capela como testemunhas silenciosas de meu sermão venenoso. Assim como os cristãos, submissos como carneiros, haviam acreditado que Cristo os conduziria ao paraíso, deixei bem claro aos presentes que eu os conduziria, marchando em formação, para o massacre dos carneiros e de qualquer um que estivesse tentando ludibriá-los.

A partir do púlpito, cuspi as palavras da verdade, que pairavam no ar como o odor pungente da cera das velas do altar.

"A revolução está chegando e, se não forçarmos uma mudança agora, as futuras gerações de crianças brancas não viverão em uma sociedade livre. O movimento *white power* ergue-se contra aqueles que querem tirar de nós nossa liberdade, antes que seja tarde demais.

"Vejam o que está acontecendo em nossas escolas. Os alunos pretos têm privilégios. Eles podem usar camisetas racistas de Malcolm-X e homenagear criminosos que incitam o racismo, como Martin Luther King. Os professores os incentivam a abraçar sua herança negra e abertamente ensinam sobre o orgulho negro.

"E quanto ao orgulho branco? O que tem de errado com ele? Mas digam algo e vão mandar vocês calarem a boca. Usem um símbolo do orgulho da raça branca e vocês vão ser chamados de provocadores. Podem me perguntar. Sou a prova viva disso.

"Eu lhes digo que podemos mudar isso. Nós *devemos* mudar, ou encarar a extinção como um povo altivo. Não vou ficar parado assistindo a nossa grande herança branca ser varrida e substituída por uma gentalha que não contribui nada para com nosso mundo. Há uma solução simples. Uma solução final. Não devemos deixar que vençam. Não devemos deixar que nos subjuguem. Devemos assegurar a existência do nosso povo e um futuro para as crianças brancas!"

A multidão se ergueu e aplaudiu. Saudações de Heil Hitler encheram o ar.

Eu os tinha. Seus corações eram meus.

Pouco depois daquele encontro, alguém que havia comparecido – um dedo-duro, provavelmente plantado pela polícia – procurou o diretor da escola e contou sobre a reunião e o que eu havia dito. A imprensa ficou sabendo da história e um jornal publicou uma entrevista com o diretor e funcionários e alunos, todos rejeitando a verdade de minha mensagem. Mas ela era válida, ou nunca teria ocupado duas páginas inteiras. Policiais e professores e o diretor, todos comentaram o que eu havia dito, e falavam que eu devia ser perturbado, para dizer aquelas coisas. Eu ri.

A igreja teve uma menção destacada no artigo, e o pobre papai ministro molestador teve que pedir demissão.

A ideologia skinhead *white power* – da qual eu era um pregador carismático, sem a menor dúvida – estava se espalhando como um incêndio florestal. Por aquela altura, eu havia tomado a decisão de aposentar o nome CASH, e tinha concordado em usar a marca Hammerskin, estabelecida pelo grupo skinhead de Dallas naquele encontro no apartamento apinhado em Naperville, poucos anos antes. Havíamos expandido nosso grupo significativamente, e nos associar à crescente rede internacional de células skinhead neonazistas fazia sentido. Mas apenas o nome mudou. Eu não tinha a intenção de ser subordinado a ninguém.

⁂

Eu saí às ruas. Não havia mais dúvidas de que a população de Blue Island estava começando a pretejar. Havia sinais por toda parte. Crioulos sentados nos degraus diante de suas casas. Latinos fazendo suas pichações em lojas e becos. O cheiro penetrante da maconha se infiltrando por entre os aromas familiares de alho e linguiça, molho de tomate e pimenta. Não era certo.

Incansáveis, Kubiak e eu estávamos sempre atentos às chances de atacar e de surrar o inimigo. E agora os caras de Beverly e uma dúzia de novos recrutas estavam bem ali do nosso lado para ajudar, embora estivessem bastante ocupados limpando sua própria vizinhança.

Espancávamos qualquer invasor de fora, sempre que podíamos. Uma das brigas mais violentas começou em um McDonald's na esquina da Western Avenue com 119th Street – a via que separava Blue Island dos limites de Beverly e da cidade de Chicago. Alguns caras de Beverly e eu havíamos parado para comer algo, tarde da noite, depois de beber no cemitério, e batemos de frente com quatro adolescentes negros beligerantes, formando uma barreira.

"Caramba, um bando de macacos de merda! Vocês fugiram do zoológico?"

Eu e meus amigos deixando claro, em alto e bom som, que nosso grupo era o único que tinha direito de estar ali. Rodeamos os pretos, olhando-os com desprezo. Eles depressa perceberam que estavam em menor número e caíram fora.

Com um rugido, saímos correndo do restaurante atrás dos quatro adolescentes negros. Daí a uns cinquenta metros, um deles se virou de repente, apontou uma pistola e abriu fogo contra nós.

Três tiros rápidos zuniram ao passar rente a nossas cabeças, enquanto o cheiro de pólvora queimada enchia nossas narinas. Então a pistola emperrou.

Não diminuímos a velocidade. Em vez de nos assustar, os tiros nos incitaram. Aqueles merdas imprestáveis estavam tentando nos matar em nosso próprio território?

O sujeito que tinha atirado em nós deixou cair a arma. Um erro. Atravessando a escuridão mais depressa do que os projéteis, nós o alcançamos e o jogamos no chão. Chutamos o cara nas costelas. Nas costas. Na cabeça. As biqueiras de metal rasgando sua pele preta, quebrando ossos. Implacáveis. Quando ele já não conseguia mais se defender, os trancos que nossas botas pesadas davam em seu corpo lançavam espasmos por todo aquele saco inerte de ossos quebrados.

O sangue que manchou a calçada serviu como um testemunho de nossa causa. Havíamos honrado as catorze palavras.

A noite nos rodeava, e os dentes brancos que antes eram a única coisa visível do corpo quase sem vida estavam agora tingidos com o vermelho do sangue. Os membros das gangues da zona sul de Chicago podiam ser durões, criados por pais endurecidos pela vida, que haviam vivido a volatilidade dos direitos civis dos anos 1960, mas nós éramos destemidos. Tínhamos determinação. Eles podiam ter armas e conhecer bem as ruas, mas uma missão maior nos impulsionava. Estávamos destinados a salvar o mundo, erradicando o câncer pútrido que eles representavam em nossa sociedade.

Enquanto eu estava parado, olhando para o corpo inconsciente e brutalizado, seus olhos assustados e inchados exibiram uma centelha de vida e fixaram-se nos meus. Percebi que ele não devia ter mais do que 12 ou 13 anos. Uma criança. Pensei em meu irmão de 6 anos. Os olhos intumescidos e injetados de sangue que me olhavam a partir do chão imploravam por sua vida e penetraram em minha alma. Podiam muito bem ser os de Buddy. E por um breve instante vi meu doce irmão caído ali, encolhido em uma poça de seu próprio sangue. Um arrepio perturbador percorreu meu corpo como uma lâmina embotada e senti uma pontada repentina de arrependimento no peito.

As sirenes soaram através da noite e romperam meu transe. Não foi senão quando a polícia dobrou a esquina que o resto dos caras parou de chutar. Conseguimos escapar, mas aquele episódio me deixou triste e abatido.

Os últimos meses de 1989 foram repletos de encontros de skinheads *white power* e de nacionalistas brancos em Indiana, Wisconsin e Michigan. Eu já não era mais um observador silencioso, mas expressava minha opinião.

"Catorze palavras", eu gritava diante de todos na sala, ao saudar os presentes com o braço direito estendido numa saudação nazista. Eu não temia expressar a retórica que sabia de cor, inebriado pelo respeito que impunha, estimulado por saber que todos os olhos do local voltavam-se para mim. Com apenas 16 anos, eu podia não ser o mais velho, mas muitas vezes era o mais respeitado. Durão. Dedicado. Carismático. E inteligente; bem mais que a maioria dos outros. Muitos estavam ali só pela festa que se seguia aos discursos. Ou pela música, que era fundamental para qualquer reunião que valesse a pena ir. As garotas skinhead. Ou a cerveja barata que jorrava como as cataratas do Niágara.

A vida era um risco constante. Quanto mais rápido eu ia, mais distante ficava o conforto em meu retrovisor. Ocasionalmente, posso ter sentido remorso por meus atos e refletido se todo aquele papo de supremacia branca com que eu alimentava aqueles caras estava certo. Se era lógico. Não era fácil o tempo todo para mim – a ansiedade pela violência constante, vinte e quatro horas por dia, a ideologia de ódio com a qual eu havia me programado para passar por cima dos valores do Velho Mundo, com os quais eu havia sido criado, e das pessoas que haviam me criado, a tensão de liderar um grupo e expandi-lo, apesar dos obstáculos. Todos esses sentimentos cobravam seu preço e criavam dentro de mim uma sensação de incerteza, mas resolvi enterrar essas dúvidas bem fundo, onde não pudessem ser mal interpretadas como sinais de fraqueza. Tão fundo que seria necessária uma cirurgia para resgatá-las.

Embora existissem alguns skinheads anteriores a mim, herdei aquele legado e sozinho ampliei seu contingente, colocando meu grupo numa posição de protagonismo. Com Clark ainda na prisão e os outros fundadores originais do CASH completamente fora de cena, eu estava onde tinha ansiado estar. No comando e numa posição de respeito e de autoridade. A maioria de meus predecessores skinhead tinha sido presa, fugido da vigilância policial ou desertado por quaisquer que fossem os motivos, mas eu ainda estava ali, construindo um monumento em cima das fundações que eles haviam lançado com seu sangue e seu suor. Agora eu era alguém. Havia encontrado meu lugar. Era valorizado. Honrado. E temido. Mas a voz em minha cabeça implorando por razão e moderação ficava cada vez mais alta. Escolhi matá-la antes que destruísse meu foco.

Uma noite encontrei minha mãe vasculhando minhas coisas no apartamento do porão.

"Mas que diabo?", gritei, agarrando a camiseta que ela tinha nas mãos. "Este é meu quarto. Minhas coisas. Você não tem o direito de estar aqui."

Ela não me corrigiu. Em vez disso, tremia, olhando impotente para a camiseta com a suástica que eu tinha tirado dela.

"Por que, Christian?", ela gritou. "Não criamos você para ser isso. Essa bobagem nazista. Esse Hitler. Tantas mortes. Ele era um homem muito ruim. Por que você não escolheu um italiano como herói? Até alguém como Al Capone seria melhor."

A ignorância dela me deixou atônito.

"Fique fora daqui", ordenei.

Ela recuou, encolhendo-se momentaneamente. Para reafirmar sua autoridade, mencionou meu irmão, sabendo que Buddy era o único membro da família pelo qual eu sentia ternura.

"Alex sente a falta do irmão mais velho. Você poderia ficar mais em casa e brincar com Buddy."

Assim que ela cruzou o batente, bati a porta na cara dela e apoiei as costas na madeira. Cansado, descaí os ombros e apoiei a cabeça nas mãos. Batidas rápidas vindas do outro lado da porta me enfureceram, e eu a abri com violência, gritando:

"Porra, me deixa em paz e vai à merda!"

Era o pequeno Buddy. Ele começou a chorar e recuou para longe de mim. Eu o assustara.

"Não, não! Me desculpa, Buddy. Pensei que era... deixa pra lá... foi sem querer."

Estendi a mão para reconfortá-lo, mas ele saiu correndo, em prantos.

Vê-lo chorar em consequência de minhas palavras me causou uma dor profunda.

Quando morávamos em Oak Forest e Buddy ainda era apenas um garotinho curioso, ele me seguia por todo canto, e chorava quando eu fechava a porta de meu quarto para ter alguma tranquilidade. Feria meu coração ouvi-lo tão angustiado por conta de meus atos. Agora eu o havia magoado com minhas palavras, e aquilo me arrasava. Por que minha maldita família não podia me apoiar? Eles nunca tinham se esforçado para compreender aquilo em que eu acreditava, nem me levado a sério o bastante para ouvir o que eu tinha a dizer. Era culpa deles que aquilo tivesse acontecido. Será que não entendiam que tudo o que eu queria era salvá-los? Salvar Buddy? Eles me deixavam tão furioso!

Que bosta! Eu era dez anos mais velho que Buddy e tinha responsabilidades. O que deveria fazer? Me deitar na terra e brincar com carrinhos e caminhões de brinquedo com ele? Com certeza eu não iria chamá-lo para sair comigo. Eu nunca sabia quando uma briga iria começar. Nunca arriscaria colocá-lo em situação de perigo. Deveria levá-lo a uma reunião? Nem pensar. Eu o manteria afastado da bebida e da violência o máximo que pudesse. Não, por ora, Buddy teria que se contentar com minha permissão para que viesse ao porão de vez em quando. Mas eu me lembrei de como era ser uma criança solitária. Prometi a mim mesmo fazer um esforço extra por ele. Eu arranjaria uns cigarros de chocolate para ele e poderíamos nos sentar em minha cama e desenhar juntos, ou assistir a desenhos animados por uns minutos. Ele gostaria disso. Não precisava muito para torná-lo feliz. Eu ia ver se conseguia algum tempo. No dia seguinte. Ou depois.

11

A CORTE DE ODIN

COMECEI O TERCEIRO ANO DO ENSINO MÉDIO na Eisenhower, em Blue Island. Amplamente conhecido na escola como um racista violento e agressivo, com quem era melhor não se meter, a maioria das pessoas me deixava em paz. Os professores sabiam que eu era inteligente. Quando eu de fato assistia às aulas, tirava de letra as provas idiotas, apesar de minha falta de interesse. Mas eles não me queriam mais na sala de aula. Os treinadores de futebol americano que antes clamavam por mim resolveram minimizar as perdas e me evitavam. Eu era um atleta excepcional, com fogo nos olhos; poderia ter ido longe, mas o risco que eu representava era uma âncora pesada que eles não podiam mais arrastar. Assim, todos mantinham distância de mim.

Consegui ficar na Eisenhower até novembro de meu terceiro ano. Havia faltado a 24 dias letivos no primeiro trimestre escolar, o que representava quase metade do tempo total em sala de aula. Mesmo quando

Christian e o grupo, 1990

comparecia à escola, eu me mandava na hora do almoço para ir curtir com qualquer garota com quem estivesse ficando, ou para ir checar a caixa postal nos correios e responder a algumas das dezenas de correspondências que recebia toda semana. O diretor chamou meus pais e lhes disse que não poderia deixar que eu continuasse na escola, por conta das faltas, e eles tomaram outra atitude de merda contra minha vontade e me matricularam na Brother Rice High School. Outra escola particular católica na cidade. Eu não podia acreditar.

Fazia uma semana que eu estava lá quando os problemas começaram. Estava indo embora um dia, depois da aula, sem incomodar ninguém, quando o diretor me parou no corredor. Das centenas de outros alunos que podia ter mirado, ele foi escolher justo a mim.

Onde estavam meus livros, o babaca arrogante queria saber.

"Que livros?", debochei.

O dever de casa, acho que era o que ele queria.

"Como você espera se dar bem na vida, jovem, se apenas fecha os olhos e segue pelo caminho de menor resistência? O mundo não vai lhe fazer qualquer favor se você não estiver disposto a dar duro no trabalho."

Havia verdade nas palavras dele. Claro que eu tinha aspirações mais elevadas do que ser um bedel glorificado de meia-idade, como aquele bundão. Eu sorri educadamente e expliquei que não tinha nenhum dever de casa.

"Em nossa escola, senhor Picciolini, existe uma regra que diz que você deve levar pelo menos um livro para casa, toda noite, para estudar."

Eu nunca tinha ouvido falar daquela porra de regra ridícula, e disse isso a ele.

"A ignorância da lei não é desculpa para quebrá-la. Você vai ficar em detenção depois da aula, amanhã. Traga sua bíblia."

"Tá legal, preciso dar uma olhada na minha agenda e ver se posso encaixar."

Dei uma risada e saí andando. Sem chance de ser punido por uma regra que eu nem conhecia.

"Não se esqueça de seu ingresso VIP", ele disse, entregando-me o bilhete de detenção.

"Tá brincando? Você tem ideia do que eu faço para proteger essa sua pele inútil?", retruquei. "Caminho de menor resistência? Dar duro no trabalho? Você não sabe de nada, não é?"

Na mesma hora amassei o papel amarelo e atirei-o na lata de lixo mais próxima, sem a menor intenção de aceitar o julgamento nem a sentença dele.

Assim, quando não apareci, ganhei outra detenção por faltar à detenção.

Tudo bem. Também faltei a essa. E assim por diante.

Por perder três detenções, recebi uma detenção de meio dia no sábado, uma JUG – *Justice Under God.** Foda-se a escola e foda-se Deus.

Falte dois sábados e você ganha uma suspensão.

Assim, fui suspenso.

Por aquela altura, eu já tinha parado totalmente de ir à escola, exceto quando estava recrutando outros alunos.

A vida fora da sala de aula era muito mais interessante. Festas, brigas, intimidação. Montar uma mochila com um *kit* de sobrevivência. Preparar-se para a derrubada inevitável do governo dos Estados Unidos e a aniquilação das raças não brancas. Era uma rotina, agora. Necessária. As releituras incessantes do *Turner Diaries* tinham me ensinado isso.

> *O amanhã finalmente começou! Depois de tantos anos de discurso – e nada além de discursos – finalmente executamos nossa primeira ação. Estamos em guerra com o sistema, e não é mais uma guerra de palavras.*

Certíssimo.

* Em inglês, "justiça de Deus". Penalidade aplicada em escolas católicas nos Estados Unidos, consistindo geralmente em algum tipo de trabalho, como recolher lixo na área da escola. (N.T.)

Numa noite, um dos caras de Beverly e eu estávamos em uma loja de discos tentando convencer o gerente de compras a encomendar discos do Skrewdriver, quando percebemos dois caras com aparência de skinhead que nunca tínhamos visto antes, o que significava, com certeza, que eram antirracistas. Um deles estava usando uma jaqueta de aviador bordô.

"Aquela jaqueta é bacana", disse eu a meu amigo. "Ficaria bem em mim. O antirracista não tem direito de usá-la."

Saímos da loja e entramos no carro velho no qual havíamos vindo, tão enferrujado que os dois para-choques já tinham caído fazia tempo. Paramos ao lado da entrada da loja, esperando os dois antirracistas saírem. Quando eles estavam perto do carro, e eu tinha certeza de que ninguém estava olhando, abri a porta de repente e fiquei de frente com o cara da jaqueta, enfiando em suas costelas minha pistola .25 semiautomática quebrada.

"Me entrega a jaqueta, seu pau no cu." Chamei a atenção dele para a arma, para deixar mais claro.

"Não entrega porra nenhuma!", disse seu colega espertinho, sem perceber a arma enterrada na carne do amigo. Ele deu a volta até a traseira do carro e então correu até a frente, empalidecendo e perdendo a expressão durona ao perceber que o veículo não tinha placas e que eu empunhava uma pistola.

Ergui a arma e a pressionei sob o queixo do garoto.

"A jaqueta. Agora!"

Ele a arrancou, estendendo-a com mãos trêmulas.

"Você sabe quem sou eu?"

Ele acenou com a cabeça, indicando que sabia.

"Ótimo. Então você também sabe que, se disser algo à polícia, vou te encontrar e te matar."

Recuei, entrando no carro, e saímos a toda do estacionamento.

"Jesus Cristo", disse o cara de Beverly, encolhendo-se. "Isso foi roubo a mão armada, caralho. E aquele cara sabe quem você é!"

"Ele não vai falar porra nenhuma." Olhei pelo retrovisor lateral, buscando qualquer sinal da polícia. "Vamos sair das ruas principais."

Percorremos um trajeto sinuoso, entrando e saindo de ruas secundárias, até chegarmos em casa. No meio do caminho, em um sinal vermelho tirei minha jaqueta e experimentei a nova. Era pequena demais. Filho da puta!

Aquilo nos pareceu engraçadíssimo, e rimos tanto que tivemos dificuldade em dirigir em linha reta pelo resto do caminho.

Depois dei a jaqueta para uma garota nova que vinha frequentando nossas reuniões. Ela ficou impressionada com o fato de ter sido roubada a mão armada. Impressionada o suficiente para me fazer um boquete.

Em janeiro de 1990, ao final do primeiro semestre de meu terceiro ano do ensino médio, fui chamado à sala do diretor devido à minha recusa constante em cumprir minhas detenções, que se acumulavam. Com toda a autoridade de que estava investido, por Jesus Cristo, seu Senhor e Salvador, e por toda a grana que meus pais batalhadores pagavam àquela maldita escola, ele me expulsou de Brother Rice.

Fiquei ao mesmo tempo puto e eufórico.

"Muito obrigado", disse eu com minha voz mais condescendente. "Agora vou para casa."

"Ah, não vai, não, meu jovem", disse-me o cuzão velho e empoeirado. "Você tem que completar este dia e terminar o semestre, ou vai perder os créditos que acumulou."

"Tudo bem, se é assim que você quer", respondi, com um sorriso torto.

Matei todas as aulas pelo resto da tarde. Passei o tempo todo na biblioteca lendo livros sobre a história da Segunda Guerra Mundial, ou no refeitório com meus amigos.

Na última hora do lanche do dia, fumei um cigarro atrás do outro, sentado com colegas a uma mesa comprida. O típico som de talheres e pratos da cafeteria deu lugar a sussurros e todos os olhos se voltaram para mim. Levantei de meu lugar só para percorrer o refeitório, triunfante, soltando baforadas de fumaça nos professores que passavam por mim rumo ao salão de refeições. O "jogo da galinha"* final, e o caralho que seria eu a amarelar.

Por trinta tensos minutos, todos me olharam assombrados, mas ninguém mexeu um dedo enquanto eu me exibia vitoriosamente, com o cigarro aceso pendendo dos lábios. Nem um pio. Que podiam fazer? Me expulsar duas vezes na mesma tarde?

No dia seguinte, meus pais rastejaram de volta à Eisenhower e imploraram para que eu fosse aceito de volta e pudesse me formar no ensino médio. Com relutância e sob algumas condições, a escola me aceitou, e com certeza meus pais fizeram muitas promessas de que desta vez seria diferente. O que, claro, não era verdade.

Indiferente a toda aquela situação, de algum modo consegui terminar o terceiro ano na Eisenhower sem nenhum incidente significativo, sobretudo por estar sob a constante vigilância de um sargento de polícia aposentado, que o diretor havia contratado especificamente para me monitorar durante o horário de aulas. Eu não podia fazer um movimento sem ter aquele policial na minha cola.

Meus pais estavam completamente perdidos. Naquela altura, não tinham sequer o mais remoto envolvimento social com minha vida. Eu dependia deles para necessidades básicas como alimentação e moradia, mas nada mais além disso. Haviam estado tão ocupados tentando administrar seu negócio, e conseguindo um segundo e um terceiro emprego para sustentar seu simulacro de vida de classe média, que tinham esquecido que existia qualquer outra coisa além desse objetivo.

Quando estava em casa, minha mãe continuava me importunando quanto a meus amigos e atividades, intrometendo-se na minha vida e

---

* Espécie de duelo em que dois oponentes dirigem seus carros, a toda velocidade, um de encontro ao outro; se nenhum deles se desviar, chocam-se de frente, com o risco da morte de ambos. (N. T.)

enchendo o saco. Não entrava na cabeça de meu pai que eu já estava fora do controle dele fazia tempo. Buddy havia me perdoado por ter gritado com ele, mas estava cada vez mais distante e calado. Meus pais nunca me impediram de fazer qualquer coisa que eu quisesse, pois sabiam que não conseguiriam, mas era irritante até mesmo tê-los por perto. Como moscas vindo pra cima de você, zumbindo em sua orelha. Você sabe que essas pragas não podem causar mal nenhum, e que você pode matá-las com um único tapa, mas elas infernizam a vida ficando ao redor, sem nunca parar tempo suficiente para você poder esmagá-las.

No fundo eu sabia que eles gostavam de mim. Eu também gostava deles. Caso contrário, não estaria arriscando minha vida todos os dias tentando protegê-los e àquilo pelo qual haviam batalhado tanto. Mas, na superfície, meu ressentimento era cruel. Embora eu finalmente tivesse aceitado os motivos pelos quais eles haviam sido ausentes durante minha infância, a espessa carapaça que eu desenvolvera ao tentar me recuperar dessa ausência sem querer tinha endurecido meus sentimentos com relação a eles.

Eles sabiam que eu estava envolvido com algo ruim, e tentavam me desviar para um curso diferente sempre que tinham chance. Não funcionava.

Eu estava a mil durante o verão entre o terceiro e o quarto anos. Com Kubiak como meu braço direito e cúmplice, e a maioria do pessoal de Blue Island e de Beverly do meu lado, eu achava que não havia nada que não pudesse fazer. Toda a popularidade e a aceitação que sempre desejei quando era uma criança invisível eram minhas agora.

Todos sabiam meu nome, queriam estar a meu lado ou morriam de medo de mim. Eu só precisava sugerir alguma coisa e ela acontecia.

Os antirracistas me irritavam, e nós os atacávamos sempre que possível. Nunca precisávamos de provocação. O fato de estarem no mesmo planeta que nós era motivo suficiente para cairmos de pau sobre eles.

A coisa esquentou a um ponto que todo mundo só falava sobre uma grande batalha contra os antirracistas. Todos sabíamos que estava se aproximando. Finalmente surgiu uma data, sem nenhum planejamento específico. Foi só um daqueles lances. Um disse para o outro "vá se foder". O outro respondeu alguma coisa. Os ânimos se acirraram. Alguém desafiou alguém e uma data foi marcada.

Os Beverly Boys ouviram falar do que estava rolando. Deram seu apoio. Para minha surpresa, o mesmo aconteceu com todas as outras facções brancas, incluindo a maioria dos jogadores, metaleiros e maconheiros de Blue Island – gente que me conhecia e sabia o que eu fazia, mas cujos nomes eu nunca conseguia lembrar. A notícia do confronto espalhou-se depressa, e a Pradaria foi escolhida como campo de batalha.

Na noite da briga, nosso grupo chegou primeiro; já havia uma fileira interminável de carros alinhados quando mais uns vinte carros cheios de "torcedores" estacionaram. Vinham jovens de todo canto, inclusive de cidades vizinhas, para nos apoiar.

Então vieram os antirracistas. Dúzias deles.

Havia mais de cem jovens na Pradaria naquela noite, prontos para a briga.

Os antirracistas deram início à ação, e apareceram de repente, saindo de trás de edifícios cheios de adrenalina, achando que iam nos pegar de emboscada. Mas não deram mais do que alguns passos antes de perceberem a quantidade enorme de gente que tinha vindo nos apoiar. Apoiar nossa causa. Nossas crenças.

Os antirracistas recuaram devagar e, ao verem que avançávamos, começaram a correr.

Saímos atrás deles, gritando palavrões, agitando cabos de vassoura serrados, cadeados, punhos cerrados envoltos em correntes, tacos de beisebol que cortavam o ar.

Mas eles não eram tantos quanto nós, de modo que tinham uma vantagem em termos de mobilidade. O mero fato de sermos tantos já diminuía nossa velocidade, pois uns ficavam na frente dos outros, empurrando-se para ver quem seria o primeiro a derramar sangue dos antirracistas.

Eles nos deixaram para trás.

Alguns deles se separaram do grupo e alguns dos nossos os perseguiram. Foi inútil.

Decepcionados por nosso momento de destruir o inimigo ter chegado e terminado sem um único soco, recuamos e retornamos à Pradaria, para comemorar e encher a cara. Enquanto proclamávamos a vitória e ríamos da falta de coragem dos antirracistas, alguns deles esgueiraram-se de volta à Pradaria e atacaram nossos carros. Atiraram tijolos, chutaram para-choques, tentaram quebrar faróis e para-brisas com suas botas, arrancaram antenas, cortaram pneus. Faziam qualquer gesto inútil do qual pudessem se gabar.

Mas nós nos pusemos em pé assim que ouvimos os vidros se estilhaçando, e corremos atrás deles.

De novo eles foram mais rápidos que nós.

Nós nos acomodamos com nossa cerveja, e nos proclamamos os verdadeiros vencedores. Mas sabíamos muito bem que nenhum de nós poderia reivindicar isso naquele não evento de merda.

"São só uns veados comedores de crioulos", disse uma loira bonita, líder de torcida.

"Pode crer", concordamos, abrindo mais latas de cerveja e brindando a nossa vitória.

"Heil Hitler", um desconhecido gritou.

"É isso aí", concordei, "Heil Hitler".

Seria muito melhor se tivesse rolado sangue, disso eu não tinha dúvida. Mas aquela demonstração de unidade, de pessoas que eu nem sequer conhecia, era excelente. E toda a adrenalina daquela noite foi uma tremenda injeção de energia em meu ego.

Todo tipo de juventude branca – jogadores, maconheiros, metaleiros, nerds, líderes de torcida, filhinhos de papai – começou a me admirar, a me imitar. As garotas queriam trepar comigo e em geral eu concordava.

O recrutamento estava a mil, e passamos o resto do verão bebendo e ouvindo música *white power* a todo volume junto com gente nova, indo a reuniões e brigando com uma nova onda de traidores antirracistas chamada SHARP, ou Skinheads Against Racial Prejudice ["Skinheads Contra o Preconceito Racial"]. Até parece. Era mais tipo Scum Hanged After Racists Prevail ["Gentalha Enforcada Depois da Vitória dos Racistas"].

Por um momento, eu me senti mais como o todo-poderoso deus nórdico Odin, junto a minhas legiões leais de guerreiros vikings sedentos por sangue e de valquírias, nos salões festivos de Valhala. Banquetes e brigas. Uma grande festa.

Foi outro verão incrível. A violência e o fervor em salvar minha raça norteavam cada um de meus atos. Multiplique em uns 300% as brigas e as reuniões e os recrutamentos, e eis como foi aquele verão em particular.

Tínhamos o ímpeto dos acontecimentos trabalhando a nosso favor. No entanto, a percepção externa era de que formávamos um grupo muito maior do que de fato éramos. Embora sempre houvesse gente nova aparecendo, a realidade era que a rotatividade era alta; a maioria do pessoal nunca ficava conosco muito tempo. Os caras apareciam durante algumas semanas, raspavam a cabeça, compravam coturnos, iam a festas conosco e então se assustavam com nossa ferocidade ou eram abordados por algum grupo rival, e sumiam. Os antirracistas e a polícia achavam que estávamos treinando em Chicago um monte de skinheads que eles não sabiam quem eram. Na verdade, nunca fomos mais do que poucas dúzias, em qualquer momento. Mas a percepção se tornou a realidade. E isso nos tornava mais fortes. Irrefreáveis.

Eu estava no comando. Pode apostar nisso.

72
69
66
63
60
57
BLUE ISLAND, ILLINOIS
POLICE DEPT.
IL0161000
17799

.i, Chris M

12

WHITE AMERICAN YOUTH

No final de 1990, quando estavam em curso o mês de setembro e meu último ano do ensino médio, eu estava impaciente para acabar com aquilo de uma vez por todas e poder ir para a universidade. Seria o último ano em que eu estaria sujeito a professores ignorantes e sob o jugo de uma família que se recusava a apoiar minha missão de vida.

Naquela época, porém, eu raramente pensava em minha família. Eu evitava meus pais a todo custo. Buddy, com 7 anos, estava ficando mais independente e com idade suficiente para ter seus próprios amigos com quem brincar, e eu já quase não o via. Dias, às vezes semanas, se passavam sem que eu falasse com eles ou sequer os visse. Nonno e Nonna estavam cada vez mais idosos, e eu só encontrava tempo para vê-los no Natal, embora morassem do outro lado da rua.

Liberdade. Eu ia fazer 17 anos e estava adorando aquilo.

Christian, instantâneo do departamento de polícia de Blue Island, 1990

A nova diretora da Eisenhower me alertou, pouco antes do início das aulas, que o menor problema que eu causasse seria motivo para expulsão permanente, e por isso no princípio tentei moderar minha retórica durante as aulas, para poder me formar. Embora o movimento fosse minha prioridade absoluta, eu era ambicioso. Queria ter sucesso em tudo, e se fosse necessário manter o temperamento sob controle durante o último ano de escola, eu faria isso. Assim, abandonei as últimas aulas avançadas e me esforcei o mínimo possível, apenas o necessário para passar. Levei ao limite as faltas, evitando a escola o máximo possível.

Mas, apesar de meus esforços em levar na boa meu último ano do ensino médio, não havia qualquer possibilidade de que me entrosasse. Era tarde demais para isso. Eu tinha metas sérias a alcançar, e já havia ido muito além da escola e de todos dentro dela. Não apenas aquele não era meu lugar, como ninguém me queria ali. Os administradores temiam que eu provocasse um conflito racial em um ambiente multirracial já volátil. Os professores não confiavam em mim. Eles temiam que eu perturbasse suas aulas e dificultasse o aprendizado de outros alunos. Sem falar que eu fazia os próprios professores parecerem uns idiotas quando não hesitava em questionar as merdas que diziam. Eles estavam tentando empurrar por nossas goelas abaixo sua versão ZOG (Governo de Ocupação Sionista, em inglês *Zionist Occupation Government*) da história, e eu não ia ficar ali sentado e deixar que isso acontecesse.

E, para piorar, estava óbvio para mim que eles favoreciam os crioulos, dando a eles notas melhores por menos trabalho, permitindo que fizessem coisas que os alunos brancos nunca podiam fazer, como dizer palavrões na sala de aula e entrar depois do sinal. Os professores nunca confrontavam os alunos pretos, com medo de que eles retrucassem, coisa que faziam com frequência, e nem mexiam com os alunos mexicanos, porque a barreira da língua era grande demais. E, ainda por cima, a nova diretora da Eisenhower – uma mulher preta, em quem eu preferia cuspir a ter que conversar com ela – achava que podia manter a mim e a meu grupo sob controle.

A situação chegou ao auge quando um aluno preto e eu tivemos uma discussão feia na aula de artes, porque ele se negou a sair da porta quando tentei entrar na sala. Claro, a bicha do professor de artes achou que a culpa era minha e mandou a *mim* para a secretaria para ser advertido, mas não mandou o outro cara. Fiquei lá sentado, esperando do lado de fora da secretaria, fervendo por dentro, antes de a ficha cair.

Aquele verme preto provocador não ia ficar na sala enquanto eu era expulso por algo que ele tinha começado, ficando impedido de me formar. Não havia mais nenhuma escola para onde eu pudesse ser transferido, e eu não estava a fim de ser um desistente, como aqueles derrotados que eu via, no meio do dia, rondando a entrada das lojas de bebidas de Blue Island e no albergue de Saint Anthony.

Furioso, afastei para trás minha cadeira do lado de fora da secretaria, derrubando-a ao chão com um estrondo. Se aquela era minha última batalha, eu ia cair atirando. Subi correndo os dois lances de escada e escancarei a porta pesada da sala de artes, que fez a parede tremer ao bater contra ela. Todos os rostos se viraram, assustados, tentando entender a comoção repentina, enquanto eu voava através da sala, tão rápido que meus Doc Martens mal tocaram o solo antes que eu me atracasse com o cretino arrogante, que se empoleirava triunfante em um banco alto.

"Eu faço as regras aqui, seu crioulo de merda", rugi, agarrando-o pelo pescoço e derrubando-o ao chão. Meti um soco em sua cara preta aterrorizada. "Seu pedaço de merda imprestável, parasita do governo. Seu dia acaba de virar uma bela bosta." Pontuei minhas palavras com golpes violentos no rosto e no olho dele.

Gritando, desesperados, os outros alunos da sala correram para junto das paredes. Mesas de desenho voaram em cima de inocentes que estavam por perto, derrubando algumas garotas, enquanto eu segurava meu oponente e começava a esganá-lo com a trave inferior do banco em que segundos antes ele estivera sentado.

Num piscar de olhos, o treinador de luta livre e o chefe da equipe de vigilância, que tinham me visto passar a toda enquanto conversavam, a pouca distância no corredor, caíram sobre mim e tentaram me arrancar de cima do negro. Resisti ferozmente, enquanto meu adversário jazia sob mim, enrodilhado em posição fetal. Uma fileira de estantes cheias de material artístico e uma dúzia de vidros cheios de tinta acrílica desabou a nossa volta, criando um furioso mosaico *à la* Jackson Pollack, com as cores do arco-íris.

"Me soltem, porra!", grunhi enquanto os dois homenzarrões negros lutavam para me pôr de pé. Eu tentava me soltar das mãos deles, e pontuava cada profanidade que saía de meus lábios com pisadas na garganta do cara. Eu era mais novo, e acostumado com brigas corpo a corpo, e assim eles só conseguiram me puxar para longe quando decidi que já tinha causado dano suficiente.

Quando fiquei satisfeito, eles me puseram em pé com um safanão, e meio me empurraram, meio me arrastaram para fora da sala de aula e pelo corredor, de volta à sala da diretora. O ainda corpulento ex-campeão de luta livre me mantinha parcialmente imobilizado em um *full nelson,** enquanto o segurança impedia meu corpo de se esgueirar. Enquanto aqueles dois homens parrudos me carregavam, chutando e berrando, pelos corredores e por dois lances de escada, as portas das salas de aula se abriam como peças de dominó que caíam. Os professores esticavam o pescoço para o corredor, curiosos e tentando entender a barulheira infernal que minhas botas com biqueira de aço provocavam ao amassarem as portas dos armários ao longo do caminho.

Depois de me levarem de volta para a diretoria, e esperarem que eu me acalmasse, adivinhem de que lado a diretora preta ficou?

"Soube que você fez comentários horríveis", ela disse, esforçando-se para não demonstrar seu desprezo por mim. Eu percebia isso porque as mãos dela tremiam e a voz falhava e ficava mais aguda enquanto ela tentava se manter calma. "Gostaria de me contar qual o motivo para dizer coisas tão inadmissíveis, senhor Picciolini?"

---

* Golpe em que um lutador, postado atrás do oponente, passa os braços sob as axilas deste e junta as mãos por trás da nuca dele, imobilizando-o. (N.T.)

Respondi com uma descarga de ódio tão venenosa que, se o cuspe que se formava com minhas palavras tivesse atingido algum ferimento exposto no corpo da mulher, ela teria ficado envenenada na hora.

"Não preciso lhe contar porra nenhuma. Vai se foder, sua cadela crioula imunda!", xinguei, convenientemente ignorando que aquela "cadela crioula imunda" em particular tinha um "Doutora" e um "Ph.D." anexados respectivamente antes e depois do nome. "Você pode pegar toda essa merda compassiva e liberal e enfiar nessa sua boceta gorda e preta." A cada golpe tóxico de minha língua eu me aproximava um pouco mais dela. "Eu mando nesta maldita escola, estando aqui ou não. Então, foda-se. Me expulsa!"

O segurança negro que havia me arrastado para a sala dela deu um salto e se interpôs entre nós. Ele arrancou os óculos de seu rosto de gorila e bateu-os em cima da mesa da diretora com tanta força que entortou a armação; um pedaço da lente estilhaçada foi lançado na direção do teto. O homem estava pronto para sair no braço comigo. Ele chegou tão perto de meu rosto que eu podia sentir seu hálito, cheirando à mostarda do almoço, ficar mais e mais pungente a cada palavra que dizia.

"Quem você está chamando de imundo, garoto?", ele gritou, agarrando-me pela camisa e me lançando para trás contra a parede, de modo que caí de bunda no chão. "Sabe quem é imundo de verdade? Você!" Projéteis irados de cuspe eram lançados palavra sim, palavra não. "Eu me ergui contra gente ignorante como você e derrotei sua turma racista nos anos sessenta, nas ruas de Chicago e, Deus está de testemunha, vou fazer isso de novo agora."

Eu estava de pé antes que ele terminasse a frase. Mas, quando me ergui, ele me jogou para trás de novo e me imobilizou, pressionando seu corpo robusto contra o meu, seus braços prendendo-me na altura do cotovelo, mantendo-me preso entre a parede e um grande arquivo de metal que havia no canto da sala.

Assustada, a diretora ergueu o telefone e ligou para o 911. Daí a minutos, a sirene da polícia soava do lado de fora do edifício.

"Vamos ver quem vai ser preso", vociferei. "Você não pode agredir um aluno desse jeito. Todos vocês, seus pretos, vão ser presos e demitidos. Vocês vão se arrepender!"

Mas, quando os dois agentes da força policial de Blue Island entraram às pressas na sala, não estavam nem aí para o adulto negro que agredia um adolescente branco. Aqueles policiais brancos tinham sofrido uma lavagem cerebral e eram traidores de sua raça, marionetes do governo sionista corrupto que controlava nossas vidas, e preferiam acreditar em um segurança terceirizado, não em mim. Os policiais me jogaram no chão e pressionaram minhas costas e minha nuca com os joelhos, enquanto torciam meus braços atrás de minhas costas e me algemavam. Depois de me puxarem para ficar em pé, conduziram-me pelo corredor até a entrada principal da escola, onde a viatura estava estacionada, com as luzes giratórias piscando.

Quase por vontade divina, o sinal que marcava o fim das aulas tocou, e os alunos começaram a encher o corredor quase no mesmo instante em que saíamos da diretoria. A algazarra inocente calou-se quando eles viram os policiais me levando para fora. A multidão densa fendeu-se, abrindo caminho, e de repente eu me senti como um jovem Bobby De Niro na cena de *grand finale* de algum filme de gângster de Martin Scorsese, quando a agulha desce sobre o disco, nos acordes iniciais de uma música dos Rolling Stones. Tudo se movia em câmera lenta, e mãos solidárias se estenderam para dar tapinhas em minhas costas, algumas delas estendidas na saudação nazista, para me encorajar. Outros lançavam olhares venenosos de desprezo ao homem condenado que era levado para a forca. Sorrisos de admiração e olhares de desdém me saudaram quando virei a cabeça, assimilando tudo aquilo. Sorrindo. Ninguém esqueceria aquele dia. Aquela marcha vitoriosa do destino. Eu mostraria a todos como a autoridade era insignificante, e que somente com algemas eles conseguiriam me controlar.

Embora a escola e o cara que surrei nunca tenham dado queixa contra mim, não restavam muitas opções quanto a minha educação. Assim, não frequentei as aulas por quase um mês, enquanto meus pais falavam com diretores e administradores de escolas, para ver quais possibilidades restavam, se é que havia alguma. Absolutamente ninguém me queria, mesmo faltando apenas seis meses para minha formatura.

Enquanto os outros jovens de minha idade estavam na escola, sofrendo lavagem cerebral, eu me dedicava a fortalecer meu império. Precisava de mais soldados. Continuava a espalhar nossos ideais por meio da caixa postal. Estava ávido por expansão, recrutando com mais afinco e mais eficiência do que Clark jamais conseguira. Esta era minha era.

Em novembro fui preso de novo. Uma bichinha antirracista chamada Hector Diaz foi chorando até a polícia e prestou queixa contra mim, dizendo que eu tinha batido nele. Mentira. Não que eu não pudesse bater nele, mas não tinha feito aquilo. Claro que teria batido, se tivesse tido uma chance. Mas aquele punk porto-riquenho raquítico imprestável de merda inventou que eu o havia machucado, para garantir que eu não faria isso.

Isso não ajudou muito meus pais em seus esforços para que eu voltasse à escola.

Tive que comparecer ao tribunal para me apresentar diante do juiz, logo depois de ser preso. Fiz questão de me vestir muito bem. Usei uma camisa de manga comprida para esconder as tatuagens, e tratei o juiz com o maior respeito fingido. Ele estabeleceu uma fiança. A data do julgamento ainda estava longe, mas eu sabia que tinha que ficar longe de Diaz.

A falsa acusação de agressão só me deixou mais decidido do que nunca. Agora eu já estivera em um tribunal. Já tinha sido algemado várias vezes. Como os caras mais veteranos. Mais autêntico do que isso, impossível. Eu precisava diversificar minhas atividades. Pensei em várias formas, e tive uma centelha de inspiração ao escutar o Skrewdriver certo dia.

Caralho! Por que eu não tinha pensado na música antes? A música era a semente, o hormônio de crescimento e a colheita do movimento skinhead, tudo de uma só vez.

Nada como um baixo contagiante, guitarras pesadas e o chamado para a revolução branca proclamado de novo e de novo e de novo para fazer aflorar a fera que existe em uma pessoa. Desde o primeiro momento, a música teve um papel crucial na subcultura skinhead. Ela foi quase que a única inspiração. O Skrewdriver. A banda Final Solution, de Clark e Carmine. Bully Boys. Arresting Officers. No Remorse. Brutal Attack. Haken Kreuz. The Midtown Bootboys. Bound For Glory. Bandas *white power* pioneiras, algumas delas inclusive americanas, embora a maioria já não existisse mais. Não havia motivo para que eu não entrasse nessa. Era um mercado em aberto. Rabisquei algumas letras, criando refrões em minha cabeça. Testei-os diante do espelho.

Eu podia fazer isso. Não... Podia, não... Eu *ia* fazer isso. Tudo de que precisava era uns caras com instrumentos e colhões. A ideia de ter minha própria banda *white power* era inebriante. Eu poderia sentir o gosto da glória, ouvir o rugido ensurdecedor da multidão. Com minha ambição e minha rede de contatos cada vez maior, o sucesso certamente viria.

E daí que eu tinha pouca formação musical?

"Uma banda?", perguntou minha mãe quando anunciei que iria ensaiar no porão e que faríamos algum barulho. "Mas você não é músico. Você desistiu das aulas de piano quando tinha 10 anos."

"Isso é outra coisa. Vai ser música de verdade. Música que as pessoas escutam. Algo com importância."

"Eu vou escutar a sua banda, Buddy", disse meu irmãozinho.

"Que instrumento você vai tocar? Você não tem nem uma gaita. Ou vai bater em panelas, como quando era pequeno?" Minha mãe achava que era muito engraçada.

Buddy pegou duas colheres de pau da gaveta de talheres e começou a batê-las na bancada, como se fossem baquetas.

Ignorei as piadas dela.

"Vou encontrar outros caras para tocar os instrumentos. Vou cantar e escrever as letras. Sou eu quem faz as coisas acontecerem."

Isso a deixou animada. Ela gostou da notícia, e ficou aliviada. Aquilo provava que, no fim das contas, estivera certa sobre mim. Os cartazes, as bandeiras nazistas, as camisetas horrorosas e os coturnos enormes eram uma fase passageira, e seriam coisas do passado agora que eu tinha decidido ser músico. A novidade agradou a ela, e isso fez com que ela me desse uma folga, enquanto continuava esperando para saber se a escola alternativa para alunos ferrados aceitaria minha matrícula em janeiro, quando começaria meu último semestre.

Troquei minha velha coleção de discos de punk rock por microfones, cabos e um aparelho de PA usado de um salão de bingo. Foi fácil convencer uns caras da vizinhança que eu sabia que tocavam instrumentos a formar uma banda, e assim nosso grupo nasceu. Copiei o modelo do Skrewdriver, com um lance mais *hardcore* americano do que a tradicional música *Oi!* britânica.

Eu era o vocalista e o letrista. O resto da banda era composto por antigos colegas de turma da Eisenhower. Rick, um metaleiro cabeludo que tinha estudado música durante anos, concordou em tocar guitarra. Larry, o melhor amigo de Rick, trouxe sua bateria. Davey, um skatista promissor, e a única pessoa que eu conhecia que tinha um baixo elétrico, completava o grupo.

Nenhum dos outros três era sequer remotamente um skinhead ou neonazista, mas todos eram simpatizantes do *white power* que andavam conosco e frequentavam nossas festas nos fins de semana. Eles não faziam objeção a letras racistas, uma vez que saíam com gente que eu conhecia em Blue Island e compartilhavam minhas opiniões sobre as minorias. Estavam todos alucinados por terem uma banda, e eu os convenci de que o jeito mais rápido de sermos notados seria tocar música skinhead.

"Só existem uma ou duas outras bandas *white power* nos Estados Unidos neste momento. Vamos fazer história. Os caras das bandas skinhead britânicas são heróis populares. Vamos ser melhores do que eles."

Observei que nem todas as músicas do Skrewdriver eram sobre ódio. "Eles falam de justiça social, cara. Eles não fazem só músicas 'fodam-se crioulos'. Eles cantam sobre orgulho branco e patriotismo, sobre a luta contra o comunismo, sobre o fim do sistema capitalista. Esse tipo de conhecimento pode mudar o mundo. E podemos fazer parte disso."

Sem muito debate, batizei nossa banda de White American Youth ["Juventude Americana Branca"] – WAY ["caminho"], na forma abreviada. Um nome perfeito, considerando que eu ia usar nossa música para mostrar aos jovens brancos o caminho para saírem de seu sonambulismo.

Pelo resto do inverno nós nos estabelecemos em meu lar no porão, ensaiando, aprendendo como tocar juntos, tocando as músicas de bandas que curtíamos e imitando-as, bebendo e compondo músicas originais. Ficávamos acordados noite afora, e Buddy descia sempre que podia para ser parte desse emocionante mundo novo.

"Ei, Buddy, posso cantar no microfone?", ele perguntava.

"Agora estou trabalhando. Quem sabe mais tarde."

A decepção em seu rosto mostrava claramente que estava magoado. Às vezes eu o via espiando pela janela enquanto tocávamos. Uma vez peguei-o na garagem, pulando de um lado para o outro e cantando uma de minhas letras, fazendo uma lanterna de microfone.

Meu pai descia quando o som estava alto demais, para nos dizer que fizéssemos silêncio, que estava tarde demais para tanto barulho.

"Não enche, porra! Volta lá pra cima", eu mandava, e o resto da banda ficava olhando de queixo caído, enquanto meu pai obedecia, xingando-me baixinho.

Eu era implacável em minha insistência em irritar papai. Eu me ressentia muito mais da ausência dele quando eu era criança do que da ausência de minha mãe. Embora ele sempre estivesse por perto, nunca cheguei realmente a conhecê-lo e ele nunca fez nenhum esforço para me conhecer. Suas tentativas de impor autoridade – que não carregavam peso algum, dado seu precário histórico como pai – eram excelentes ocasiões para eu atacar. Ele falhara comigo como pai e eu aproveitava qualquer oportunidade para puni-lo por isso. Eu estava no controle.

Em fevereiro, passei a ter menos tempo para a música, pois foi quando a Escola Alternativa Ombudsman concordou em aceitar minha matrícula para que eu terminasse o ano. Mas eu sabia que estava envolvido com algo grande, e a escola nunca tinha sido um obstáculo para mim antes. O WAY, eu tinha certeza, iria prosseguir.

A Ombudsman era uma escola particular alternativa de ensino de recuperação, com cerca de cinquenta alunos. Eles eram uma coleção variada de degenerados. Jovens idiotas que não conseguiam ler. Membros de gangues. Traficantes. Adolescentes grávidas. Os casos perdidos em quem ninguém mais punha fé. Que já não punham fé em si mesmos.

Que porra eu estava fazendo ali?

Não faltavam muitos créditos para eu me formar, e eu sabia que ia ser moleza. Mas era um desaforo total terem me colocado junto com aquele bando de imprestáveis.

A Ombudsman tinha dois períodos de aula de quatro horas cada. Eu estava no segundo período, e passava as tardes sentado diante de uma tela verde de computador, respondendo a questões de compreensão de texto, sobre histórias que não tinham sequer a profundidade e a complexidade das histórias que eu lia para meu irmão quando ele era pequeno.

Os professores logo perceberam que eu seria valioso para eles. Alunos inteligentes como eu, com tantas disciplinas avançadas no currículo, davam ótimos monitores para os zumbis acéfalos com quem os professores tinham dificuldade em trabalhar, e isso reduzia a carga do corpo docente. Para me formar, eu só precisaria aparecer por lá e de vez em quando ajudar a aplicar testes de ortografia.

Isso era o mais próximo do aceitável que eu conseguiria em termos de ensino médio. Fora do horário de aulas, eu escrevia músicas e até enviei formulários de solicitação para algumas faculdades. Eu era inteligente o bastante. Por que não? Em um campus universitário haveria centenas de alunos para serem recrutados. Todo mundo está em busca de algo em que acreditar. As pessoas só precisam de um empurrãozinho na direção certa.

No meio-tempo, mantive o WAY concentrado em produzir músicas, mas não era tão fácil assim. Os outros caras não se dedicavam tanto quanto eu; eles passavam o dia todo na escola, e era difícil acharmos tempo para os ensaios.

E eu tinha compromissos muito sérios. Com a raça branca e com meu grupo.

13

VANGUARDA

Agora que eu tinha 17 anos e minha carta de motorista, podia viajar para outros estados e me encontrar com outros skinheads de todo o país com os quais me correspondia. Consegui um emprego de meio período, numa pizzaria em Beverly, que me proporcionava recursos financeiros para viajar. Com alguns amigos, peguei a estrada e fui para a Georgia, para fazer contatos; um dos caras de meu grupo tinha dado baixa do exército fazia pouco tempo, e estava saindo com uma garota skinhead que morava lá. Em Marietta, ficamos hospedados na casa de um skin neonazista veterano chamado Teddy Dalrymple.

Marietta era um dos melhores lugares do país para recrutar skinheads. Era quase brincadeira de criança. A supremacia branca fazia parte da história de Marietta desde que a Ku Klux Klan* surgiu, logo depois da

* Ku Klux Klan é o nome dado a três gerações de organizações racistas estadunidenses consecutivas (a mais recente ainda em atividade) que têm advogado a supremacia da raça branca e o nacionalismo branco, usando meios violentos contra os grupos objeto de seu ódio. (N.T.)

Christian e o grupo de Marietta, Georgia, 1990

Guerra de Secessão. O conceito cresceu em popularidade e permaneceu entranhado, como parte da cultura local.

Dalrymple morava no fim da Blanche Drive, em uma casa de madeira caindo aos pedaços que servia como o movimentado epicentro da atividade da juventude neonazista por toda a região de Atlanta. A qualquer momento havia por ali dúzias de jovens, que participavam de encontros, festas, reuniões e inúmeras outras atividades. Os skinheads *white power* de passagem pela Georgia eram sempre bem-vindos para pernoitar ali, e Dalrymple fez com que nos sentíssemos em casa. Ele me tratou de igual para igual e me deu dicas sobre como incrementar nosso esforço de recrutamento fora de Chicago. Ele era um bom e velho garoto sulino tradicional. Um sujeito ótimo, com um barrigão redondo e grandes costeletas cobrindo as faces. Totalmente inspirador. Era um batalhador, em contato com todos os grupos pró-brancos do país e envolvido na organização de grandes marchas e protestos em favor de nossa causa.

Foi na casa de Dalrymple que conheci Clay Wallaby, baterista da lendária banda skinhead inglesa Condemned 84 – uma de minhas bandas *Oi!* favoritas, logo depois do Skrewdriver. Outro cara genial. Um skin britânico da velha guarda, que havia deixado seu país natal e estava construindo uma nova vida com sua namorada americana em Marietta. Passamos algum tempo juntos. Tomamos muita cerveja. Eu admirava seu talento musical e a dedicação de longa data ao movimento skinhead. O lance dele ia muito além de meter-se em brigas e dar porrada.

"Para que a raça branca possa prosperar pelo próximo século, companheiro, precisamos encontrar maneiras de nos juntar e de lutar de modo unificado, para impedir que as outras raças nos destruam e tomem o que é nosso por direito", disse ele, com seu sotaque *cockney** cantado. "Pretos e imigrantes do terceiro mundo vêm em massa para a Inglaterra e para os Estados Unidos para parasitarem nossos recursos, deixando nada ou quase nada para nativos como nós."

---

* Sotaque do East End, bairro de Londres. (N.T.)

Clay estava certo. Já era difícil para uma família-padrão americana aguentar as pontas, sem as outras raças furando nossos baldes e tirando água do mesmo poço. Tomando mais um gole de sua cerveja, ele prosseguiu.

"Trabalho duro e pureza étnica são os dois credos mais importantes do nacional-socialismo."

Clark havia me ensinado isso desde o princípio.

"Sem essas duas coisas, uma sociedade se torna fraca e doente, e impossível de curar", concordei.

Nos últimos anos, eu havia aprendido a crer que o multiculturalismo americano significava que não tínhamos uma base sólida sobre a qual construir uma civilização saudável. Éramos uma sociedade doente. Se não começássemos a proteger nossa gente, em vez dos estrangeiros que sugavam nossa infraestrutura e nossos recursos, estaríamos condenados. Simplesmente não havia o suficiente para todo mundo que estendia a mão.

Gostei muito de conversar com Clay sobre a política nazista. Seu interesse pelo nacional-socialismo e pela música era genuíno, e havia mais de uma década que ele combinava os dois.

Quando fomos embora, eu já havia feito conexões, por meio de Clay e Teddy, que ajudariam tremendamente o WAY a projetar-se no nível nacional. Meu objetivo – meu sonho – era dar um show fora de Chicago junto com o Bound For Glory, uma banda *white power* peso-pesado de Minnesota. Clay prometeu nos apresentar aos caras da banda, pois tinha ficado amigo deles. Com esse novo contato, eu tinha certeza que encontraria um jeito de tocarmos juntos. E logo. A paciência não era meu forte.

Eu achava ótimo estar interagindo com gente de alto escalão, gente que não estava só a fim de encher a cara de cerveja e cair bêbada. Esses caras da Georgia não estavam brincando. Eles queriam salvar os Estados Unidos. Como eu. Tinham armas e estavam prontos para lutar por nossas vidas.

Teddy Dalrymple e eu estávamos na varanda tomando uma cerveja gelada, o ar da Georgia denso de calor e umidade.

"Esse aqui é um rifle de assalto semiautomático AR-15, que preparei para disparar no automático quando você vira esta chavinha aí", disse ele, jogando-me a arma.

"Epa... caralho, Teddy!" Mal consegui agarrar o rifle no ar, derrubando a cerveja e molhando todo meu *jeans*. "Está carregado?"

Eu não sabia bem como segurá-lo, nervoso com seu peso surpreendente.

"E para que iria servir se não estivesse?", respondeu Teddy, piscando para mim. Ele colocou tabaco em seu cachimbo feito de espiga de milho.

Senti nas mãos o aço azul liso e o estudei, passando os dedos ao longo do cano espesso e sulcado. Sólido. Pesado. Meus dedos ficaram sujos com o resíduo de pólvora usada que havia na câmara de munição da arma. O cheiro familiar de carvão queimado e terra me fez recordar as queimas de fogos de 4 de julho a que eu assistia junto com os High Street Boys quando era mais novo, na colina vizinha ao campo de futebol atrás da Eisenhower.

Dalrymple esticou o braço e puxou para trás o ferrolho do rifle, soltando-o com um forte estalo metálico.

"Pronto, está preparado para atirar. Agora aponte para algo que não seja branco e aperte o maldito gatilho". Ele deu uma risadinha.

"O quê?" Eu não tinha certeza de ter ouvido bem. Soltei uma risada nervosa.

"Eu disse, ache algo que você queira matar e aperte a porra do gatilho! Caralho, *yankee*, você é surdo?

Ele me agarrou pelo ombro e fez com que me ajoelhasse no chão, pressionando a coronha de encontro a minha bochecha.

"Cuidado... está carregado!", balbuciei.

"Está vendo aquela puta branca nojenta lá longe, com aquele bebê meio crioulo?" Ele apontou para o meio da quadra, onde uma jovem branca colocava uma criança mestiça em um carrinho de bebê. "Atire na cara dela! Bem no meio dos olhos! E aproveita e atira no pretinho também."

De repente comecei a transpirar, e senti as axilas ficarem frias e úmidas. Meu sangue gelou. O suor escorreu por minha testa e ardeu em meus olhos.

"Você está brincando, não é? É bem engraçado." Eu ri e tentei devolver o rifle para ele.

"Parece que estou brincando, garoto?" Ele sacou da cintura uma pistola reluzente, que pressionou com força contra minha têmpora. "Agora faça a mira."

Paralisado, o estômago revirado, eu estava pronto para devolver os montes de bolinhos de batata cheios de pimenta que havia devorado no almoço. O aço frio encostado na lateral de minha cabeça garantia que ele estava falando bem sério.

"Tá legal, tá legal, Teddy. Relaxa".

Virei devagar a cabeça, baixei o rosto até a coronha da arma, posicionando o melhor que pude a mira na testa da mulher, que não suspeitava de nada. Eu a vi sorrindo e brincando com a criancinha. Rindo.

"Agora puxe a porra do gatilho, caubói."

Esforcei-me para impedir minhas mãos de tremer.

"Aperte o maldito gatilho ou eu aperto! Você é da polícia, filho da puta?"

Inspirei brevemente, desviando o braço para a direita de propósito, para ter certeza de que erraria, e apertei o gatilho.

Clic!

Dalrymple deu uma gargalhada alta e rouca, de fumante, e seu corpo se sacudiu sem controle por um instante, enquanto ele me batia nas costas.

"Peguei você, cara!"

Ele afastou a pistola da minha cabeça e aproximou-a do próprio rosto. Quando apertou o gatilho, a arma cuspiu uma pequena chama azul, que ele usou para acender o cachimbo.

"Mas que porra foi isso, Teddy?"

Uma risada maligna, e um acesso de tosse.

"Eu precisava ter certeza de que você não era um policial ou um agente federal disfarçado. Acha que eu lhe daria uma arma carregada? Caralho, você precisava ter visto a porra da sua carinha de bebê, Al Capone."

Fiquei ao mesmo tempo aliviado e puto com aquele caipirão que quase tinha me transformado em um assassino em primeiro grau.

"Você é um pau no cu, Teddy."

Dei um sorriso tenso enquanto deixava cair a coronha da pesada arma no colo exposto dele, atingindo seus bagos com força.

Ele deu um gritinho e se dobrou em dois.

"Aaaaaai! Por que você fez isso, caralho?"

"Só para ter certeza de que você não é nenhum veado", retruquei. Meus braços pareciam gelatina quando abri a porta de tela para entrar no casebre. "Eu precisava saber se não teria uma bichona lutando a meu lado quando a hora chegasse."

Sequei a testa.

Voltei da viagem sentindo-me ansioso quanto a meu envolvimento com o movimento fora de Chicago, e certo de que havia chegado a hora de começar a me armar. Estava convencido de que uma guerra racial era iminente. Precisava estar preparado. Se não nos protegêssemos, seríamos derrotados. Eu era um guerreiro branco disposto a me erguer como a vanguarda contra essa ameaça. Eu estaria pronto. E muito bem armado.

Em algum momento dos meses que se seguiram, um companheiro Hammerskin de Montreal visitou Chicago e quis marcar um encontro para me apresentar a Wolfgang Droege, um líder canadense radical da KKK que vinha agitando as coisas do outro lado da fronteira. Ele tentou me atrair dizendo que o ditador muçulmano da Líbia, Muamar Kadafi, havia enviado um adido governamental para discutir com Droege sobre um financiamento para os neonazistas norte-americanos.

"Wolfie quer incluir os Hammerskins de Chicago nessa", disse.

Creio que eu não ligava muito se Kadafi era ou não branco. Ele desprezava os judeus tanto quanto nós. E isso podia ajudar a financiar um arsenal de armas. Afinal de contas, o inimigo de um inimigo – os judeus e Israel – podia ser um aliado. Kadafi queria conhecer radicais americanos sérios anti-Israel. Queria que fôssemos para a Líbia para discutir uma estratégia e apoiar nossa causa com remessas de dinheiro.

Aquilo era algo tremendo. Não podia ser mais sério.

Respondi que iria pensar, com a dúvida me atingindo como um bloco de concreto. O Hammerskin canadense ficou em cima de mim, me pressionando, insistindo que aquela seria nossa grande chance. Eu sabia que Droege no passado havia ajudado a organizar um golpe de estado malsucedido na ilha caribenha de Dominica, e que tinha sido preso por isso. Esse tipo de aventura era intensa, e me atraía. No começo fiquei empolgado; eu poderia fazer parte de algo imenso. Internacional.

Mas e se me pegassem? E se fosse uma armação? Eu não conhecia direito nem aquele tal de Droege nem os skinheads canadenses. Se eu concordasse com aquele plano e os federais ficassem sabendo, eu certamente seria acusado de traição aos Estados Unidos. Um crime punível com a morte, não com cadeia. Eu amava meu país, e só não concordava com quem estava então no poder – o Sistema que nos oprimia. Eu estava disposto a derrubar o governo sob minhas próprias condições, mas não daquele jeito. Além do mais, eu nem conhecia aqueles árabes esquisitos; por que iria confiar neles?

"Ele quer nos dar um milhão de dólares", argumentou o Hammerskin de Montreal. "Pense em quantas armas dá para comprar com tanta grana. O dano que vamos poder causar."

Ele estava insistindo demais.

"Então por que você não vai?", perguntei.

"Wolfgang queria especificamente Clark Martell. Quando eu lhe contei que ele estava na prisão, ele pediu o próximo no comando."

"Diga a Wolfgang que agradeço a oferta, mas que desta vez passo. Não tenho passaporte", menti.

Assim, respeitosamente declinei, e mantive meu envolvimento no âmbito nacional, ao menos por ora.

E ainda bem. Um ano mais tarde, Droege e seus seguidores terminaram em uma prisão federal porque todo o lance de Kadafi tinha sido uma operação policial, armada pela inteligência canadense.

Eu havia escapado de uma boa.

Havia conflitos suficientes mais perto de casa nos quais nos concentrar. Como a quadrilha de pretos que estava atacando Pecker e Chili, dois caras de Beverly, todo dia no ônibus que eles tomavam para voltar da escola para casa. Isso enfureceu a todos nós, e assim planejamos uma emboscada. Pecker e Chili iriam encará-los no ônibus, insultá-los e deixá-los bem irritados. Iriam atraí-los, para que descessem no ponto deles para brigar. E estaríamos esperando.

Funcionou perfeitamente. Seis de nós nos escondemos dobrando a esquina, atrás da lanchonete perto do ponto de ônibus. Quando os três crioulos saíram do ônibus, caímos em cima deles e lhes demos uma surra, bem no meio da movimentada Western Avenue, na hora do *rush*. Com carros brecando à nossa volta, levamos aqueles pretos imprestáveis até o meio da rua, espancando-os sem dó. Chutando. Arrastando pelo asfalto. Esmurrando. Aplicando golpes baixos. Os filhos da puta tinham pedido. Ninguém se mete conosco. Não em nosso quintal.

Buzinas soavam. Pessoas gritavam. Estávamos cagando para isso.

Kubiak agarrou um dos caras pelo cabelo afro e girou-o pelo ar, suspenso, como um lançador de martelo nas Olimpíadas.

Três Beverly Boys tinham derrubado um outro e acertavam nele dezenas de chutes no estômago, na cara e nas costas. Os uivos dele soavam mais alto do que as buzinas dos carros que imploravam para que parassem.

Corri atrás do último preto e alcancei-o no beco atrás da lanchonete. Eu o derrubei, numa pegada de futebol americano, em cima de uma fileira de latas de lixo, e meti o cotovelo em seu nariz, quebrando-o com um estalo sonoro, mas meus pés de repente sumiram de debaixo de mim.

Escorreguei em uma poça traiçoeira de óleo descartado pelo restaurante e acabei deixando o cara escapar. Sorte dele, pois durante a briga ele tinha estragado minha jaqueta de aviador e meus *jeans*, e eu o teria matado se ele tivesse ficado por ali. Nojento. Eu estava coberto de óleo de fritura amarelo e gelatinoso, e fedia como uma privada entupida de lanchonete.

O resto dos caras não recuou até ouvir as sirenes da polícia se aproximando. Todos nós passamos por cima de carros – amassando as latarias reluzentes com nossas botas – para cair fora dali. A última coisa que eu precisava, com as acusações de agressão que já pesavam sobre mim, era ser preso por uma briga de fundo racista. Um crime de ódio racial.

Voltamos para minha casa sem incidentes, rindo o caminho todo, enquanto imitávamos os pretos implorando que parássemos. Os Beverly Boys e Kubiak zoaram comigo durante semanas, chamando-me de "Italiano seboso". Não é preciso dizer que os sujeitos nunca mais pegaram aquele ônibus de novo.

Não muito depois do incidente do ônibus na Western Avenue, compareci ao tribunal para o julgamento das acusações fajutas de ataque contra o cucaracha covardão, Hector Diaz. De novo, vesti-me de forma apropriada. Mostrei meus melhores modos. Disse "sim, senhor" para aquele palhaço de toga preta até dizer chega. Fui condenado a seis meses de liberdade vigiada, e isso me deixou puto, pois eu não tinha feito porra nenhuma. Aceitei a sentença, mas aquilo era um simulacro de justiça, e demonstrava como os tribunais favoreciam as minorias.

Enquanto estava sob liberdade vigiada, eu tinha que me cuidar para não ser preso. Assim, mudei meu foco e injetei mais veneno nas músicas que escrevia, passei a ser bem mais exigente nos ensaios e, em maio de 1991, orgulhosamente demos nosso primeiro show ao vivo em um lugar chamado The Barn, um centro comunitário em Blue Island. Justo numa festa de aniversário. Não achei grande coisa o lugar, mas foi incrível ver as pessoas curtindo a nossa música, empolgadas, nos incentivando.

O lugar minúsculo estava apinhado com dezenas de jovens, e a multidão estava adorando nosso som. O aroma de pinho do revestimento de madeira das paredes era sobrepujado pelos odores penetrantes da cera de assoalho e do suor adolescente. Os pais, que não sabiam de nada, estavam se embebedando no estacionamento enquanto tocávamos, para a aniversariante de 16 anos e uma sala lotada de novos recrutas, nossa versão de várias canções do Skrewdriver e algumas músicas originais do WAY.

We're the warriors of the street [Somos os guerreiros das ruas]
With shaven heads and boots on our feet [De cabeças raspadas e coturnos nos pés]
We stand tall like a stone wall [Nós nos erguemos como um muro de pedra]
Against all evil we won't fall [Diante de todo o mal não cairemos]
Streets and homes are never safe [Ruas e lares nunca estão seguros]
Because there are niggers committing rape [Porque há pretos estuprando]
WAY's our name, white power we follow [WAY é nosso nome, o poder branco seguimos]
We're the White American Youth of tomorrow! [Somos a Juventude Branca Americana do futuro!]

O salão vibrava com inconformismo juvenil e suor. O ritmo nervoso da guitarra e os refrões empolgantes faziam os corpos úmidos se chocarem violentamente uns com os outros, vindos de todas as direções.

We're White! Strong and free! [Somos brancos! Fortes e livres!]
White supremacy! [Supremacia branca!]
White! We preach the truth! [Brancos! Pregamos a verdade!]
White American Youth! [Juventude Branca Americana!]

O trabalho, a frustração de conseguir ensaiar juntos e de descobrir como operar como uma só máquina bem lubrificada, tudo valeu a pena. Não havia dúvida de que tínhamos feito algo acontecer, em termos musicais. De novo eu tinha provado que conseguia fazer tudo a que me dedicasse.

Faltando apenas um mês para me formar, fui para a Ombudsman na maltratada picape Chevy 1984 que meus pais tinham me ajudado a comprar, para que eu pudesse ir à escola, que era mais distante que as outras. Ao entrar no estacionamento, vi meu velho companheiro skinhead Craig Sargent – que naquela altura também já tinha sido expulso da Marista e da Eisenhower por suas atividades racistas – trocando safanões com dois crioulos. Pisei no freio, fazendo guinchar os pneus, e pulei para dentro da batalha.

Craig e eu cobrimos de porrada o gordo chamado Pooky e Juice, seu cúmplice magricela, antes que eles tivessem sequer a chance de pronunciar nossos nomes. Arranquei o maior deles de cima de Craig, enquanto ele continuava a espancar o outro. Enquanto uma multidão se reunia no estacionamento, incluindo os professores, continuamos a desferir um golpe atrás do outro, depois que os pretos tentaram se refugiar no prédio da escola. Nós os atiramos contra os carros estacionados e os jogamos no chão, repetidas vezes.

Não tendo qualquer dúvida de que nossos esforços resultariam em mais uma expulsão para ambos, e que a polícia estaria atrás de nós, pulamos em nossa picape e partimos, passando o resto do dia estacionados em uma reserva florestal, tomando a cerveja quente que eu mantinha debaixo do banco do carro.

Quatro semanas para a formatura.

E uma vez mais eu havia sido expulso. Quinta vez. Cinco escolas. Em quatro anos.

Meus pais imploraram ao presidente do conselho da escola por um último favor, e conseguiram um perdão especial, para me matricular no *community college*,* para terminar os dois créditos do ensino médio que me faltavam.

"Você está arruinando sua vida", disse meu pai. "Sei que você acha que sabe tudo, e que acha que tem tudo sob controle, mas..."

"Para de fingir que está preocupado, porra. Você não está nem aí. Nunca esteve." Consegui dizer isso enquanto segurava as lágrimas de fúria ante a mera sugestão da parte dele de saber algo sobre o que eu estava sentindo. "Eu faço o que quero, quando quero. E você não conquistou o direito de me dizer o que fazer."

Bem naquela hora entrou na sala Buddy, então com 7 anos, segurando um boneco de lutador todo destruído. Ele tinha arrancado a cabeça dele, e o corpo de plástico estava coberto por marcas de cortes, tornando quase impossível reconhecê-lo como o boneco de Junkyard Dog, um negro que era lutador profissional de WWF.

"Olha, Buddy", disse ele, com um grande sorriso. "Um crioulo morto."

Minha mãe arrancou o brinquedo dos dedos gorduchos de meu irmão, enquanto ambos gritavam de forma lastimosa.

Os olhos furiosos de meu pai penetraram nos meus.

"Viu o que você fez?"

Sabendo que meu tempo de permanência na escola estava chegando ao fim, pensei em me alistar nas forças armadas. Eu receberia um excelente treinamento de combate. Minhas habilidades de luta só melhorariam, e eu teria a chance de manipular as melhores armas conhecidas pela humanidade. Eu sabia que seria capaz de alcançar rapidamente uma posição de liderança, e influenciar guerreiros treinados para juntar-se a nosso movimento. Além do

* "Faculdade comunitária", um tipo de instituição de nível superior que oferece cursos de dois anos, e que pode servir como acesso para faculdades e universidades tradicionais. (N.T.)

mais, a Guerra do Golfo prosseguia, e eu poderia matar legalmente os não brancos. E ainda por cima ser pago para isso. Um negócio e tanto.

Fui até o escritório do exército para me alistar.

“Quero entrar na Polícia do Exército”, disse ao recrutador.

Ele deu uma olhada em minhas roupas e tatuagens de skinhead e sacudiu a cabeça.

“Você não pode. Gente como você só tem uma escolha. Infantaria.”

“Gente como eu?”

“Conheço seu tipo. Durão, insolente e louco por sangue. Linha de frente para você, logo de cara.”

Aquele milico não ia me dispensar assim.

“Ótimo. Pode ser infantaria. Vou dar duro e subir na hierarquia.”

“Claro que vai, soldado”, ele disse, e fez minha inscrição para o teste ASVAB, o exame de aptidão e alistamento das forças armadas dos Estados Unidos.

Quando vieram os resultados, o recrutador mudou de tom. Minhas notas eram mais altas do que qualquer um de seus alistados anteriores.

“Filho, você ainda quer ir para a Polícia do Exército? Vamos colocar você lá.”

O único problema era que eu não tinha idade suficiente. Com 17 anos, eu ainda precisava da assinatura de um dos pais. E pela primeira vez eu não poderia falsificá-la, como eu fazia com meus boletins nada espetaculares, em Saint Damian.

Quando contei a minha mãe que queria entrar para o exército, ela ficou fora de si. Ela não queria que eu fosse morto.

“Você tem toda uma vida pela frente. Por que ir lutar numa guerra que não tem nada a ver conosco?

Meu pai concordou com ela. Buddy gostou da ideia de ter um irmão soldado; ele trouxe seus bonecos G.I. Joe e pediu que eu mostrasse como eu ia matar os caras do mal. Mamãe arrancou os brinquedos da mão dele e mandou-o ir ver alguma coisa boa na televisão.

Mamãe trouxe meus avós como último recurso, para que tentassem me dissuadir. Ela sabia que eu ainda sentia carinho por Nonna e Nonno, e que não iria explodir se eles estivessem presentes. Vovó tentou me convencer a mudar de ideia.

"Christian, em vez disso, por que você não estuda e consegue um bom emprego? Você é um menino tão bom!", ela suplicou. "A guerra não é um lugar bom para ninguém. Pergunte a Nonno. Ele pode lhe dizer." Seu carinho maternal e sua calma eram sempre reconfortantes. Eu sentia falta deles.

Enquanto Nonna desempenhou o papel de minha mãe postiça, quando eu era pequeno, as responsabilidades de pai adotivo recaíram sobre meu avô, Nonno. Mas nem sequer seus terríveis relatos em primeira mão de suas experiências durante a Segunda Guerra Mundial poderiam me dissuadir da decisão de me alistar.

Homem de poucas palavras, Nonno interrompeu minha avó.

"Não é um lugar para você. Você tem um bom coração." Eu não tinha certeza disso. "Você vai voltar mudado."

Eu estava contando com isso.

Respeitar meus avós e o que eles queriam era algo que eu fazia, sem questionar, desde que era pequeno, e eu também sabia que eles eram mais sábios do que meus pais – e também do que eu, aliás. Mas o mundo não era igual ao que eles haviam conhecido na Europa quando tinham minha idade. Invejei meu avô por ter lutado na guerra em bombardeiros da força aérea italiana, sob as ordens de Mussolini, em locais exóticos e distantes como o Egito, a Líbia e a Bélgica. Eu respeitava isso, e queria merecer o mesmo tipo de respeito.

Agora estávamos em uma guerra perene no interior de nossas próprias fronteiras, independente do fato de usarmos camuflagem militar e botas de deserto ou jaqueta de aviador e Doc Martens. Eu iria para o exército e voltaria mais forte. Mais firme. Mais esperto. E mais equipado para lutar minhas próprias batalhas. Protestei com violência contra os desejos de minha família, guiado pela crença de que eu sabia algo que eles não sabiam.

No fim todos eles desistiram. Que surpresa.

E assim chegou o dia. Esperei que o recrutador viesse me apanhar e me levasse para o exame físico do exército, e fizesse meus pais assinar meu formulário de alistamento. Mas ele estava atrasado.

Meia hora atrasado.

Uma hora.

Liguei para o escritório de recrutamento, para saber o que estava acontecendo. Aparentemente meu recrutador havia sido transferido para outro posto, em Albuquerque, dois dias antes.

"Mas não se preocupe, meu jovem, vamos mandar alguém buscá-lo agora mesmo", garantiu o sargento de serviço.

"Não se incomode", respondi, indignado. "Fodam-se todos vocês."

Foi ótima a sensação de dizer aquilo para o governo.

Enquanto isso, no *community college* onde eu começara o curso que faltava para receber o diploma do ensino médio, para minha surpresa as aulas estavam sendo interessantes. Estava cursando Justiça Criminal 101* para cumprir os dois créditos que me faltavam. Eu achava legal ter uma matéria que terminava com 101. Pela primeira vez, estava sendo tratado como adulto em uma instituição de ensino. Era uma faculdade. Um campus aberto. Ninguém estava empurrando regras pela minha goela abaixo. Os professores nunca insistiam para que eu fosse às aulas. Nem me forçavam a ir para a detenção por não ter feito o dever de casa, ou por faltar a uma aula que me enchia de tédio.

---

* Nos Estados Unidos, o algarismo "101" é usado como adjetivo, no sentido de "básico", "fundamental". (N.E)

Sem muito esforço, tirei a nota máxima no curso. Eu, um mero aluno de ensino médio – um cara que matava aulas, um delinquente, uma ameaça –, fui o único em toda minha classe de faculdade a tirar um A. Foi o máximo. De verdade. Foi a primeira vez, em toda minha vida de estudante, que uma nota fez sentido para mim. Tive que morder a língua quando o professor falou sobre as estatísticas raciais no sistema prisional e a proporção inversa de negros e brancos encarcerados, mas foi algo tolerável. Eu poderia ter explicado os motivos daquilo melhor do que ele. Mas não o fiz.

No fim do semestre, completei os créditos necessários e me habilitei para receber o diploma do ensino médio.

Mas não pude participar da cerimônia de formatura, que ocorreria na Eisenhower.

A escola havia obtido um mandado judicial – uma medida cautelar de afastamento contra mim. Se eu pusesse os pés na propriedade da escola, seria preso na hora.

E assim chegaram ao fim meus anos de ensino médio, aqueles dias dourados que supostamente seriam a melhor época da vida. Já iam tarde.

Eu havia aprendido sobre liderança. Como inspirar medo. Táticas de intimidação. Organização de pessoal. Lei. Justiça. Como desafiar o sistema. Como usar uma arma. O poder da violência. Defender minhas crenças. Promover minha marca. Transformar o discurso em ação. Mas não havia sido a escola que me ensinara essas habilidades.

Que piada era o sistema escolar americano. Ele não ensinava nada que prestasse, e não tinha ideia de como manter os jovens interessados.

Clark me explicara, em uma de suas primeiras cartas, que o sistema escolar moderno não havia mudado muito desde a década de 1950, exceto que as teorias agora usadas pelos administradores educacionais favoreciam as minorias ignorantes e mantinham os estudantes brancos em níveis mais baixos de leitura e compreensão. Não fazia sentido que os professores fossem forçados a ensinar no nível do mais baixo denominador comum, em vez de estimular os alunos brilhantes enquanto os idiotas ficavam para trás.

Ainda assim, de algum modo consegui me formar, apesar de ter sido expulso de quatro escolas diferentes, em uma delas mais de uma vez.

Enquanto os outros robôs subservientes subiam ao palco para pegar seus diplomas, desfrutei de minha própria libertação solitária das algemas que haviam me prendido por tempo demais.

SKINHEADS AGAINST
SHARP
RACIAL PREJUDICE

14

VÃO EMBORA

FINALMENTE. NADA MAIS DE ESCOLA. Para mim, a escola não significava porra nenhuma, mas ainda assim foi algo que ficou o tempo todo pairando por cima de mim, ameaçadora, como uma forca. Acontece a mesma coisa com todos os jovens. Ela domina nossas vidas. Só temos liberdade durante o verão.

Mas agora eu havia me formado.

A independência se estendia diante de mim como um céu límpido e infinito, apesar da cruel realidade de ainda faltar cinco meses para eu completar 18 anos. Eu estava livre das nuvens negras de professores e diretores bundões, e dos deveres de casa e exames, e de ser forçado a ficar sentado em uma sala de aula cheia de ideias ridículas e pessoas com as quais eu jamais teria contato, se pudesse escolher. Eu não tinha desperdiçado meu tempo com deveres de casa, e tinha faltado às aulas por dias e até semanas inteiras, mas sempre tive que enfrentar algum tipo de

Christian, ensaio do White American Youth, e patch confiscado do SHARP, 1991

consequência. Ignorá-las não fazia com que desaparecessem. Elas me irritavam. Mas tudo isso tinha acabado.

Eu estava assumindo o controle de minha própria vida, e poderia me devotar em período integral a me tornar o homem que estava destinado a ser.

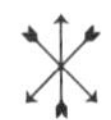

Eu precisava expandir minha base. Já não era suficiente recrutar gente em Blue Island. Também não era suficiente que meu nome tivesse ficado conhecido nos grupos skinhead de todo o país e do Canadá. Era hora de me concentrar na banda. A música, sem dúvida, poderia me tornar mais forte que nunca. A escola era algo do passado, e podíamos começar a tocar em reuniões fora de Chicago, incitando gente em escala maior. Talvez até na Europa.

Assim, me dediquei totalmente ao WAY, marcando apresentações onde pudesse. Passávamos horas escrevendo novas letras, criando batidas, compondo canções. A música era um meio para atingir um fim, e o fim era aumentar o controle.

Nosso segundo show foi na sala de estar da casa de um colega skinhead – montes de adolescentes, lambris baratos nas paredes, piso de linóleo. Um espaço pequeno, que a duras penas conseguia acomodar tanta gente. Uma mistura de skins de Blue Island e de caras de Beverly. Kubiak estava lá, de papo com alguns recrutas mais jovens. Garotas punks. O WAY existia fazia apenas seis meses, mas não importava. Tínhamos só que tocar rápido e alto e fazer o povo se mexer, e tudo estaria bem. Havia também cerveja, que sempre ajuda a fazer a música marginal parecer boa.

Um único verso de música provocante e alguns *power chords* da primeira música conquistaram a aprovação da galera. Todos dançavam, chocando-se uns contra os outros, erguiam o braço na saudação nazista, balançavam a cabeça com violência no ritmo da batida, motivados por nossas músicas. Minhas letras. Uma sensação de tremendo poder. Éramos um grupo unido pela música, e eu nunca tinha sentido nada parecido.

Eu poderia ficar cantando a noite toda.

Mas por volta da meia-noite, uma garrafa de cerveja vinda lá de fora arrebentou a janela da frente da casa. Largamos os instrumentos e corremos para o jardim, atrás de vingança. Do outro lado da rua apareceu um grupo de silhuetas escuras, encapuzadas, com máscaras de hóquei e de esqui cobrindo os rostos. Traziam nas mãos tacos de beisebol e de hóquei, correntes com cadeados, canos de chumbo. Uma emboscada.

Antirracistas filhos da puta. Jovens e velhos, homens e mulheres. Skins. Punks. Uns caras *straight edge*. SHARPs. Umas duas dúzias deles, a uns 30 metros de distância, iluminados por trás pela luz âmbar de uma varanda, fazendo parecer que suas almas estavam em chamas. O resto de nosso esquadrão saiu da casa e juntou-se a nós no gramado. A tensão escalou, aproximando-se de alerta máximo, os dedos a postos sobre o botão do míssil nuclear. Ao menos vinte de nós estavam enfileirados, prontos para a batalha, a fúria da música ainda ecoando na cabeça.

Outra garrafa quebrou-se aos pés de Kubiak, pulverizando com estilhaços de vidro suas botas bordô de catorze ilhoses. Todos respiramos fundo uma única inspiração coletiva e, como se tivesse soado um clarim de batalha, atacamos o inimigo. Nossas botas ressoaram na terra, e corremos a toda velocidade através da noite, pelo asfalto escuro. Uma fileira de guerreiros prestes a chocar-se contra o inimigo.

A maioria dos adversários recuou, dispersando ante a visão da fúria em nossos rostos. Corremos a toda velocidade e os alcançamos antes que dobrassem a esquina. Alguns tinham vindo só para nos intimidar se exibindo. Não tinham coragem para lutar. Fugiram como covardes.

Outros nos encararam e resistiram. Lutaram de verdade. Socos acertaram narizes, queixos e rostos. Gritos de dor e de luta encheram a noite enquanto surrávamos uns aos outros, como anjos vingadores calçados com botas Doc Martens.

Ataquei uma pessoa atrás da outra, esmurrando com toda a força. Aquele era o inimigo. Sem misericórdia.

Virei-me e dei da cara com April Crenshaw. Ela e seu marido Jerry eram os líderes da SHARP em Chicago, mas ele tinha fugido e deixado que ela se virasse sozinha.

Ela viu a fúria em meus olhos. Lágrimas e rímel se misturaram e escorreram em estrias pretas por seu rosto, enquanto ela recuava, implorando que eu não a ferisse.

Eu nunca tinha batido em uma mulher, mas de qualquer forma ela precisava aprender uma lição. Assim, arranquei da jaqueta de aviador dela o *patch* do SHARP. Meu troféu. Melhor do que fazer correr sangue. E para humilhá-la ainda mais, fiz com que tirasse as botas e as entregasse a mim, numa admissão final de derrota. Levei um estilete aos cadarços. Fiz com que ela os cortasse e entregasse a mim. Uma multidão de meus homens se reuniu.

Nenhum skinhead jamais entrega suas botas.

Até aquele dia.

Ela se ergueu, descalça em suas meias arrastão. Quando se afastou, resisti ao impulso de chutá-la simbolicamente na bunda. E lá se foi ela, o espectro de uma skinhead desparecendo na noite solitária.

Eles tinham perdido.

Tínhamos derrotado o grupo dela. Nossos principais adversários skinhead em Chicago. E, sem encostar um dedo na líder deles, eu a havia humilhado. Um golpe mais duro do que qualquer dano físico que eu houvesse causado.

As sirenes da polícia soaram na escuridão e, quando chegou a primeira leva de policiais, eles prenderam os skins SHARP que continuavam por ali, por danos à propriedade. Aqueles que não tinham fugido estavam bem machucados, alguns deles incapazes de ficar em pé.

A mão amiga de Kubiak estendeu-se para me tirar do confronto.

"Entra. Sai de perto da polícia. Danny está vindo e disse que vai cuidar de tudo."

Refugiei-me dentro da casa. Não por medo, mas porque minha liberdade era essencial. O grupo precisava de mim. Não seria bom para ninguém que eu fosse preso. A cadeia era para soldados, não para generais. Todos sabiam disso. Eu não seria pego como Clark tinha sido.

Quando a polícia bateu à porta procurando por mim, eu não estava à vista.

"Não fizemos nada, seu guarda", ouvi uma das garotas dizer. "Só estávamos dando uma festinha, e aí jogaram uma garrafa pela janela..."

"Onde está o espertinho do Picciolini?", o policial perguntou, passando pela garota que estava à porta e falando com Kubiak.

"Eu não vi ele, Danny", respondeu Kubiak.

"É melhor você voltar para casa antes que mamãe e papai descubram o que você aprontou esta noite", Danny sussurrou. "E diga ao babaca do seu amigo que está escondido no *closet* para ficar longe das ruas por algum tempo."

"Sim, senhor, policial Kubiak", o Kubiak mais jovem gracejou.

"Tenha uma boa noite, *Mein Führer*", disse eu, por trás da porta do *closet*. Ajudava muito ter alguém de dentro nos protegendo.

Demorou dias para que eu saísse da euforia do show e da batalha. Se eu podia conduzir as pessoas com música daquele jeito, seríamos invencíveis.

Alguns dias depois, resolvi deixar um outro tipo de marca. Todos os jovens da área me conheciam; me respeitavam. Mas eu queria que os adultos me respeitassem. As mesmas pessoas cujos filhos eu estava tentando proteger.

Inscrevi um carro no *derby* dos espectadores, promovido pelo Raceway Park. A mesma pista de corridas em cujo estacionamento eu havia panfletado no passado, antes de Clark ser preso. Bom público. Excelente exposição. E os caipiras curtiam racismo.

Comprei do vizinho de Kubiak uma lata-velha, um Chevy Caprice quatro portas verde-oliva, e trabalhei com afinco para transformar meu carro na máquina *heavy metal* de ódio mais incrível que jamais se viu. Eu havia conseguido um pequeno aumento na pizzaria, e peguei algumas noites a mais por semana. O carro me custou 150 paus – meia semana de salário – mas a atenção que eu ganharia com ele valeria muito mais.

Pintei-o de preto fosco, com um rolo de pintura e tinta de parede, exceto por um "88" – o número de Hitler – em branco nas portas. Relâmpagos da SS nazista foram pintados com tinta *spray* vermelha nas laterais traseiras, com dois martelos cruzados erguendo-se entre chamas no capô. No para-choque traseiro estava escrito "White Pride" ["orgulho branco"], com letras grandes. Um carro da pesada, com uma mensagem poderosa. Como o de Carmine. Eu não tinha dúvida de que iria ganhar o *derby* e que minha causa apareceria em destaque na imprensa. O *white power* dominaria.

Uma das poucas exigências para entrar na pista, além da remoção de todas as janelas menos o para-brisa, era que o carro tivesse uma barra de metal soldada por dentro da porta do motorista, por segurança. Esse era um problema, pois, estranhamente, não havia um soldador sequer no amplo espectro de operários que eu conhecia. Não sei a quantas pessoas perguntei, quantas dicas segui, quantos telefonemas dei, nem em quantas portas bati. Eu estava decidido a colocar meu carro naquele *derby*, divulgar minha mensagem e, com isso, espalhar a noção de que os brancos não deviam ter medo de defender sua raça.

Enquanto eu trabalhava no veículo e continuava procurando um soldador, o carro estava parado à plena vista, no acesso de entrada da casa de meus pais. Eles não estavam nem um pouco felizes com aquilo, mas, como sempre, cederam.

A pintura do carro chamava muita atenção, porém, exatamente como eu queria, e logo uma equipe de jornalismo da CBS veio a minha casa para fazer uma matéria.

Nonno, meu avô idoso que morava do outro lado da rua, estava cuidando de seu jardim quando a van da reportagem apareceu e desceram um *cameraman* e um repórter.

Ele largou suas ferramentas de jardinagem enquanto eles rodeavam meu carro na entrada de casa. Vovô mal falava inglês. Eles vieram até ele. Enfiaram a câmera e o microfone na cara dele.

"O senhor sabe quem é o dono deste carro? Como se sente tendo esse tipo de ódio em sua vizinhança? Acha que as leis de liberdade de expressão se aplicam nesta situação?"

Meu avô podia não entender bem o inglês, mas com certeza entendeu a atitude hostil, e sabia que eles não estavam lá para me dar um prêmio por minha criação artística. Fazia quatro anos que eu não dava muita atenção a ele ou a Nonna. Eu tinha trabalho a fazer. Estava ocupado demais para cuidar deles ou para visitá-los, embora apenas uns cem metros nos separassem.

Mas eu era seu neto. Nada mais importava.

"Vão embora!", disse ele em seu inglês ruim. "Ele é menino bom. Vão embora. Deixem em paz! Vão! Agora!"

E aquele imigrante italiano velho e frágil espantou os abutres.

Eles não voltaram mais.

Ele nunca me disse uma palavra sobre aquilo, e meu carro continuou orgulhosamente parado no acesso à casa de meus pais, recebendo mais e mais multas do município por perturbação pública. No fim acabei desistindo de encontrar um soldador e vendi o carro por 50 paus para um vizinho, que passou tinta por cima de tudo que eu tinha feito e participou do *derby*.

Nem quis saber como ele tinha se saído, mas eu tinha certeza de que não havia se dado bem. Ele tinha tirado do carro toda a sua potência.

HITE AMERICA
8 8

15

OPRESSÃO POLICIAL

ADQUIRI MINHA ARMA SEGUINTE ILEGALMENTE e sem permissão. Por ironia, eu a comprei na rua, de um mexicano que era imigrante ilegal. Uma pistola semiautomática calibre .380. Joguei a velha .25 estragada que Kubiak tinha me dado no canal de Blue Island, numa noite em que não consegui carregar a munição corretamente.

Você não sabe o que é poder até segurar na mão uma arma carregada. É uma sensação surreal. Perigosa. Excitante. Estimulante.

Segurando minha pistola, eu sentia que podia conquistar o mundo.

Eu a adorava.

Falei com Bill Rudolph – um neonazista de Chicago, mais velho, que eu conhecera por meio de Carmine – sobre um modo de obter mais armas. Como um verdadeiro e bom operário americano, ele trabalhava em uma fábrica de pão, e respondeu entregando-me a carteira que tinha

Christian, recorte de um jornal local, 1991

roubado de um colega de trabalho, contendo até a carta de motorista do estado de Illinois.

"Use isto", ele me disse. "A primeira coisa que você tem que fazer é conseguir uma permissão para comprar uma arma."

Eu não me parecia nada com o mexicano na foto do documento roubado, e comentei isso.

Ele fez uma careta de desprezo ante minha inexperiência.

"Você acha que alguém liga se é você ou não? Você preenche um formulário para arma de fogo e vai até o gueto, onde alguma porca gorda preta autentica ele. Ela não vai nem olhar a foto no documento. Eles recolhem a grana e não perguntam nada."

Eu não acreditava que seria assim, mas o foda é que eu ia demonstrar medo. Qual seria a pior coisa que podiam fazer? Chamar a polícia e me acusar de ter uma identidade falsa? A polícia e eu já nos conhecíamos bem. Ela não me assustava. Ao contrário, era eu que causava preocupação aos policiais. Eles me paravam quase todo dia na rua, quando eu só estava andando pela calçada indo comprar cigarro, ou parado na esquina esperando uma carona de algum amigo. Eu já tinha até ouvido dizer que, quando as câmaras municipais de Blue Island e de Chicago se reuniam, meu nome era mencionado como um item na agenda de discussões. Aqueles idiotas não sabiam exatamente qual era a dos skinheads *white power*, mas sabiam reconhecer a encrenca quando a viam. E, para eles, eu personificava o espírito dos problemas que os skinheads estavam criando para a região.

Como Bill havia dito, a crioula por trás do balcão de atendimento nem olhou para o documento de identidade. Ela pegou meu dinheiro e carimbou a aprovação no formulário de autorização para a compra de armas.

Mostrei-o a Bill.

"E agora?"

"Você manda o formulário para a polícia do Estado de Illinois e..."

"Para a polícia?", interrompi. "Como assim a polícia? Achei que era só isso. Ela carimbou o papel... está vendo?"

"Não se preocupe. Não é seu nome nem sua foto. Nem o endereço é o seu."

"Mas não é um crime federal? Tipo fraude do correio ou algo assim?"

Eu percebia que ele estava perdendo a paciência comigo.

"Olha, me dá esse maldito formulário e eu mando pra você." Ele me levou até a janela e abriu a cortina. "Está vendo aquela casa vazia do outro lado da rua? Vamos usar aquele endereço. Quando a correspondência for entregue, eu pego. Não se preocupe."

"Tudo bem." Parecia uma teoria consistente. "E aí?"

"Aí você vai até uma loja de armas, José Ortiz."

Nós dois rimos.

Juro que eu não parecia nada com o cara na carta de motorista roubada. E por dois meses inteiros fiquei preocupado, achando que os federais iam derrubar minha porta e me prender por fraude federal.

Teria sido muito mais simples comprar armas ilegalmente na rua, como eu tinha feito com o .380, mas isso significaria que a grana iria para os criminosos pretos e cucarachas. Nossos inimigos. Não era uma opção.

Havia lojas de armas por todo canto. Encontrei uma logo depois que Bill recebeu a permissão de porte de arma de "José" pelo correio, enviada pela polícia do estado de Illinois, e fomos para lá, sem nenhum receio. Eu tinha a permissão para comprar uma arma e a garantia de Bill de que os caipirões racistas dessas lojas não estavam nem aí para quem comprava suas armas. Era tudo uma questão de grana. Desde que você parecesse branco.

De novo Bill estava certo. O pessoal naquela loja – e em todas as outras a que fui – não tinha qualquer preocupação quanto aos compradores. O sujeito a quem ele me apresentou, um amigo de sua família, só olhou a permissão para anotar seus dados no recibo. Desde que você não fosse de uma minoria e tivesse grana, estava bom para eles. Nem o período de carência exigido pela lei federal parecia incomodar o cara. Ele me entregou a arma no segundo em que pegou meu dinheiro.

Saí daquela primeira loja com uma pistola Beretta 9 mm nova em folha enfiada no cós do *jeans*, eletrizado pela força bruta dela. Agora eu estava pronto para qualquer coisa.

Só me faltava uma coisa. Treinamento.

Assim, fui para um estande de tiro. De novo, sem perguntas. Ninguém ligava. Você passa o dinheiro, mostra a permissão e dá um sorriso amarelo, e está tudo bem.

Aprendi rápido a atirar. Meu dedo apertava o gatilho com facilidade, meu braço sustentava a arma sem tremer, meu olhar fixava-se no alvo em uma fração de segundo.

Como a maioria dos esportes que tentei, atirar era relativamente fácil para mim. Mas atirar não seria um esporte.

Era parte de meu plano de sobrevivência. Eu estava preparado para lutar até a morte para salvar minha raça da destruição.

Comprei mais armas de fogo nessas lojas. Aos 17 anos, meu arsenal consistia em uma carabina militar M-1 de calibre .30 com coronha de carbono dobrável, uma metralhadora russa AK-47 nova, uma Beretta 9 mm, uma pistola semiautomática .380, e, para arrematar, uma escopeta calibre 20 de cano serrado.

Em meados do segundo semestre, eu já era um atirador bastante decente, e já tinha adquirido armas e munições de sobra. Eu não me vangloriava de minha coleção, mas de alguma forma a notícia correu. A polícia suspeitava de que eu tivesse armas ilegais, mas não podia provar nada com base em boatos. Eles não tinham provas concretas para fazer uma busca em minha casa.

Em geral eu levava comigo um revólver quando saía de casa, mas isso tinha um efeito estranho. Além de me fazer sentir poderoso, também me deixava muito paranoico. Qualquer coisa poderia acontecer. As circunstâncias podiam ficar ruins depressa, e eu sabia que não precisava de muita provocação para enfiar a arma na cara de alguém. E eu sabia que, se fosse forçado a sacar a arma, eu teria que usá-la – eu não ousaria não usar e parecer um covarde. Isso me aterrorizava.

Uma noite, cheguei do trabalho bem depois da meia-noite, tirei toda a roupa, ficando só de cueca *boxer*, e me deitei. Mas quando comecei a perder a consciência, um ruído do lado de fora de minha janela me despertou de repente.

Kubiak e eu havíamos distribuído muita porrada na semana anterior. Teria algum daqueles traidores antirracistas vindo se vingar? Seria a cara deles. No escuro, enquanto eu estivesse dormindo. Indefeso. Talvez fosse a polícia. Ou os dois Latin Kings que havíamos atacado atrás de Burr Oak Bowl no mês anterior.

Rolei para fora da cama e rastejei pelo chão até minha cômoda. Enfiei a mão atrás dela e corri a mão pela parede até sentir a coronha de madeira da escopeta de cano serrado.

De longe, vi o perfil do intruso delineado em minha janela pela luz que vinha de trás dele. Alguém estava tentando invadir minha casa. Deslizando ao longo da parede, imaginei cada cenário possível. E se estivessem armados? E se fosse a polícia? Respirei fundo, enchendo os pulmões. Expirei. Abri a cortina de repente, pronto para atirar.

Os olhos que fitaram atemorizados o cano de minha arma não eram de um antirracista. Nem de um crioulo, de um Latin King ou de um policial.

Era minha mãe.

Uma ira súbita me encheu, ira e horror. O que ela estava fazendo, me espionando no meio da noite? Caralho, por que ela não podia me deixar em paz? Meu dedo estava pesado naquele gatilho. Por um fio Buddy e eu não ficamos órfãos de mãe. Eu quase tinha dado um tiro no meio da cara dela.

"Christian, sou eu! Mamma", ela gritou. "Meu Deus, não atire! Por favor não atire!"

Abaixei a arma. Tremendo, ergui a janela, abrindo-a.

"Caralho! Você não pode ficar espionando por aí assim! Que diabos está fazendo?"

Ela caiu entre os arbustos, chorando e tremendo.

"Por que você tem uma arma? Que vida você está vivendo? O que você fez?"

Mamãe ficou de joelhos e soltou um lamento, cobrindo a face com as mãos trêmulas. Ela rezava a Deus.

"Não se preocupe com isso. É para proteção. Só isso. Por precaução." Eu realmente sentia muito.

"Precaução contra o quê?", ela gritou, com olhos suplicantes. "Por que você precisa de proteção?"

Qualquer raiva que eu sentisse dela se evaporou. Seu medo e sua preocupação eram sinceros, autênticos; senti uma pontada de compaixão. Ela podia ser irritante, e às vezes eu tinha vontade de estrangulá-la, mas ela era minha mãe. Pude sentir a tristeza dela, e tive vontade de estender a mão e reconfortá-la, abraçá-la e dizer que tudo ficaria bem, que eu a amava. Eu sabia que ela gostava de mim. Sabia que meu pai também gostava. Mas a vida dele estava tão cheia de coisas que não importava. Eu queria mais para eles, que fossem felizes, que não se preocupassem comigo, mas eles se recusavam a tirar a cabeça da areia onde ficaram enterrados por tanto tempo.

E eu estava indignado. Eles eram os adultos e eu era o filho *deles*. Eles deviam saber que não podiam ter abandonado seu filho. Buddy me contou que eles sempre brigavam por minha causa, e fazia anos que eu não via nenhum deles dar nenhuma demonstração de afeto um pelo outro. Eu sentia pena deles e de suas vidas miseráveis. Mas, mais do que tudo, eu tinha uma profunda sensação de medo – de arrependimento. Eu chegara muito perto de matar minha própria mãe. Estive a uma pequena contração nervosa de estourar a cabeça dela. Meu Deus.

"Vá dormir. Está tarde. Pare de chorar. Está tudo bem."

Fechei a janela e ouvi que ela continuou a chorar, e em seguida teve um ataque de ânsia de vômito. E se, em vez de minha mãe, tivesse sido Buddy à janela?

Fiquei acordado durante horas, tremendo – abalado até a medula, e com remorso por quase ter aberto um rombo na cara de minha mãe. Mas cada vez que começava a cair no sono, exausto pela forma como minha mente rodopiava, a ideia de que eu precisava de mais armas me despertava na hora. Aquela noite tinha provado que alguém poderia vir atrás de mim a qualquer momento. Eu precisava estar preparado.

I.A.Y.

16

MÁRTIR

No meio de todas as reuniões, da música, da violência e das armas, algo muito inesperado aconteceu. Eu me apaixonei. Completamente.

O nome dela era Lisa e ela não queria saber de mim nem de meus ideais.

Nós nos conhecemos por meio de amigos em comum, de Beverly. Eu não estava procurando ninguém. Minha vida estava cheia de responsabilidades para com meu grupo, meu tempo estava todo tomado com a composição e a execução de música *white power*, e minha cabeça estava repleta de preocupações quanto à raça branca e os sérios riscos que ela corria.

Eu tinha um *kit* de sobrevivência. Armas e munição. Um plano de fuga. Quando o governo secreto dos judeus lançasse seu ataque para nos escravizar, eu estaria pronto para me lançar de cabeça na batalha. Para liderar uma revolução como um mártir. Exatamente como Earl Turner havia feito no *Turner Diaries*:

Christian, 1991

Entre aqueles incontáveis milhares, o papel que Earl Turner desempenhou não foi pequeno. Ele ganhou imortalidade para si, naquele sombrio dia de novembro, 106 anos atrás, quando fielmente cumpriu sua obrigação para com sua raça, para com a Organização e para com a sagrada Ordem que o aceitara em suas fileiras. E ao fazer isso, ele ajudou a garantir que sua raça sobreviveria e prosperaria.

Um envolvimento romântico não fazia necessariamente parte dos planos. Claro, eu já tivera minha cota de namoradas e de sexo casual, mas nada sério.

Quando vi Lisa pela primeira vez, não prestei muita atenção nela. Ela frequentava a periferia do grupo de Beverly. Uma bonita roqueira *mod*, que de vez em quando aparecia nas festas acompanhada das amigas da escola católica. Ela estivera um ano atrás de mim na escola, de modo que nossos caminhos sociais não se cruzaram com frequência, mas daquela vez ela chamou minha atenção. É difícil dizer o motivo. Seu cabelo curto castanho-avermelhado? Os olhos verde-esmeralda? O uniforme escolar xadrez? Talvez sua reticência, seu olhar tímido voltado para baixo e sua doce inocência?

O que quer que fosse, me senti atraído por ela.

E assim convidei-a para sair.

"Eu estava pensando se... quem sabe... eu podia levar você ao cinema, ou para jantar, sei lá. Ouvi dizer que *O Exterminador do Futuro 2* é incrível..."

Ela disse não.

Não era uma palavra que eu não estava acostumado a ouvir. As pessoas a minha volta sempre diziam *sim*, e diziam rápido e logo em seguida executavam qualquer ação que fosse necessária.

E ela me disse *não*?

Perdi o sono com a resposta dela, tentando imaginar a razão para que ela não se interessasse. Seria porque ela ainda tinha um ano de ensino médio pela frente e eu já estava formado? Quem sabe era a distância – não morávamos muito perto um do outro. Talvez ela não gostasse de skinheads, ou de minha reputação de briguento. Teria sido o filme? Talvez eu devesse ter sugerido *Dormindo com o Inimigo*, com aquela atriz de *Uma Linda Mulher,* ou *Caçadores de Emoção*, com aquele surfista, Keanu Reeves.

Mas o que era tudo isso, em comparação com o que eu podia oferecer? Eu era bonitão, inteligente, malandro, durão, admirado. Um líder. Eu me dava bem em tudo o que decidia fazer. Era altamente motivado. Ri diante da ideia de que eu podia até ter sido médico se tivesse seguido pela cabeça de minha mãe.

Quem era ela para dizer não.

Ela se recusava a me dar uma chance.

Toda vez que eu a convidava para sair, a resposta era a mesma: um *não* sonoro.

Eu estava puto.

"Mande flores para ela, seu babaca", aconselhou uma de minhas amigas skinhead mais chegadas. "Mostre a ela que você é mais do que um cara fodão. E pare de sugerir filmes de homem. Convide-a para ver algo legal e engraçado, tipo, *Amigos, Sempre Amigos*, ou alguma comédia romântica. Ela deve ser uma garota meiga. Você sai por aí chutando as pessoas nos dentes e se metendo em encrenca com a polícia o tempo todo. Você tem que convencer ela de que é um cara legal."

"Você quer escrever pra mim uma carta de recomendação?", brinquei.

Não havia muitas garotas skinhead por aí, e sempre havia um bando de caras ao redor delas, fossem bonitas ou não. Isso nunca me incomodou, porque o visual "Chelsea Girl" skinhead não me atraía. As tatuagens eram sensuais, mas eu preferia garotas mais femininas, como Lisa, que usava sapatos boneca em vez de coturnos. Fora isso, era agradável ter mulheres por perto, para baixar um pouco os níveis de testosterona.

"Sério. Estou te dizendo. Tente mandar flores."

Eu estava pensando em fazer isso, de qualquer modo. Só não tinha feito porque achei que seria brega demais.

Mas, porra, não tinha como ficar pior. O que podia rolar? Ela dizer *não* de novo?

Assim, mandei um buquê de rosas vermelhas para a casa de Lisa. Eu gostaria de dizer que então me acomodei e esperei, mas seria mentira. Fiquei obcecado com o que faria a seguir. Esperar que ela fizesse o próximo movimento? Ligar para ela e perguntar se havia recebido as flores? Aparecer na casa dela, como se tivesse o direito de estar ali?

Minha chance surgiu algumas semanas depois, quando Lisa convidou a turma de Beverly para ir tomar umas cervejas na casa dela, numa noite em que a mãe estava viajando a trabalho, em um seminário de treinamento de vendas. Era minha oportunidade de me aproximar dela e convencê-la de que eu tinha um lado gentil. Perguntei o que tinha achado das rosas que eu mandara. Ela disse que eram bonitas e que tinha sido um gesto simpático. Depois de passarmos a noite conversando sobre interesses em comum, como música e desenho, ela decidiu me dar uma chance e concordou com um encontro na semana seguinte.

Em nosso primeiro encontro, depois de levar Lisa para casa, tarde da noite, ficamos sentados em meu Chevy Blazer, nos beijando e ouvindo uma fita que eu tinha gravado para ela depois da festa. Havia músicas que ambos gostávamos, The Smiths e Ramones e Social Distortion. Letras sobre amor juvenil e paixão e decepções. Não havia músicas *white power* na fita. Nem sequer as minhas.

Uma chuva constante havia começado a cair, e o ritmo das gotas no teto do carro criava uma cadência tranquila para nosso romance. A pele de Lisa parecia seda sob a ponta de meus dedos, e esforcei-me para conjurar meu lado gentil, tocando o rosto dela enquanto nos beijávamos. Aninhando-a nos braços com ternura.

A umidade da noite abafada de agosto e nossa fogosa troca de beijos fizeram com que os vidros do carro ficassem embaçados, revelando diversas suásticas toscas que Kubiak havia traçado com o dedo no para-brisas uma semana antes, enquanto tocaiávamos uma casa de Blue Island que um grupo de SHARPs havia alugado. Os antirracistas haviam alegado que queriam instalar sua operação mais perto de nós, para poder monitorar mais de perto nossas atividades. Sabíamos que eles tinham se mudado para nosso território só para nos deixar putos. E deixaram. Mas eles não imaginavam que aquilo permitia que nós também ficássemos de olho neles, bem de perto.

Cheguei mais perto e puxei Lisa mais para mim, para tampar sua visão, para que os símbolos não a incomodassem. Mas não fui rápido o bastante.

"Posso te perguntar uma coisa?", disse ela, timidamente, afastando-se de meus braços. "Promete quer você não vai ficar bravo."

"Claro." Acariciei o rosto dela e segurei sua mão. "Que foi?"

Lisa suspirou e afastou o olhar do meu. Percebi, por sua hesitação, que estava para perguntar algo que pesava em sua mente. "Por que tem tanto ódio dentro de você?"

O ar dentro do carro pareceu ficar quatro vezes mais pegajoso assim que a pergunta saiu dos lábios dela. Precisei me acomodar no assento para conseguir me defender de seu olhar perturbador. Naquele instante, eu teria preferido levar um murro no queixo do que ser confrontado com uma pergunta daquelas. Especialmente vinda de Lisa. A pergunta me pegou de surpresa, mas eu sabia que tinha que dar uma resposta, para que houvesse qualquer chance de um segundo encontro.

Assim, eu menti.

"Eu não odeio ninguém. É só que eu amo tanto aquilo que defendo que estou disposto a protegê-lo daqueles que querem acabar com ele."

Eu sabia que aquela resposta era bobagem. Em vez de ser sincero com Lisa, eu tinha repetido um chavão. Era uma prática comum dentro do movimento distorcer nossa agenda de ódio e decorá-la com uma bonita embalagem de "orgulho branco", para consumo do público em geral. A verdade era que odiávamos todos que não fossem iguais a nós.

Sem hesitar, Lisa respondeu:

"Mas então por que você não está fazendo nada positivo? Tudo o que você faz é dizer coisas cheias de ódio e se meter em brigas e machucar gente. Isso não é amor. Isso é violência e destruição e ódio." Os olhos dela suplicavam aos meus a verdade. "Mas quando estamos juntos, você é tão carinhoso e gentil. Qual dos dois é você de verdade?"

A pergunta, feita por Lisa, me deixou pouco à vontade. Nervoso. Eu já havia respondido a mesma pergunta dúzias de vezes antes, quando feita por professores e treinadores e adultos. Quando eu respondia para eles, a resposta não era muito romântica – com a palavra "crioulo" com frequência pontuando meu discurso. Mas, quando essa pergunta saiu dos lábios suaves dela, de repente eu não conseguia juntar as palavras e encadeá-las em uma resposta que fizesse sentido para mim.

A fita cassete no som do carro fez um clique e virou, para começar a tocar a primeira música do lado B. O som familiar das guitarras do Social Distortion me absorveu, e não foi senão quando a letra começou que uma sensação ruim se instalou em meu estômago.

> *I sit and I pray in my broken-down Chevrolet...* [Fico sentado, orando, em meu Chevrolet velho]
> *I'm lonely and I'm tired and I can't take any more pain...* [Estou só e cansado e não aguento mais a dor...]
> *Take away this ball and chain...* [Remova esta corrente com esta bola de ferro...]
> *Take away this ball and chain.* [Remova esta corrente com esta bola de ferro.]

Lisa continuou.

"Se você ama alguma coisa, como pode fazer isso prejudicando alguém?"

A voz dela era suave. Carinhosa. A umidade do ar fazia com que a condensação nas janelas se transformasse em filetes de água que escorriam pelo para-brisa e apagavam os símbolos no vidro. Mas não o pensamento de minha mente. Os olhos dela fitavam profundamente os meus, enquanto meu estômago se contraía cada vez mais. Olhei nos olhos dela e disse:

"Faço isso porque é importante para mim."

"Eu sou importante para você?", ela perguntou.

"Sim."

O vento ficou mais forte e sacudiu com força a picape, assustando Lisa.

Lá fora, a luz da varanda se acendeu e ouvimos a mãe de Lisa gritar o nome dela.

"Foi emitido um aviso de tempestade. Venha para dentro, Lisa."

"É melhor eu entrar antes que a tempestade fique pior. Você também devia ir embora." Ela se aproximou e me beijou nos lábios. "Obrigada pela fita."

Com isso, Lisa abriu a porta da picape e correu para se proteger. Fiquei olhando enquanto ela se esquivava dos pingos de chuva, graciosa, e entrava na casa. A tempestade que fustigava a picape era fichinha perto da tormenta que rugia dentro de mim.

Eu passava com Lisa cada minuto em que estava acordado e não queria nunca sair do lado dela. Ela era inteligente e criativa. Fora nossas divergências políticas, éramos um casal perfeito. Ela era teimosa, mas confiava em mim e se sentia segura comigo perto dela.

Lisa por fim me convidou para ir a sua casa, conhecer sua família, e eles também passaram a gostar de mim. A mãe dela havia sido uma *hippie* no início dos anos setenta, mas por algum motivo o fato de eu ser um skinhead racista não pareceu incomodá-la. Além do mais, ela nunca dizia não a Lisa. A mãe de Lisa a tratava como uma amiga, não como filha. Ela não queria discordar de qualquer um de nós e perturbar a filha.

Ser aceito na casa de Lisa fez com que me sentisse que eu era estável e parte de algo normal. A mãe dela havia se casado de novo, mas o novo marido era um molenga, de modo que Lisa e sua mãe achavam ótimo ter na casa um homem de verdade, que pudesse consertar as coisas e ajudar com o quintal. E não demorou muito para que o irmão mais novo dela começasse a se vestir como skinhead. Eu havia conseguido me introduzir e influenciar meu entorno, como fizera em todas as áreas de minha vida.

Lisa foi a primeira pessoa com quem me abri totalmente. Eu havia me contido mesmo com os High Street Boys, e certamente não compartilhei meus sentimentos mais íntimos com nenhum skinhead. Os líderes não fazem isso.

Mas Lisa e eu tínhamos muito em comum; nós entendíamos um ao outro, logo de cara, em um nível mais profundo. Assim, nós nos abríamos e falávamos sobre nossos sentimentos mais secretos.

Como eu, ela tinha sido criada principalmente pelos avós, e os pais não tinham desempenhado um papel relevante quando ela era criança. Eles eram *hippies* que se separaram quando já não era mais divertido ficar juntos. Lisa tinha apenas 3 anos na época, e seu irmão ainda não havia completado 1 ano. O pai dela nunca mais deu notícias, e Lisa não tinha nenhuma lembrança dele.

Ao se ver sozinha, a jovem mãe de Lisa não teve escolha senão adaptar-se à responsabilidade. Ela conseguiu um emprego na área corporativa, que significava muitas horas de trabalho por dia e pouco tempo para as crianças.

Como eu, Lisa passava a maior parte do tempo com os avós, enquanto sua mãe, como a minha, dedicava-se a construir uma carreira profissional em vez de estar com a família.

Muito antes de qualquer um de nós sequer pensar em ter filhos, havíamos prometido a nós mesmos que nunca seríamos daquele jeito com nossas próprias crianças.

"Vou estar presente em todos os jogos esportivos de que eles participarem", disse eu a Lisa.

"E vou estar também em todos os eventos na escola. Você sabe como é constrangedor que meus amigos nem saibam qual a aparência de minha mãe? Acho que metade deles achava que minha avó era minha mãe e que ela era a mãe mais velha da cidade", disse Lisa.

"Sei muito bem como é isso", lamentei. "Minha mãe não tinha tempo para comprar comida no mercado, ou ela esquecia completamente de me mandar para a escola com o almoço, e eu tinha que me esconder das outras crianças que riam de mim quando ela se lembrava de me trazer comida de alguma lanchonete mais tarde." Dei uma risada. "Pensando bem, acho que meu almoço *sempre* foi melhor do que o dos outros. Eu comia batatas fritas e os outros alunos tinham que comer cenoura crua."

"Acho que eles tinham inveja", riu ela. "Minha mãe acha que somos amigas. Quer dizer, é ótimo que seja fácil lidar com ela e coisa e tal, mas há alguns detalhes da vida dela que eu preferia que ela não me contasse. Por que ela não pode ser uma mãe igual às outras? Sabe, me mandando estudar e coisas normais assim."

"E você obedeceria?"

"Não sei." Ela deu de ombros. "Eu tentaria. E você?"

Sacudi a cabeça e bufei.

"Meus pais têm medo de dizer *não* para mim desde que comecei a andar. Nunca escutei nada do que eles me diziam ou me mandavam fazer. Por que deveria? Você não teria que estar presente na vida de alguém para merecer o privilégio de bancar o modelo a ser seguido e dar ordens?"

"Bem pensado."

Nós conversamos durante horas sobre os erros de nossos pais e como seríamos mais inteligentes do que eles quando tivéssemos nossos próprios filhos, embora estivéssemos falando de modo genérico – Lisa ainda não tinha nem se formado no ensino médio, e eu com certeza não tinha intenção nenhuma de me tornar pai antes mesmo de ter feito 18 anos.

Lisa tinha uma irmã de criação que era dez anos mais nova que ela, da mesma forma que Buddy era dez anos mais novo que eu. Buddy gostava de Lisa e ficava nos espionando; suas bochechas ficavam vermelhas quando nós nos beijávamos e ficávamos de mãos dadas.

"Buddy, eu vi você beijando aquela garota", ele me disse um dia, com um sorriso nos olhos tímidos.

"Você viu, hein?", eu ri. "Algum dia você também vai ter uma namorada. E provavelmente vai querer beijá-la do mesmo jeito."

Seu rosto se contorceu.

"Sem chance! É nojento." Ele disse que era nojento, mas eu sabia que ele só achava engraçado.

"E quando você conhecer uma garota, pode até ser que você se case com ela e algum dia tenha filhos", brinquei.

A expressão de Buddy ficou sombria.

"Ouvi você dizendo a ela que você a ama. Isso significa que você não me ama mais, nem ama mamãe e papai?" Ele ficou olhando para o chão, nervoso.

"Não, é claro que não, Buddy. Por que você acha isso?" Eu me agachei para olhar em seus olhos baixos. "A gente pode amar mais de uma pessoa de uma vez. Eu amo muito você, e sempre vou amar. A gente só não pode amar mais de uma namorada de uma vez só, senão vai arranjar uma bela encrenca."

Nós rimos.

"Podemos ir lá fora e jogar bola?", Buddy perguntou, erguendo os olhos e encontrando meu olhar. Havia tanta coisa naquela pergunta aparentemente tão simples.

"Agora eu não posso. Tenho que ir buscar Lisa. Mas prometo que no fim de semana vamos sair e jogar."

Ele sabia que aquilo não ia acontecer. Outra promessa não cumprida de seu irmão mais velho.

"Tá legal, Buddy."

Meu coração quase parou ao ver a expressão dele. Eu o desapontara de novo. Ele só queria se sentir fazendo parte. Eu compensaria aquilo depois.

Além de termos sido criados por nossos avós, Lisa e eu éramos ambos inteligentes, tínhamos um forte senso de responsabilidade e éramos adultos demais para nossa idade.

Em Lisa, essas características levaram à decisão de que ela queria ser professora.

"Quero fazer diferença", ela me disse, mais de uma vez. "Sabe, ajudar as crianças. Ajudá-las a aprender e a fazer boas escolhas na vida."

Eu a encorajava, ignorando o fato de que eu não encontrava tempo para meu próprio irmão mais novo, que não confiava nos professores e que as escolhas que havia feito não eram nada boas segundo os parâmetros dela. Mas o mundo precisava de mais gente como Lisa. Seu coração bom não conduziria as crianças por caminhos errados.

Mesmo que ela não fosse racista.

Ou uma lutadora.

Na verdade, ela detestava qualquer tipo de preconceito ou violência. Também não morria de amores pelas letras que eu escrevia. Ela não se importava tanto com a música, mas se recusava a admitir a existência das letras. Ela conseguia muito bem fingir que as coisas que não gostava em mim não existiam. E, de algum modo, elas praticamente não existiam quando eu estava com ela.

Quando Lisa e eu estávamos juntos, eu não queria falar sobre supremacia branca e revolução. Parecia fora de contexto. Eu queria discutir coisas pessoais, e assim eu me abria com ela sobre como me sentia solitário quando criança, como meus doze primeiros anos de vida praticamente tinham sido passados desenhando e devaneando sozinho dentro do *closet* de casacos de meus avós; como eu culpava meus pais por me abandonarem; como era difícil viver em dois mundos completamente diferentes, quando eu era jogado de lá para cá entre as culturas contraditórias de Oak Forest e Blue Island. Como eu odiava estar entediado e me sentia chamado para fazer algo especial. Importante. Até mesmo nobre.

Lisa achava estranho que eu tivesse optado por não ir para a universidade.

"Você é tão inteligente! O que vai fazer da vida sem um título universitário?"

"Eu planejo começar um negócio", respondi. "Não se aprende na universidade o que é necessário para ser dono de sua própria vida. Desde pequeno eu trato de descobrir maneiras de fazer as coisas funcionarem. Não preciso de um pedaço inútil de papel para provar que sou capaz."

"Mas você poderia se formar em administração."

"Não é por aí que eu quero ir."

"E por onde é?"

"Por aqui", disse, inclinando-me e beijando-a nos lábios com suavidade.

Passávamos juntos o máximo de tempo que podíamos. Dia e noite.

Não demorei muito para me acostumar. Além da felicidade de adormecer com ela em meus braços e de ver seu rosto toda manhã, assim que abria os olhos, isso fazia com que todos os outros objetivos que eu me colocara parecessem triviais.

Pela primeira vez desde o nascimento de meu irmão, eu me sentia totalmente em sintonia com uma única pessoa.

Construímos um mundo a dois onde nada nem ninguém podia nos atingir. Tocar o rosto dela, sentir sua mão na minha, sua cabeça em meu ombro, fazer amor com ela todas as noites me enchia com uma sensação de completude e de paz que eu nunca havia sentido. Eu conhecia cada olhar dela, sabia como ela se sentia antes que ela verbalizasse, apenas vendo a forma como seu lábio se curvava quando estava preocupada com alguma coisa. As palavras não eram necessárias para me dizer o que ela estava pensando. O tempo que passávamos juntos era maravilhoso. Vulnerável.

E ela me conhecia – minha solidão, o desejo que eu tinha de deixar minha marca no mundo. Ela respeitava isso, e talvez fosse esse o motivo pelo qual não tentava impedir minhas atividades como skinhead, mesmo opondo-se totalmente ao mundo racista em que eu vivia. Sem comprometer suas próprias crenças, ela encontrava modos de apoiar as minhas. E comecei a me apaixonar profundamente por ela.

Lisa era o ingrediente para a felicidade que eu nem sequer sabia que estava faltando. Eu não podia estragar tudo.

Pouco depois do Dia do Trabalho de 1991, o advogado judeu do bundão antirracista Hector Diaz entrou com uma petição no tribunal para que a suspensão de meu julgamento fosse revogada e a acusação de agressão fosse reinstalada. Ele alegou que eu o havia ameaçado durante meu período de liberdade vigiada. Maldito mentiroso dos infernos. Isso poderia significar ir preso, se eles pudessem convencer o juiz de que eu havia agido mal. Se tivesse feito isso, eu teria admitido, não tinha medo, mas eu não havia sequer visto aquele bosta, quanto mais ameaçado o cara.

A polícia me prendeu quando entrei no posto de gasolina EZ-Go, na Western Avenue, para comprar cigarros. Rebocaram minha picape até o pátio de veículos apreendidos. Passei a noite na carceragem de Blue Island, ao lado de uma cela com um mendigo preto bêbado que roncava como uma britadeira e não me deixou dormir a noite toda, e fui libertado quando amanheceu. Não comi nada nem fumei durante doze horas. Eu estava a ponto de explodir, para dizer o mínimo. Outra audiência foi marcada.

De novo eu me vesti de forma respeitosa, portei-me de forma polida e humilde, mordi a língua até ela sangrar e declarei minha inocência de forma bastante clara. O juiz não acreditou em mim. Ou talvez tivesse acreditado, mas sabia que eu não prestava e decidiu me condenar de qualquer jeito.

Para minha sorte, porém, não foi uma sentença pesada, e ainda consegui evitar a prisão. Cem horas de serviço comunitário. Cinco dias por semana, de segunda a sexta, eu teria que me apresentar no tribunal do condado às oito da manhã. Também compareciam outros caras condenados a serviços comunitários, sobretudo por dirigirem bêbados, mau comportamento, não pagamento da pensão dos filhos, infrações graves de trânsito, esse tipo de coisa. Havia dez de nós no total. Fazíamos a manutenção do tribunal ou saíamos em uma van de transporte de presos, com dois policiais, para recolher lixo das ruas ou para carpir terrenos baldios da cidade. Pintei algumas cercas. Fiz isso todos os dias da semana, durante um mês, seis a oito horas por dia para cumprir as horas. De noite fazia pizzas. Nada de mais. Um aborrecimento, mais do que qualquer outra coisa.

Eu estava preocupado com o modo como Lisa encararia este meu problema com a lei, e fiquei aliviado por ela ter levado na boa o fato de ter um criminoso como namorado. Ela acreditava que eu não tinha feito nada errado. Ao menos quanto a ameaçar Hector Diaz.

À medida que os meses de outono vieram e se foram, para mim representaram uma afirmação de progresso, a despeito dos obstáculos legais. Fui a alguns festivais skinhead nos estados sulinos, minha banda ficou conhecida em nossa região natal e até mesmo fora dela, distribuí minha cota de porradas, provei aos antirracistas que meu grupo não ia deixar barato e conheci a garota com a qual eu sabia que algum dia iria me casar.

Os concertos e reuniões ficariam mais raros quando começasse a esfriar, e eu não conseguia imaginar como passaria os dias tão longos sentindo a falta de Lisa, que voltaria às aulas.

Claro que encontrei um modo.

ROCK-O-RAMA
Herbert Egoldt
5040 Brühl, Kaiserstr. 119
Tel. 02232/22584

011 49

MIT LUFTPOST
PAR AVION

MIT LUFTPOST
PAR AVION

Köln Messe

170

170

W.A.Y.
Chris Picciolini
P.O.Box 734
Ill. 60445

RoCK-o-RAMA
RECORDS

HERBERT
KAISERSTR.
D-5040 BRÜ
TEL. 0223
POSTGIROA
KÖLN 16437

IMPORT · HARDCORE · NEW WAVE · PUNK ·

W.A.Y.
Chris Picciolini
P.O.Box 734
Midlothian Ill. 60445
U.S.A.

DATUM 17.

Hello Chris,

thank you for your letter + demo-tape.
Yes, if you like we would produce an lp with your band.
Please tell me any phone-no. I can get you.

Best regards,

17

HAPPY DEATH

Passei o mês seguinte conseguindo entrevistas para o WAY em alguns boletins skinhead, ou "zines", como os chamávamos. As publicações em si eram toscas – fotocópias ruins feitas em copiadoras de má qualidade –, mas isso não importava. Os skinheads estavam acostumados a obter informações desse modo, e liam tudo o que podiam nas poucas coisas impressas que remotamente se pareciam com revistas.

Quando me perguntavam, nas entrevistas, quem tinha me influenciado politicamente, eu não hesitava em responder.

"Politicamente, somos influenciados pelo Partido Nacional Socialista dos Trabalhadores Alemães da década de 1930, e por grupos políticos ingleses contemporâneos, como o National Front e o Rock Against Communism, de Ian Stuart. Nos Estados Unidos, apoio o ex-integrante da Ku Klux Klan e político David Duke."

Carta com a proposta da Rock-O-Rama, 1991

Eu respondia com franqueza a perguntas sobre meus pontos de vista acerca de temas específicos, nem um pouco relutante em torná-las conhecidas. O *Blind Justice* ["Justiça Cega"], um zine skinhead britânico, havia publicado algumas de minhas opiniões no ano anterior. No alto da entrevista, a imagem de uma águia da Juventude Hitlerista, com a suástica no peito e segurando uma espada e um martelo nas garras adornava a página. Com as asas abertas, pronta para o ataque. Um símbolo perfeito para mim, se não para todos os que apoiavam o WAY.

Eis o que eu dizia, no artigo, sobre diversos tópicos:

> *Gays: Acho que todas as bichas deviam ser mandadas para o México e explodidas junto com os mexicanos.*
>
> *Judeus: Eu desprezo os judeus por uma razão simples. Eles corrompem a sociedade com suas mentiras malignas. Os parasitas judeus nos manipulam e controlam nosso governo, o sistema bancário e os meios de comunicação. Detesto os judeus pela mesma razão que todas as civilizações nos últimos três milênios os odiaram e baniram. Eles infectam e matam todas as coisas saudáveis em que tocam.*
>
> *Miscigenação racial: Acho que a mistura de raças deve ser o pior e mais sub-humano ato contra a Mãe Natureza. Logo veremos o fim dessa doença, porque o Dia da Corda* está voltando.*
>
> *Drogas: As drogas são para gente fraca, insegura sobre si mesma, e que precisa delas para anestesiar seus sentimentos e entrar em uma realidade alternativa. Tenho orgulho de quem sou e não preciso da falsa autoconfiança dada pelas drogas.*
>
> *Religião: Sou agnóstico e tendo a não confiar em religiões organizadas, porque elas têm tanta fome de dinheiro quanto os judeus. Eu talvez possa*

* No livro *Turner Diaries*, de William Luther Pierce, o Dia da Corda (em inglês, "*Day of the Rope*") é um evento em que "traidores" da raça branca, incluindo professores, juízes, jornalistas, advogados e mestiços são enforcados pela organização supremacista branca que tomou o controle da Califórnia. (N.T.)

me simpatizar com as crenças nórdicas odinistas de guerra e recompensa. O princípio da Vitória ou de Valhala faz todo sentido para mim.

Sionismo: Os judeus sionistas roubaram a Terra Santa, escravizaram seu povo, pregaram uma estrela de davi nela e deram-lhe o nome de Israel. Apesar disso, eu ficaria satisfeito se todos os judeus se mudassem para lá e ficassem fora dos Estados Unidos.

Capitalismo: Os capitalistas podem apodrecer no inferno com seu maldito dinheiro imundo.

A atenção que estávamos recebendo dessas publicações nos tornou conhecidos no exterior e nos Estados Unidos, mas era só a ponta do iceberg.

Algo muito maior estava em curso.

Durante a última semana em que prestei serviços comunitários por causa da acusação falsa de Diaz, reuni meus companheiros do WAY e fizemos uma fita demo com seis de nossas músicas. Bem tosca. Grosseira. Coloquei um microfone em cima de uma mesa durante um ensaio da banda e tocamos algumas músicas em um único *take* ao vivo.

Na manhã seguinte, corri até o correio e enviei cópias para a Rebelles Européens, famosa gravadora francesa *white power*, e para a Rock-O-Rama Records, lendário selo alemão que lançava os discos de todas as bandas proeminentes skinhead da Europa, incluindo o Skrewdriver.

O selo francês nos ofereceu quase de imediato o contrato para um disco, mas eu queria mesmo o Rock-O-Rama. Eu estava tão confiante que, quando Gaël Bodilis, o proprietário da Rebelles Européens, me ligou para reiterar a oferta que havia me mandado por carta, eu recusei com muita educação, sem ter tido resposta da outra gravadora.

Nas duas semanas seguintes, liguei repetidamente para o escritório da Rock-O-Rama, na Alemanha, para ver se tinham recebido meu pacote.

Depois de mais de uma dúzia de tentativas, ficando acordado até tarde da noite para ligar, por causa da diferença de horário de sete horas, finalmente consegui falar com Herbert Egoldt, o dono da Rock-O-Rama. Ele era jovial. Bem-humorado. Disse que havia recebido nossa fita e prosseguiu dizendo as palavras mais doces que eu já havia ouvido desde que Lisa me disse pela primeira vez que me amava. Ele prometeu enviar por fax, nos dias seguintes, um contrato de gravação.

Por sorte eu tinha roubado um aparelho de fax umas semanas antes, de um vizinho que estava sendo despejado de seu apartamento. Os policiais que o removeram haviam empilhado todas as coisas dele no estacionamento atrás do prédio. Não havia nada mais que valesse a pena pegar, mas vi o aparelho de fax e achei que poderia ser útil. De fato foi.

O contrato chegou, como prometido, alguns dias depois. Em alemão. Ninguém da banda conseguia entender uma palavra daquilo, mas não estávamos nem aí. Aquilo significava que poderíamos gravar um disco. Exatamente o que eu havia esperado. Discutimos a proposta no início de outubro, e fiz a banda assinar de imediato na linha pontilhada e mandei de volta por fax.

Daí a um mês, agendei para gravarmos nosso primeiro álbum em um estúdio chamado Square Bear Sounds, em Alsip, um subúrbio vizinho a Blue Island. O proprietário, Doc Beringer, cultivava pés de maconha no quarto dos fundos, e estava sempre chapado. Ele gravava sobretudo bandas de rap de pretos, embora parecesse um cara branco normal, que você nunca imaginaria que andasse com bandidinhos crioulos. Ele se divertiu com nossa música abertamente racista, mesmo não sendo um intolerante. Acho que pensava que nossa banda era uma paródia extravagante. Tipo uma versão vulgar de Weird Al Yankovic,* ou algo assim. Ele até

---

* Comediante satírico, parodista, músico e produtor norte-americano, muito popular nos Estados Unidos por suas músicas satirizando a cultura popular e imitações hilárias de artistas como Madonna ("Like a Surgeon"), Michael Jackson ("Eat It") , Nirvana ("Smells Like Nirvana"), entre outros. (N.E.)

deu sugestões de trechos musicais que poderíamos samplear e adicionar a nossas músicas, para torná-las ainda mais agressivas.

No estúdio, tocamos uma música atrás da outra – treze, no total –, incluindo uma versão empolgante da música "White Power", do Skrewdriver. Alteramos a letra de leve, para que fizesse mais sentido para os fãs americanos e de nossa cidade natal, Chicago:

> *Multiracial society is a mess* [A sociedade multirracial é um caos]
> *We ain't gonna take much more of this* [Não vamos tolerar isso por mais tempo]
> *What do we need?* [Do que precisamos?]
> *White Power! For America* [Poder branco! Para os Estados Unidos]
> *White Power! Today* [Poder branco! Hoje]
> *White Power! For Chicago* [Poder Branco! Para Chicago]
> *Before it gets too late.* [Antes que seja tarde demais.]

Sendo músicos "mais experientes", Larry e Rick podem ter curtido estar em estúdio, mas eu *adorei*. Apesar do fedor de maconha entranhado em cada móvel velho, e da falta de papel higiênico nos banheiros imundos e cheios de baratas, o processo de gravar cada instrumento em um canal separado me fascinou.

Mixar os sons individuais de forma independente, acertar os níveis, encontrar os tons exatos que as músicas mereciam. O som dos enormes rolos de fita magnética rodando, e o barulho da fita – onde por mágica a música ganhava vida – batendo no console de gravação rolo a rolo quando ela chegava ao fim eram uma alegria para meus ouvidos. As válvulas, lâmpadas e medidores que brilhavam me faziam pensar nas luzes brilhantes de uma cidade. Me inspiravam. Tudo à espera de ser mixado como um quebra-cabeça artístico gigante sem uma ilustração de referência – peça a peça; era como solucionar um mistério de espionagem internacional. Juntando as peças variadas, o resultado final seriam músicas completas com letras poderosas, que milhares de pessoas cantariam.

Glorioso.

Antes de entrarmos em estúdio, Davey havia nos comunicado que estava fora. Ele tinha uma oportunidade concreta de se tornar um skatista profissional, e lançar um disco racista teria uma influência negativa sobre suas chances. Nós não queríamos atrapalhá-lo, e assim ele saiu e conseguimos um novo baixista, Skinhead Mark, para ocupar seu lugar. Infelizmente, antes disso Davey "compôs" uma música que inadvertidamente gravamos e incluímos no disco, sem saber que ele tinha pego o gancho principal, acorde por acorde, de uma banda *hardcore* de Nova York chamada Sick Of It All.

Apesar disso, o clima do estúdio era eletrizante. Literalmente.

Já bem avançados em uma longa sessão noturna de gravação, enquanto eu gravava minha letra, acidentalmente derrubei uma cerveja no chão da cabine de voz. Tentando não interromper o trabalho, pois o tempo e a grana eram limitados, agarrei o microfone e imediatamente fui arremessado para trás, de encontro à parede. Minha bota estava no meio da poça de cerveja quando segurei o microfone vagabundo, e quase morri com o choque elétrico.

Se você escutar com atenção a faixa "Happy Death" ["Morte Feliz"] – irreverentemente batizada em honra a minha quase morte – dá para ouvir um leve estalo no ponto onde fomos incapazes de eliminar por completo a flutuação de som do canal sem ter que refazer a música inteira.

Eu não estava nem aí. Teria morrido feliz.

Gravamos e mixamos o disco inteiro em cinco dias, por exatamente 1.372 dólares, pagos pela Rock-O-Rama. O álbum foi prensado primeiro como LP de vinil, e no ano seguinte saiu como CD, quando esse formato se popularizou. Ele foi listado oficialmente como Rock-O-Rama nº 123: White American Youth, *Walk Alone*. Foi vendido principalmente na Europa, embora também estivesse disponível em algumas lojas de disco do Canadá. Mas, de forma geral, quem morasse nos Estados Unidos tinha que importá-lo da Alemanha, pagando por ordem de pagamento postal. Eu estava orgulhosíssimo.

Do ponto de vista financeiro foi um péssimo negócio para nós. Não ganhamos um centavo nem recebemos cópias promocionais gratuitas, como costuma acontecer com as bandas. Sem saber, havíamos assinado um contrato que destinava cem por cento dos direitos de nossas músicas gravadas, em perpetuidade, à gravadora. Sentindo-me ao mesmo tempo furioso e idiota, arranjei alguma grana e encomendei cinquenta cópias do disco a preço de atacado, e vendi-as a nossos amigos pelo mesmo valor, para não passar vergonha. A gravadora cuidava de toda a distribuição no atacado.

Todo mundo em Blue Island e na região de Chicago sabia que tínhamos gravado o álbum. Éramos celebridades, embora eu não passasse a ser tratado de forma muito diferente, pois já me tratavam muito bem; mas para mim era a cereja no alto do sundae *white power*. Mais um triunfo em meu currículo.

Alguns antirracistas tiveram uma reação surpreendente e desertaram para nosso lado por causa do disco. A garotada local curtia que alguém da vizinhança tivesse de fato lançado um disco, e todos queriam fazer parte da brincadeira.

Apesar da forma confusa como a Rock-O-Rama divulgava seus lançamentos e gerenciava sua relação conosco, não demorou muito para que o disco se tornasse popular entre os skinheads. Oficialmente nos juntamos às fileiras das primeiras e poucas bandas americanas de *white power*. Estávamos em boa companhia, junto com Bound For Glory, Bully Boys, Arresting Officers, Max Resist & the Hooligans e Midtown Bootboys. Uma companhia gloriosa, em minha opinião. Além do WAY, o Bound For Glory era a única outra banda americana ativa no lendário catálogo da Rock-O-Rama.

Conseguir tocar no mesmo show que o Bound For Glory continuava a ser importante para mim. Originários das Cidades Gêmeas* de Minnesota, essa era a banda *white power* da qual todos os skinheads falavam.

* Região metropolitana do estado de Minnesota, Estados Unidos, assim chamada por conta das duas cidades principais que a formam, Minneapolis e Saint Paul. (N.T.)

Muitos a chamaram de "o Skrewdriver dos Estados Unidos", depois que a Rock-O-Rama lançou o primeiro álbum da banda, *Warrior's Glory*, no ano anterior, muito bem recebido pela crítica skinhead. O estilo deles era diferente da maioria das outras bandas *Oi!* britânicas ou americanas, com um sabor *trash metal* próprio respaldando suas letras afiadas. O Bound For Glory logo se tornou a banda que todos queriam imitar e com a qual queriam estar associados. Para mim, era uma prioridade fazer com que nossas bandas tocassem juntas.

No início, os ensaios eram atrapalhados. Antes de produzirmos o disco, metade do grupo não sabia como tocar os instrumentos e nenhum de nós tinha participado de uma banda antes. Mas demos duro e construímos algo sólido, sem nenhum manual ou orientação. Poucos skinheads *white power* haviam percorrido aquele caminho antes de nós. E nós perseveramos. Tínhamos a confiança adquirida com o fato de termos o respaldo de um disco e de um selo respeitado, de sermos um grupo de amigos decididos a fazer uma música que tivesse significado e de desejarmos vencer contra todas as probabilidades.

Tudo aquilo era tão empolgante que não dava para expressar com palavras. Eu havia montado a banda, escrito todas as letras e, apenas dois meses depois da gravação da fita demo, tinha conseguido um contrato que com o tempo nos permitiu vender dezenas de milhares de discos no mundo todo. Havíamos feito uma dúzia de shows, principalmente em enfumaçados salões dos Cavaleiros de Colombo, ou nos porões embolorados de amigos. Mas agora tínhamos o carimbo real de validade. Não estávamos apenas no nosso caminho.

Nós *éramos* o WAY – o caminho.

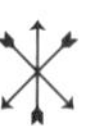

Não muito depois de lançarmos o disco *Walk Alone*, no início de dezembro de 1991, fui preso novamente. Para manter vivo o movimento – para ter certeza de que meu nome estaria marcado a fogo no cérebro de cada aluno do ensino médio –, eu e um de meus companheiros fomos até a Eisenhower para um protesto de apoio aos estudantes brancos. Sacudimos grandes cartazes com os dizeres "Orgulho Branco", exigindo "Direitos Iguais para os Brancos". Eu havia combinado com mais ou menos uma dezena de garotos brancos da escola, para que se juntassem a nós, promovendo uma ocupação da cafeteria e recusando-se a voltar para a sala de aula até que a escola concordasse em permitir um diretório de estudantes brancos, para fazer frente aos vários grupos estudantis de minorias já existentes.

Os carros tocavam as buzinas, tanto em aprovação quanto em desdém. Os pedestres que passavam lançavam gritos de apoio ou projéteis de desaprovação. Uma equipe de reportagem apareceu. A polícia chegou. Os jovens manifestantes dentro da escola sucumbiram à pressão de uma suspensão iminente e foram enviados de volta às salas de aula. Embora eu não tivesse em momento algum deixado a calçada pública, fui preso e acusado de invasão criminosa da propriedade da escola, uma vez que eu já não era estudante de lá. A medida cautelar de afastamento anteriormente emitida não facilitava em nada as coisas. A demonstração foi noticiada nos jornais locais, e um sargento da polícia de Blue Island me identificou, na matéria, como um dos "chefes dos agitadores supremacistas brancos de Chicago".

"E com muito orgulho", eu teria acrescentado se o repórter tivesse se dado ao trabalho de me entrevistar.

Belgien
91

18

MARCHA DA VITÓRIA

Por fim, depois de meses de trabalho duro, iríamos tocar no mesmo local, no mesmo palco que o Bound For Glory, minha banda *white power* americana favorita. Eu havia mantido alguma correspondência com eles, mas o interesse era muito mais meu do que deles. O WAY já estivera agendado para tocar com eles duas vezes antes, mas as festas e concertos dos skinheads rotineiramente eram cancelados quando algum promotor retardado se apavorava achando que podíamos criar encrenca.

Mas agora iríamos tocar com o Bound For Glory em Muskegon, Michigan. E não ia ser em nenhum porão ou festinha de estudantes. Tocaríamos em uma casa noturna de verdade. A The Ice Pick. Era no meio de um gueto, mas era um legítimo reduto de punk rock. O interior do lugar já tinha visto um bocado de rock'n'roll, com cada centímetro das paredes coberto com pichações niilistas. O cheiro de mijo e de cerveja velha era sufocante.

Concerto do White American Youth no The Ice Pick, Muskegon, Michigan, 1991

No dia do concerto, a The Ice Pick estava tomada por ao menos trezentos skinheads *white power* de todo o Meio Oeste e da Costa Leste. Uma caralhada de jovens arruaceiros, cheios de ódio e fúria, só esperando por uma desculpa para irromper em violência. O clube estava tão lotado que fiquei surpreso por não terem chamado a polícia para cancelar o show. Mas ninguém quis se meter conosco.

Agi com naturalidade ao me encontrar com o Bound For Glory pela primeira vez, decidido a não deixar transparecer qualquer traço de ansiedade de fã. Era importante que eu fosse visto como um igual, mesmo estando levemente deslumbrado e sendo muito mais novo que eles.

Apesar de meu nervosismo, Big Ed Arthur, guitarrista e líder do Bound For Glory, e eu nos demos bem logo de cara. Parecia que a gente se conhecia havia anos. Tornamo-nos grandes amigos, unidos pelo fato de ambos sermos americanos de primeira geração. A família dele havia emigrado da Croácia, mais ou menos na mesma época em que a minha tinha vindo da Itália.

Mas assim que o WAY subiu ao palco, um skinhead da Costa Leste bêbado que estava na plateia jogou uma lata de cerveja em Rick, nosso guitarrista, e provocou-o por causa de seu longo cabelo de metaleiro.

"Seu lixo *hippie*!", ele balbuciou, indo na direção de Rick, os punhos erguidos. "Vou chutar seu rabo comunista."

Furioso por alguém querer bater em Rick, pulei na frente dele, pronto para moer de porrada aquele babaca bêbado bem ali no palco, na frente de todos.

Big Ed pulou no palco em um movimento rápido e seguro, e colocou-se entre nós. Seu olhar comunicava àquele cara muito mais coisa do que o que saía de sua boca.

"Eles estão comigo."

O bêbado recuou sem hesitação. Todos respeitavam Big Ed. Ele era um sujeito corpulento como um urso, todo tatuado. Era difícil não ser intimidado por ele. Gostei de seu jeito de lidar com a situação. Fiz uma anotação mental. Um poder sem exaltação e palavras bem escolhidas podiam vir a calhar. Uma força silenciosa. Arquivei o conceito para uso futuro.

Mas não ficou tudo bem. Depois de tocarmos, Rick estava doido para ir embora.

"Isso é maluquice", ele disse. "Aquele filho da puta queria me matar!"

Tentei acalmá-lo, mas ele não queria saber. Sendo um racista de meio período, Rick não estava acostumado com a violência que vinha junto.

Rick ainda fervia de raiva quando pegamos a estrada, voltando de Michigan, e as coisas ficaram piores quando paramos em um posto para fazer uma ligação e recebemos a notícia de que um companheiro skinhead de nosso grupo, Jason Silva, tinha dado 21 facadas na namorada durante uma briga de casal. Merda. Todos tínhamos sido amigos chegados de Jason e sua garota. Sempre brincávamos que tudo o que faziam era discutir como namorados ciumentos, como desculpa para depois treparem como coelhos e fazerem as pazes. Quem sabe devíamos ter sacado. Jason era possessivo demais, mas nunca pensamos que poderia agredi-la fisicamente. Para eles, era paixão total ou agressão descarada, mas nunca violência. Eles se amavam.

E agora ele havia esfaqueado a garota 21 vezes?

Puta que me pariu.

Eu me senti mal com aquilo, esperando que ela escapasse. Ela sobreviveu, mas o horror daquilo era surreal. Ficamos sem ter o que dizer pelo resto da viagem.

Eu sabia que, entre ser confrontado no palco e agora aquela notícia, Rick não ficaria muito tempo mais no WAY. E, se ele saísse, Larry, nosso baterista, sairia junto. Eles eram grandes amigos. Sempre tinham sido. Ficariam juntos. Como amigos devem fazer. Eu não os culparia por isso.

Na mesma hora comecei a pensar em quem poderia substituí-los. Eu tinha acabado de declarar, no zine skinhead belga *Pure Impact*, que estávamos planejando lançar um segundo álbum com nove músicas. Iam zoar muito comigo se a banda desaparecesse logo depois de ter começado. Eu tinha que montar outra banda. E rápido.

Enquanto isso, minha vida pessoal não podia estar melhor. Embora a escola ocupasse os dias de Lisa, passávamos as noites juntos. Nunca nos faltava assunto para discutir. Eu queria ouvir tudo o que ela tinha feito durante o dia. Nada do que ela dizia me entediava. Eu mantinha só para mim a maioria de minhas atividades de skinhead, não querendo que Lisa fosse tocada pelo horror que às vezes explodia. Eu compartilhava as vitórias – o progresso com a composição de novas músicas, alguma conversa interessante que tinha com alguém que admirava –, mas nunca discutia as lutas ou os dramas. E com certeza eu nunca usava com ela a mesma linguagem que usava nas ruas. Nosso amor era puro, e nada minimamente sujo tinha lugar no mundo que compartilhávamos. Era um bom alívio da loucura constante.

Uma noite, quando eu estava deitado na cama observando Lisa dormir, uma profunda sensação de paz me invadiu. Não tínhamos feito amor naquela noite, mas minha paixão não precisava da união física para me inundar de sentimentos por ela. Como havia se tornado nosso hábito, nós nos declaramos um ao outro antes de cair no sono. Debruçado sobre ela, apoiado em um cotovelo, fiquei observando seu peito subir e descer a cada respiração.

Como eu podia ter tanta sorte? Eu amava tudo nela – a doçura, a sinceridade, o intelecto, a lealdade, a bondade. Havíamos conversado várias vezes sobre passar o resto de nossas vidas juntos. Nós dois queríamos ter filhos algum dia, e eu adorava saber que ela só podia imaginar tê-los comigo. Eu admirava sua seriedade quanto a ajudar crianças, e havia me acostumado com seus planos de se tornar professora. Talvez ela achasse um modo de mudar o sistema. Nem todos os professores tinham que passar adiante uma visão de mundo falsa. Lisa seria diferente. Eu tinha certeza de que ela era inteligente o bastante para não permitir que a universidade lhe fizesse uma lavagem cerebral.

Quando aquele pensamento me ocorreu, uma súbita percepção o acompanhou. Se ela se mudasse para ir à universidade, iríamos ficar separados. Ela viveria em um mundo que não me incluía. Seria um golpe muito mais forte do que qualquer um que eu tivesse recebido nas muitas brigas em que me envolvi.

Eu poderia perdê-la – eu *iria* perdê-la –, se ela fosse para a universidade.

Sem mim lá para protegê-la, a experiência iria mudá-la.

E eu estaria sozinho de novo.

Mas não era apenas estar sozinho de novo o que me aterrorizava: era estar sem *ela*.

Aquela ideia era insuportável, e lutei para respirar. Entrei em pânico e o medo me dominou.

A vida sem ela era impensável.

Havia apenas uma solução. Eu precisava mantê-la comigo.

Eu teria que pedi-la em casamento.

Não era suficiente dizermos um ao outro que ficaríamos juntos para sempre. Tinha que ser oficial. Ela tinha que dizer *sim*, tinha que se casar comigo.

Bloqueei a voz que me condenava por aquela atitude tão egoísta. Que sabia que o casamento poderia significar uma grande mudança nos planos dela para a universidade, para seu próprio futuro. Eu a queria comigo; o que ela mesma pensava que queria era secundário. E estaríamos juntos. Era o que ela mais precisava, certo? Eu sabia o que era melhor para nós dois. Eu era aquele que era forte. Eu era o líder. Era meu destino.

Comecei a planejar o pedido. Toda a preocupação quanto a perdê-la desapareceu quando comecei a visualizar nossa vida juntos.

Com o pouco dinheiro que eu havia economizado fazendo pizzas, comprei um anelzinho barato de noivado, sem saber como ou quando eu lhe pediria que se casasse comigo. Ela ainda estava no último ano do ensino médio. Mas eu sabia que não podia esperar até que ela se formasse.

Incontáveis cenários passaram por minha cabeça. Quando e onde seria. O que eu diria. A expressão do rosto dela. Se eu seria capaz de aguentar firme quando pedisse a ela.

O momento chegou inesperadamente em dezembro, logo após meu aniversário de 18 anos. Lisa e alguns de nossos amigos de Beverly fizeram para mim uma festa-surpresa de aniversário atrasada. Eu estava rodeado por pessoas que me amavam e que eu amava, pessoas que gostavam de mim o suficiente para planejar aquele evento especial, e eu soube que o momento não podia ser mais perfeito.

Diante de todos, segurei a mão de Lisa, ajoelhei-me com um só joelho e declarei:

"Eu te amo, Lisa. Não posso imaginar minha vida sem você".

Ela ficou chocada, olhando em volta para os rostos igualmente surpresos de nossos amigos, sem dizer uma palavra. Exclamações entusiasmadas se tornaram contagiantes a nossa volta, por toda a sala.

"Ninguém me faz feliz como você", consegui dizer antes que minha voz ficasse embargada. Limpei a garganta. "Você me daria a honra de ser minha esposa?"

Ela foi pega de surpresa. Claro, havíamos falado sobre casamento antes, mas nunca nada muito definido. Não fazia nem um ano que estávamos namorando. Nem meio ano. Mas ela não hesitou:

"Sim", disse. "Sim!"

Tomei sua face delicada nas mãos e a beijei nos lábios. O silêncio na sala foi rompido pelos vivas e pelos brindes com garrafas de cerveja. As garotas limpavam os olhos úmidos.

Eu tinha 18 anos. Estava apaixonado. E comprometido a me casar com uma garota de quem gostava imensamente.

Eu ia me assegurar de que ela nunca se arrependesse de ligar sua vida à minha. Lisa teria orgulho de ser minha esposa, e comecei a ver meus atos através dessas lentes.

Através dos canais de comunicação dos skinheads, fiquei sabendo que o Bound For Glory iria para a Alemanha em março de 1992, para dar um show. Com isso, seria a primeira banda *white power* americana a tocar em solo europeu. Eles fariam história.

Eu precisava fazer parte disso. Não me importava que o WAY tivesse acabado com a saída de Larry e Rick. Eu tinha criado uma nova banda na mesma hora, chamada Final Solution, em homenagem à banda original que Clark, Carmine e Chase Sargent haviam formado por um breve período no início de 1985, no surgimento de todo o movimento skinhead *white power* americano. Eu tinha três meses para preparar a banda para a viagem.

Depois de alguma hesitação, decidi escrever para Clark na prisão sobre isso. Pedi sua permissão para ressuscitar o nome Final Solution. Haviam se passado dois anos desde que tínhamos nos correspondido, e os materiais que de vez em quando ele ainda mandava beiravam o absurdo e o repulsivo. Para mim estava claro que Clark tinha alguma doença mental grave. As descrições pornográficas relativamente benignas de mulheres deram lugar a relatos sádicos e desconexos de violência sexual e tortura.

Quando por fim recebi a carta de Clark com sua bênção para o uso do nome, não respondi agradecendo. Pensar, mesmo por um instante, em como esse tipo de ideia pervertida podia entrar na mente de alguém e escapar por seus lábios revirava meu estômago e fazia com que me sentisse sujo. Apressei-me em deixar isso para trás e segui adiante.

Desta vez, todos os membros de minha banda eram skinheads. Dois novos guitarristas, Mack e Hugo, eram do grupo Hammerskin de Indiana. O baterista Kenny Flanagan, amigo deles, completava a banda. O único membro do WAY que compunha minha nova banda era Skinhead Mark, o baixista, que meses antes havia substituído Davey, quando este havia caído fora para seguir seus sonhos como skatista.

Investigando um pouco, descobri quem estava promovendo o concerto alemão. Telefonei para o cara uma noite e disse que eu já tinha feito uma turnê com o Bound For Glory nos Estados Unidos, e insisti para que minha banda viajasse com eles para esse concerto. Não houve qualquer resistência da parte do promoter. Ele mais ou menos disse que tudo bem; se conseguíssemos chegar lá, ele nos deixaria tocar.

Assim, liguei para Big Ed, do Bound For Glory, e lhe disse que também iríamos para a Alemanha. Eles estavam sendo pagos para tocar e teriam um lugar onde ficar. Informei a ele que pagaríamos por nossa própria viagem e que encontraríamos onde ficar, mas que iríamos nos encontrar com eles lá. Ele pareceu feliz por estarmos indo.

Eu mal podia esperar para contar a Lisa as novidades. Ela iria comigo, claro. Passaria seu aniversário de 18 anos comigo. Eu queria que vivêssemos juntos esse momento especial, mesmo que ela não quisesse ter nada a ver com o concerto. Ela adorava fotografar e fazer esboços de arquitetura, e achei que podíamos viajar juntos e nos separar quando eu tivesse que cuidar de negócios da banda. A Alemanha tinha uma abundância de monumentos históricos e cenários deslumbrantes, que poderiam mantê-la ocupada semanas, tirando fotos e desenhando. E daí que o concerto seria em março, e que ela ainda estaria em aula? Eu queria que ela fizesse parte daquela história.

Dar um jeito de tocar na Alemanha havia sido simples, mas não pense, por um minuto, que eu não havia conquistado o direito de estar lá. Fazia cinco anos que eu comparecia a reuniões, distribuía material impresso e recrutava gente para nossa causa, muito mais tempo do que a maioria dos skins estava no movimento. De todo mundo que conheci no país inteiro, com frequência eu era o mais novo – mas quase sempre o mais ativo. Eu havia montado não apenas uma, mas duas bandas *white power* bem conhecidas, sabendo que ter uma banda era um jeito seguro de ganhar status e de deixar uma impressão duradoura. O que talvez me faltasse em talento musical eu tinha em coragem, e as duas bandas que montei me garantiram fãs instantâneos. E isso se traduzia em mais skinheads, mais soldados e mais atenção.

As táticas de recrutamento para meu grupo Hammerskin haviam mudado seu foco, da impressão e distribuição de folhetos a estranhos para a produção de música, usada como uma ferramenta de marketing direcionado para manter felizes e engajadas as massas de novos recrutas, que agora vinham por vontade própria.

Desde que conhecera Lisa, eu tinha perdido quase que por completo o interesse em brigar, e me contentava com simplesmente reger o caos, como um maestro conduzindo uma sinfonia. Conquistar o *patch* dos martelos cruzados para sua jaqueta de aviador tornou-se uma obsessão para os novos recrutas, e era eu quem controlava o acesso deles. Havia regras rígidas como se abster de drogas e respeitar os irmãos. Um breve período de experiência permitia que a nata subisse à superfície e que os rebeldes fossem eliminados. Eu estava satisfeito com minha posição no alto da pirâmide dos Hammerskins de Illinois, que ainda deixava tempo suficiente para que me dedicasse à banda e a minha linda noiva.

Uma coisa surpreendente quanto aos skinheads, porém, era que, apesar de todo o medo que a mídia propagava, o número de membros era na verdade bem reduzido. No país todo, havia talvez menos de cinco mil skinheads racistas – dos quais apenas uns quinhentos eram Hammerskins – e, no entanto, éramos considerados uma força formidável. Das polícias locais ao FBI, os agentes da lei molhavam as calças pensando no que poderíamos estar tramando ou onde apareceríamos a seguir. Os adultos das minorias viam um cara de cabeça raspada, tatuagens e botas Doc Martens em sua cidade e saíam correndo atrás de corretores de imóveis e tinham conversas sérias quanto a tirar seus filhos da escola pública local.

Chamamos a atenção da nação depois que Marty Cox chamou Oprah de macaca em cadeia nacional, e cimentamos o medo e o ódio públicos dois anos depois, quando um skinhead arrebentou o nariz de Geraldo em seu programa de entrevistas. Entre nós, ainda ríamos daquilo.

Cada vez que um skinhead dava um soco, arrumava uma briga, atacava alguém com violência ou conspurcava uma sinagoga, a mídia caía em cima e nos demonizava como radicais de extrema-direita – terroristas nacionais. Assim, não precisávamos ser muitos para instilar o medo no coração dos Estados Unidos. Cinquenta de nós numa festa era motivo suficiente para chamar a equipe da SWAT, o FBI e a Guarda Nacional. À medida que nossos números cresciam, nosso comportamento violento também crescia.

Anteriormente, no verão tórrido de 1990, dois skinheads de Houston, Texas, pisotearam um vietnamita de 15 anos até a morte. De acordo com um dos assassinos, as últimas palavras do garoto foram: "Que Deus me perdoe por ter vindo para este país. Sinto muito".

No ano seguinte, outros Hammerskins do Texas acertaram um crioulo ao passarem atirando. Ele tinha sido visto na companhia de alguns traidores brancos.

Alguns meses mais tarde, skinheads da Aryan National Front, de Birmingham, Alabama, surraram até a morte um vagabundo sem-teto preto na véspera de Natal. Pouco depois, quatro outros skinheads esfaquearam e mataram um outro imprestável. Na minha opinião, aquilo era remover o lixo das ruas.

E, ainda assim, enquanto meus irmãos skinhead estavam lá fora, patrulhando a terra natal e cuidando dos muito necessários assuntos do movimento, eu não podia deixar de reconhecer a gratidão que, bem lá no fundo, eu sentia por meus pais imigrantes, tão trabalhadores, e por tudo que eles tinham conseguido, a duras penas, desde que chegaram aos Estados Unidos. Embora raramente nos reuníssemos para desfrutar dos confortos que seus esforços nos propiciaram, eles colocavam comida em nossa mesa, um teto sobre minha cabeça e eu tinha acesso a luxos que muitas vezes estavam acima de nossos meios financeiros. Eles tinham encontrado meios de me garantir um lugar na sociedade – de me erguer acima do lixo –, apesar da ausência de sua afeição física. Eu tinha achado algo para preencher o vazio que restava. E as duas metades formavam um todo abundante.

Nossos contingentes podiam não ser grandes em comparação com outras gangues de rua, mas os skinheads *white power* estavam espalhados por todos os lugares, e presentes em cada canto do país. Nós nos revezávamos promovendo reuniões e festas onde nos encontrávamos para trocar informações e nos motivar uns aos outros, de modo a continuarmos lutando o bom combate. Não é muita gente que faria uma longa viagem para ir a encontros chatos, mas adicione à programação velhos amigos, uma música *white power* agressiva e cerveja, e com certeza os caras e meninas skinhead viajariam centenas de quilômetros para se embebedar e curtir a música das poucas bandas que falavam a sua língua.

Os encontros de skinheads eram como grandes comemorações *white power*. A energia nesses eventos reacendia nossas chamas cansadas e nos colocava na disposição mental correta para continuarmos assediando o inimigo. Eles davam aos outros, que compareciam apenas para curtir a música, mais uma chance de se juntarem a nossos intrépidos esforços de salvar a raça branca. É muito difícil ouvir horas e horas de música agressiva, pregando a necessidade de combater quem está tentando destruir as pessoas que você ama e não sair de lá puto da vida, pronto para fazer algo quanto a isso.

Em geral, a música era precedida por oradores. Às vezes eu era um deles. Subíamos no palco e dávamos o tom, informando que nossa nação estava em perigo. "Heil Hitler", dizíamos.

As mãos se erguiam com a precisão de uma brigada nazista bem treinada. "Heil, Hitler", gritavam os devotos em resposta.

"Nosso objetivo hoje é simples. Estamos aqui para ouvir um pouco de música *white power*."

Assobios, ovações. Saudações de braços erguidos de quem não estava com as duas mãos ocupadas com garrafas de cerveja barata.

"E estamos aqui para assegurar a existência de nossa raça e um futuro para as crianças brancas."

Invariavelmente, a resposta era ensurdecedora.

"Aposto que vocês conhecem pessoas que não querem que a gente esteja aqui hoje. Que tentaram impedir este encontro pacífico."

Mais ovações e botas batendo no chão.

"Mas elas não podem nos deter", o orador gritava ao microfone. "É nosso direito inato podermos nos reunir aqui e exercer nosso direito de falar livremente. O que os judeus intrometidos que governam este país e que são donos dos meios de comunicação mais desejam é nos calar, porque eles sabem que estamos a par de seu esquema secreto sionista de destruir a raça branca e controlar o mundo. Eles sabem que estamos de olho neles. Temos a coragem e o motivo para ir atrás deles e abatê-los.

"Os pretos estão com eles, e não vão descansar até que todos nós sejamos acorrentados. Se os tivéssemos expulsado do país como devíamos ter feito quando a escravidão foi abolida, pendurado todos eles nas pontes pelos pescoços imundos, não estariam aqui para poluir nossas cidades e vender crack para crianças brancas inocentes. Não estariam estuprando nossas mulheres e vivendo dos salários que ganhamos com tanto esforço."

Nessa altura, não fazia diferença o que o orador tinha a dizer. A multidão já estava alucinada, as palavras perdendo-se em seu fervor. Pronta para a música.

A banda começava a tocar. Guitarras ensurdecedoras. Bateria ribombando. Palavras malignas de fé vomitadas no microfone.

Glória ao homem e à mulher brancos.

Mas não sem um preço.

No fim do show, as brigas explodiam por todo o lugar. Os skins de Atlantic City contra os skins de Buffalo. Os skinheads da velha guarda se estranhando com os novatos superzelosos. E pode apostar que haveria também brigas entre mulheres. E com o número de homens no movimento muito superior ao de mulheres, com certeza alguém ia tentar comer sua namorada, e a porrada ia rolar.

Aquilo tudo era um saco.

Patético.

As coisas em Blue Island não poderiam estar melhores para mim e para meu grupo, mas comecei a ter incômodos acessos de pensamentos racionais quanto aos outros que faziam parte do movimento. A mentalidade equivocada de galo de briga – a agressividade inerente que os skinheads demonstravam até contra seus companheiros – que se manifestava com tanta frequência nesses encontros não casava com minhas próprias sensibilidades. De onde eu vinha, a unidade e o respeito eram fundamentais. Os amigos se ajudavam entre si e não ousavam irritar uns aos outros. Em nosso grupo havia um senso de lealdade. Fosse entre os skins do CASH, fosse entre os colegas da Eisenhower e até entre os High Street Boys, havia um vínculo especial que nos empurrava para a frente – juntos. Mas fora de nossa bolha de Chicago, tão unida, era como se os outros agissem com uma ausência total de raciocínio. Eu não estava acostumado com o comportamento que testemunhava, sobretudo quando eram os chamados irmãos e irmãs que socavam a cara um do outro, por coisas triviais que pouco significavam no grande esquema daquilo pelo qual supostamente lutávamos.

Para mim ficava mais e mais difícil me convencer de que a maioria dos skinheads que eu tinha conhecido ao longo dos anos não eram nada mais que valentões ignorantes, lixo branco. Estavam menos interessados em salvar a raça branca do que em arrotar coragem e vomitar palavras que nunca defenderiam sem ter ao lado uma matilha de cães de ataque sanguinários, para compensar sua própria falta de coragem e de habilidade para a briga. A estupidez e o álcool inevitavelmente explodiam num espetáculo de porradas e de fúria.

Eu ficava de lado, olhando. Enojado. Como diabos alcançaríamos a glória para a raça branca, se nem sequer conseguíamos nos proteger de nossas próprias inseguranças tolas?

Puta merda, ia ser uma batalha difícil!

Eu podia apostar que os skinheads europeus eram melhores. Para começar, foi na Europa que o movimento começou, nos anos sessenta. Eles tinham acumulado décadas de experiência. Era chegada a hora de os skinheads americanos agirem no mesmo nível que eles. Eu queria fazer parte daquilo. Sabia que aquele concerto na Alemanha seria um evento histórico, e não queria ficar de fora, de modo algum. Eu tinha tomado a iniciativa de garantir isso.

Na época em que consolidei nossa apresentação na Europa, o Final Solution já havia construído uma base de fãs decente nos Estados Unidos.

O WAY havia servido a seu propósito e deixado seu legado, sem sombra de dúvida. Meu planejamento e minha ética de trabalho obsessivo nos haviam posicionado merecidamente no degrau mais alto do cenário musical skinhead americano, e havíamos feito algum barulho no exterior por conta de nossa associação com a Rock-O-Rama. Havíamos formado nosso público, tocando sobretudo em porões lotados com quarenta, cinquenta, às vezes cem jovens. Demos um show totalmente lotado em Minneapolis com o Bound For Glory, uns duzentos skinheads. De novo, esses números podem *parecer* pequenos, mas essa era uma aglomeração de gente bem assustadora, vista como terroristas pelo resto do país. Assim, uma reunião de algumas centenas de nós criava um peso considerável e causava muita preocupação.

Eu estava completamente envolvido com os shows e continuava escrevendo letras, enquanto o resto da banda colaborava compondo as músicas. O Final Solution já tinha tocado por todo o país – Georgia, Tennessee, Michigan, Minnesota, Illinois, Indiana – em reuniões com mais de quinhentos skins e neonazistas, um número respeitável em termos de plateias em concertos skinhead nos Estados Unidos, e que inevitavelmente apavorava todo mundo na cidade que não sabia quais eram nossas intenções. Era certo que, onde quer que tocássemos, o FBI e as polícias locais estariam tirando fotos dos participantes, e acrescentando mais informações a seus arquivos já abarrotados.

Um dos casos mais hilariantes de assédio policial ocorreu quando fui parado por um policial estadual na estrada, ao voltar de um encontro em Atlanta, Georgia. Ao vasculhar meu veículo, o guarda encontrou, detrás do meu banco de motorista, um pé de mesinha de café, de madeira, com um longo parafuso afiado projetando-se horizontalmente de sua extremidade.

"Para que serve isto, filho?", ele me perguntou. "Está planejando usar como arma em sua revolução ariana?"

"Não, senhor, policial", respondi. "Estou planejando colocar isso em minha mesa de café de três pés. Não aguento mais ela caindo cada vez que coloco em cima dela meu exemplar de *Mein Kampf*."

Nem ele conseguiu conter o riso ao ouvir aquilo.

Tocávamos em qualquer lugar – galpões, qualquer propriedade particular onde pudéssemos improvisar um palco e plugar o equipamento. Os Hammerskins de Detroit tinham sua própria sede social, e cobravam cinco paus de entrada. Tocamos no palco deles várias vezes. Sempre era uma boa festa. Até os babacas bêbados começarem a brigar de novo.

Galgar os degraus da supremacia branca americana parecia tão natural quanto jogar futebol americano ou esmurrar a cara de alguém. E com isso vinham os aplausos, o respeito e a admiração.

Às vezes minha vida tinha sido uma batalha. Eu conhecera a solidão e, quando criança, tivera que lidar com minha identidade fragmentada, mas aquilo era passado. Eu agora tinha uma noiva linda, centenas de companheiros leais, influência, uma banda prestes a fazer história, e viajaria para a terra de Adolf Hitler e de nossos precursores Nacional-Socialistas, para proclamar em voz alta nossa fé, e uma vez mais marchar vitoriosos por suas ruas.

Poderia a vida ser melhor do que isso?

Dezoito anos de idade e eu tinha o mundo na palma da mão.

19

ABRA OS OLHOS

WEIMAR, ALEMANHA. EU NÃO SABIA MUITA COISA sobre o lugar. Não fazia ideia de que escritores famosos como Goethe e Schiller tinham vivido ali. Nem que um dos maiores pianistas e compositores da história da música erudita, Franz Liszt, havia passado parte de sua vida na cidade. Não sabia que havia sido o lar do filósofo Johann Herder ou que Nietzsche havia morado ali nos seus últimos anos. Nem sequer sabia que o artista Paul Klee, que o partido nazista denunciara por criar arte "degenerada", havia residido nessa cidade do leste da Alemanha.

Tampouco sabia que os nazistas haviam estabelecido ali perto o campo de concentração de Buchenwald. Mais de cinquenta mil prisioneiros, incluindo judeus, gays, católicos, criminosos e até crianças, encontraram a morte nesse campo. As condições ali seriam tão ruins que muitos morreram de febre tifoide e de fome. Outros foram mortos com um tiro atrás da cabeça. Milhares foram assassinados com injeções letais

Final Solution, Weimar, Alemanha, 1992

e incontáveis foram vítimas de experimentos médicos que incluíram o uso do Zyklon B, um gás mortal fabridado pela Bayer e usado originalmente como pesticida.

O campo exibia pele humana tatuada como "arte moderna", em uma área chamada de "bloco patológico", depois que os prisioneiros eram esfolados vivos, e sua pele curtida como o couro de animais.

Adolf Hitler era um líder que eu admirava, e essa era mais uma prova da sua visão de mundo de que era preciso limpar o planeta de raças inferiores, parasitas, pervertidos e desajustados.

Mas eu não sabia absolutamente nada sobre Weimar.

Quando chegamos, prestei pouca atenção às pessoas ou à história da cidade. Não me dei conta de que naquela cidade de pouco mais de sessenta mil habitantes havia vinte museus cheios de arte, literatura e música. Algumas das melhores mentes de inúmeras eras tinham vivido ali, criado, pensado ideias elevadas e ponderado sobre questões acerca da natureza da existência humana.

E o que importava aquilo para mim? O que o passado tinha a ver comigo? Com exceção do orgulhoso legado que nossos antecessores nazistas nos deixaram, apenas o presente e o futuro eram importantes. O que importava era que guerreiros brancos skinhead de toda a Europa iriam se reunir na Alemanha para um concerto épico. Era o território de Hitler – em mais de um sentido – e eu iria fazer parte inegável daquele evento histórico.

A despeito do crescente apoio dos milhares de participantes, eu me sentia solitário. Eu era o único skinhead original remanescente de Blue Island que havia chegado tão longe, que havia abraçado o legado duradouro que tínhamos criado e pelo qual batalhávamos tanto. Carmine Paterno e Chase Sargent haviam se afastado. As garotas Manson estavam em outra, provavelmente idolatrando algum outro ídolo carismático. Os poucos supérfluos tinham desaparecido. E Clark Martell havia perdido o juízo.

Mas eu encontrara o caminho. Ainda me inspiravam as primeiras palavras de Clark que tinha lido:

Devemos nos lançar, sangue, ossos, tendões e alma, detrás do ataque skinhead enquanto ele destroça a madeira e atravessa os portais do poder, e penetra nos domínios maléficos, que agora tomamos para nós, com o hino skinhead nos lábios e a bandeira no coração.

O concerto de Weimar foi, sem sombra de dúvida, a experiência mais inesquecível da minha vida até então. Quatro mil camaradas brancos, vindos de toda a Europa, invadiram a pitoresca cidade alemã. Cada cervejaria, restaurante e rua foram inundados por heróis e heroínas brancos de lugares longínquos. Como se a Alemanha Nazista tivesse vindo por uma fenda temporal para os dias atuais. Todos reunidos e convergindo para uma antiga catedral de pedra, para celebrar um evento que entraria nos livros de história como a primeira vez que uma banda *white power* americana pôs os pés em solo europeu para tocar em um concerto. Corriam boatos de que Ian Stuart poderia aparecer e tocar algumas músicas acústicas.

Lisa tinha ficado no albergue em Munique para passear pela cidade e tirar fotos da arquitetura. Eu me encontraria com ela assim que o concerto terminasse. Mas, por ora, minha mente estava concentrada. Límpida. Dava para sentir a energia vibrando.

Fomos os penúltimos a subir ao palco naquela noite, precedidos pelas bandas skinhead alemãs mais populares, como Radikahl, Wotan, Märtyrer, Kraftschlag e Störkraft. A plateia estava pronta para ouvir algumas verdades. Quando chegou nossa vez, peguei o microfone e não perdi tempo nem joguei conversa fora. Assim que os instrumentos estavam afinados, o equipamento ligado e as guitarras plugadas, fiz sinal para que a banda começasse.

Batidas ensurdecedoras, contagiantes, preencheram o interior da outrora sagrada igreja, mais rápido do que seria possível acender uma vela por nossos pecados. Ou apagá-la. Quaisquer almas santas que ainda restassem, por entre lembranças de missas e de Cristo, pressentiram que a vingança pairava sobre elas quando minha voz soou pelos alto-falantes:

We are skinheads, the vanguard today [Somos skinheads, hoje a vanguarda]
Our rifles are cocked, so get out of our way [Nossos rifles estão engatilhados, então saiam da nossa frente]
We will cut you down with no remorse [Mataremos vocês sem remorso]
We'll die for our race. Our pride is our force [Morreremos por nossa raça. Nosso orgulho é nossa força]
Our flags raised high after this fight [Nossas bandeiras bem erguidas depois desta batalha]
We shall overcome our foes by might [Venceremos nossos inimigos pela força]
We're the new stormtroopers, the SS reborn [Somos os novos soldados, a SS renascida]
From our lands we shall never be torn! [De nossas terras jamais seremos expulsos!]

O aplauso começou no meio de nossa primeira música, e não parou mais.

Finalmente eu era o herói do time de beisebol, sendo carregado nos ombros de meu time, por fãs delirantes de alegria.

Se eu ainda tivesse dúvidas quanto a minha mensagem, quanto à cena skinhead, se tivesse alguma reserva quanto à superioridade da raça branca – ou quanto ao acerto do que eu fazia –, naquele momento não me importava. Era para aquilo que eu tinha nascido.

"Heil Hitler!", gritei.

A multidão estava fora de si, delirando à minha volta. Quatro mil skinheads de pé, golpeando o chão com suas botas. Braços estendidos, numa saudação gloriosa. Fachos de luz branca passavam sobre cabeças raspadas. O suor escorrendo sobre tatuagens de suásticas negras como o pecado, sob o pulsar da luz estroboscópica.

Eu no palco. Liderando tudo aquilo.

"Heil Hitler!"

Os holofotes ousavam brilhar dentro do que um dia fora uma casa sagrada de oração. Weimar. Antiga Alemanha Oriental. 1992. A queda das fronteiras. Aquele muro comunista derrubado, destruído. Desaparecido.

Uma densa fumaça de palco nos envolvia e erguia-se rumo ao céu, como uma naja ondulando ante a flauta do encantador de serpentes. Um novo amanhã nascendo.

"Heil Hitler!", berrei de novo ao microfone.

Rodopiando, os pés movendo-se livres no ar, ergui o punho cerrado para que minha banda começasse a próxima música. As veias saltavam em meus braços tatuados, os músculos retesando-se, filetes de suor escorrendo por meu rosto, meu pescoço, minhas costas. Meus olhos exprimiam uma suprema convicção.

A banda irrompeu com a força de um touro descontrolado, liberto das cordas que o prendiam. A música estraçalhou quaisquer antigos ecos de hinos sacros que no passado se harmonizavam com aquele santuário de pedra.

A raça branca estava em guerra e Deus não podia evitar.

Graças a quem quer que estivesse no controle de nossos destinos celestiais, eu estava ali para preencher essa lacuna.

Minha voz encheu o lugar.

> *There's white pride all across America* [Há orgulho branco por todos os Estados Unidos]
> *White pride all across the world* [Orgulho branco pelo mundo todo]
> *White pride flowing through the streets* [Orgulho branco fluindo pelas ruas]
> *White pride will never face defeat.* [Orgulho branco nunca enfrentará a derrota.]

A noite era minha. Nossa. Braços estendidos em solidariedade. Nossa música. Eu, liderando a primeira banda americana de *white power* a tocar na Europa. Eu. No controle. Ditando como a história iria me lembrar. Controle total.

Eu era mais forte do que Clark Martell jamais havia sido.

Uma mensagem transmitida.

Poder branco.

Poder branco.

"Poder branco!"

Eu. Adolf Hitler ressuscitado, no que dependia daquela multidão.

E, se não era o próprio Hitler, eu era a personificação de seu espírito. As ideias dele fluíam por minhas artérias, aumentando meu coração cem vezes. Batendo mais alto que a bateria. Mais alto que a multidão ensurdecedora. Os tímpanos se rompendo com a força dele.

As complexidades da política do Nacional-Socialismo alemão poderiam estar além de minha compreensão, mas eu sabia o bastante sobre a doutrina nazista para reconhecer que nosso orgulhoso patrimônio europeu estava sendo ameaçado de todos os lados pelos não brancos. Diante de mim estendia-se um mar ondulante de guerreiros brancos, prova de que nunca deixaríamos que aquilo acontecesse sem luta.

Hitler. Júlio César. Eu. A nova santíssima trindade.

Dezoito anos e com a missão de salvar a raça branca. A idade era irrelevante quando o assunto era a verdade.

Jesus Cristo não era nada perto de mim. Se alguém fosse pisoteado até a morte pela multidão enlouquecida, com a energia que pulsava através de mim eu poderia erguê-lo dos mortos como ele fez com Lázaro.

Eu tinha o poder.

O poder.

O poder.

A música seguinte começou tão depressa que não dava para saber onde era o começo de uma e o fim de outra.

Why don't you open your eyes? [Por que você não abre os olhos?]
Why don't you open your eyes? [Por que você não abre os olhos?]
Why don't you open your eyes? [Por que você não abre os olhos?]

Na tarde seguinte ao concerto, despedi-me de minha banda e tomei um trem para ir me encontrar com Lisa em Munique, a cidade de onde começaríamos nossa viagem juntos pela Europa.

Quando cheguei, estava exausto. Eu a vi de longe, na plataforma de trem, procurando por mim. O brilho prateado da lua lançava uma aura iridescente ao redor de seu corpo. Estava escuro, mas eu podia ver a silhueta suave do rosto dela. Aproximei-me depressa e, quando cheguei perto, ela se virou e abriu os braços para me abraçar.

Seus olhos eram doces. Reconfortantes. Sua mão ergueu-se para acariciar minha face e eu a puxei para perto, erguendo-a até ficar na ponta dos pés e dando-lhe um beijo apaixonado.

"Senti tanto a sua falta. Weimar foi *uma loucura*. Tenho tanta coisa para te contar." O corpo dela se moldou a meus braços e nossos olhos se encontraram. "Mas primeiro me diga que você sentiu minha falta tanto quanto senti a sua."

"Vamos embora", sussurrou Lisa, sem fôlego, e me levou pela plataforma longa e estreita, para a praça adjacente, com seu calçamento de paralelepípedos.

Desejei que aquele momento nunca terminasse. Ela sorriu e pude ver em seus olhos um brilho de desejo muito convidativo.

Depois de uma caminhada curta e vigorosa, chegamos ao quarto privativo dela no albergue. Arrancamos as roupas um do outro o mais rápido que pudemos. Eu nunca a havia desejado tanto, ou precisado tanto dela, quanto precisava naquele momento. Apertei os lábios contra os dela, e nada mais importou – nem um segundo sequer naquele palco em Weimar cruzou minha mente. Nada significava qualquer coisa, exceto o amor entre nós.

Fizemos amor lentamente naquela noite, enquanto nos abraçávamos com força.

"Lisa você sabe que eu te amo, não é?

Ela me puxou mais para perto.

"Sim, eu sei. E eu te amo."

Depois de passar alguns dias gloriosos com Lisa, fazendo piqueniques nas colinas e visitando museus e parques ao redor de Munique, que ela descobrira antes de minha chegada, deixei-a uma vez mais e tomei um trem noturno lotado para Colônia. Apareci na sede da Rock-O-Rama, em Brühl, e me encontrei, sem hora marcada, com o proprietário Herbert Egoldt, um homem roliço e bem-humorado, que logo percebi não ser sequer racista.

Tive a impressão de que ele não estava nem aí para nada, exceto ganhar dinheiro. Ele era um capitalista, puro e simples.

Enquanto ele me levava para seu escritório, fixei em seus olhos rasos um olhar duro, para que soubesse que eu o estava sacando. Ele pagaria os direitos de venda do disco de minha banda, apesar de que a Rock-O-Rama fosse conhecida por não pagar a ninguém. Eu seria a exceção a essa regra. Abriria o caminho para que ele começasse a pagar às bandas que havia explorado durante anos. Cara escroto. Ele nos dera uma plataforma para promover nossa mensagem, mas ele também nos daria nossa suada grana, se dependesse de mim.

Não foi por falta de tentar, mas não recebi um centavo de Herbert ou do selo. Os capangas parrudos que trabalhavam no depósito dele garantiram isso. Mas antes de sair consegui passar a mão em uma caixinha com uns trinta CDs variados de *white power*, que vendi feliz da vida quando voltei aos Estados Unidos.

Depois de passar apenas uma hora no escritório, tomei um táxi de volta para a estação de trem e voltei para Munique, para passar meus últimos dias com Lisa.

O alto-astral da viagem persistiu depois que voltamos para casa. Mas a vida diária interferiu de imediato em meu renovado compromisso de lutar pela raça branca. De dominar o mundo, na verdade. Alguém uma vez tinha me perguntado o que eu queria ser quando crescesse. Respondi que, aos 10 anos, queria ser médico; aos 12, detetive, explorador, espião; mas aos 14, eu queria dominar o mundo.

Na época, eu talvez tivesse dito isso meio de gozação, mas agora eu estava falando sério. Eu tinha sentido um gosto do poder e tinha adorado. Aceitação. Liberdade. Medo. Respeito. Controle.

Então que diabos estava fazendo eu, trabalhando em uma pizzaria? Eu era muito melhor do que isso.

Alguma coisa tinha que mudar. Eu precisava de um emprego melhor. Uma voz persistente dentro de mim começou a desejar que eu tivesse levado mais a sério a educação formal. Mas eu a calei, e usei a meu favor minha falta de oportunidades de trabalho com remuneração decente. Falei a meus recrutas com grande fervor a respeito da ética do trabalho, a importância de prover os meios de subsistência a nossos entes queridos, e vociferei contra os judeus que controlavam todo o dinheiro e tornavam impossível que a gente branca de bem, trabalhadora e de cabeça boa conseguisse colocar comida na mesa e alimentar suas famílias.

"É honrado trabalhar em fábricas, produzindo bens para nossos companheiros americanos. Não precisamos importar um monte de porcarias estrangeiras feitas pelos chinas de olho puxado e pele amarela. Comprem bens feitos aqui mesmo, por americanos brancos que pulam da cama todo dia, que vão trabalhar para sustentar seus entes queridos, para vesti-los e alimentá-los.

"Não há vergonha em dirigir caminhões e transportar esses bens produzidos nos Estados Unidos, das fábricas até as lojas cujos donos e trabalhadores são mães e pais brancos que sabem o que queremos, que compreendem nossas necessidades. E, ao final da semana, depois de pagar as contas por meio de nosso suor e de nosso trabalho, é bom relaxar e desfrutar a companhia de nossos semelhantes, como fazemos aqui e agora.

"Tenham orgulho em servir a seus irmãos e irmãs, trabalhando em restaurantes e na indústria de serviços. Orgulho-me em dizer que faço pizzas. Vejo pessoas brancas chegarem exaustas, depois de um longo dia de trabalho, e fico honrado em servir a eles e a suas famílias um alimento que fiz com minhas próprias mãos. É um trabalho de amor, e não precisamos de nenhum judeu capitalista com suas nefastas cadeias de *fast food* destruindo nossa saúde com seu veneno. Deixem que os animais ignorantes comam aquele lixo. Nós precisamos nos manter em forma, comer direito e nos preparar para ser os honrados lutadores da liberdade que nossos destinos exigem que sejamos, nesta batalha para exigirmos nossos direitos!"

Eu fazia questão de ir a todas as reuniões que pudesse, por menores que fossem. Eu tocava música, mantendo o fluxo de energia, quando candidatos mais jovens a skinheads compareciam. Mas participava menos de confrontos. Eu já tivera minha cota de brigas e porradas. Criara uma reputação. Não tinha que provar mais nada. Era hora de deixar que outros lidassem com a polícia e os hematomas. É para isso que servem os soldados. E, por aquela altura, eu tinha uma abundância de guerreiros prontos para obedecer a cada ordem minha.

Eu era um bom comandante. Ensinava meus recrutas a respeitarem a si mesmos. Muitos tinham sido crianças marginalizadas ou desprivilegiadas, com baixa autoestima, em busca de identidade. As características que faziam com que odiassem a si mesmos tornavam-nos alvos fáceis, e me davam um motivo para salvá-los. Eles fariam qualquer coisa que lhes pedissem, para terem algo a que pertencer. E se fossem presos ao cumprirem uma missão, ou se fossem feridos, havia outros prontos para assumir o lugar deles e oferecer seu apoio. Esses eram riscos assumidos quando eles se juntavam ao grupo.

Enquanto isso, meu amor por Lisa continuava crescendo e, quando ela me contou, três meses depois, que estava esperando um filho nosso, fiquei doido de felicidade.

"Estou grávida", disse ela, chorando.

"Vamos ter um bebê? Lisa, isso é incrível!"

Ela soluçou. E quanto aos planos dela? E a universidade? E quanto a tornar-se professora? Precisando reconfortá-la e acalmá-la, abracei-a com suavidade.

Envergonho-me de dizer que parte de minha alegria com a gravidez era que isso significava que Lisa ficaria comigo. Ela não iria embora para estudar na universidade, fazer novos amigos e ter uma nova vida da qual eu não fazia parte. Todas as afirmações dela de que a universidade não mudaria seu amor por mim nunca venceram o medo de que ela se apaixonasse por outro e me deixasse. No mínimo, se ela fosse para a universidade, viveria em um mundo do qual eu não fazia parte. Ela me abandonaria. Como meus pais tinham feito.

Eu a abracei com força e sequei suas lágrimas com beijos.

"Isso é maravilhoso. O que sempre quisemos. Talvez um pouco mais cedo do que tínhamos planejado, mas não importa. Vamos pôr uma criança no mundo. E não vamos ser como nossos pais. Vamos fazer tudo certo. É o destino, que tenhamos um filho agora."

Aninhei Lisa de encontro a mim, afastando seus medos.

"Eu te amo. E amo esse bebê", disse, assegurando-lhe de que tudo ficaria bem.

Minha mãe não gostou.

Eu não soube bem como contar a ela. Tecnicamente, eu ainda vivia sob o teto de meus pais, e talvez precisasse de sua ajuda financeira até encontrar um emprego melhor. Embora mamãe não passasse muito tempo na igreja, ela ainda se considerava uma católica devota, e uma criança nascida fora do casamento era um pecado mortal. Era uma desgraça entre italianos do Velho Mundo, obcecados com a noção de proteger sua imagem pública – *la bella figura*, como a chamavam. Que mãe criaria um garoto para que ele tivesse um filho antes de se casar? Nonno e Nonna ficariam desapontados. Claro, Buddy ficaria deliciado em se tornar tio, mesmo ainda estando no terceiro ano primário.

Tentei acostumar aos poucos minha mãe à ideia. Lisa e eu obviamente precisaríamos morar juntos agora. Era meu dever protegê-la e a nosso bebê não nascido.

Não havia uma forma elegante de dar a notícia.

"Lisa e eu vamos morar juntos."

"Do que você está falando?"

"Vamos ter um filho."

Não sei o que veio mais rápido, as lágrimas dela ou o fogo rápido de seus sapatos atirados em mim através da sala.

"O que você fez? Você é uma criança! Não é nem um homem ainda! Ela ainda é uma estudante! Como pôde fazer isso?"

Meu pai saiu da sala sem dizer uma palavra.

Esperei, paciente, deixando que minha mãe pusesse tudo para fora.

Mas então ela disse algo que eu não esperava.

"Isso tem jeito", ela declarou, com um olhar alucinado, secando as lágrimas. "Ela pode fazer um aborto."

A fúria correu por minhas veias. Levantei-me como uma tempestade de areia e avancei até ela, meu rosto lançando uma sombra sobre seus olhos agora atemorizados.

"Como você tem a coragem de sugerir algo assim? É o meu filho. Sua própria carne e sangue. Você acha que devo destruir meu próprio filho? Se algum dia você disser de novo algo parecido, ou sequer pensar nisso, nunca vai ver meu bebê. E nunca mais vai me ver de novo. Nunca. Entendeu?"

Saí da sala espumando, os punhos cerrados, para poder me controlar.

Minha mãe aceitou. Ela sempre aceitava e, quando Lisa se formou na escola, e nosso casamento, marcado para junho de 1992, se aproximava, já havia aceitado que não apenas teria uma nora, mas que também logo seria avó. Ela até ficou orgulhosa do fato.

Nosso casamento foi íntimo, realizado em uma cerimônia tranquila, sem qualquer denominação específica, em uma pitoresca capelinha em meio a um bosque.

Trinta pessoas compareceram. A família de Lisa. Meus pais e meus avós estavam lá. Os padrinhos – meus companheiros da banda do Final Solution – estavam todos com a cabeça recém-raspada e as costeletas aparadas da forma adequada para a ocasião. Haviam lustrado as botas para usá-las com os *smokings* pretos. O contraste entre eles e as madrinhas de Lisa – todas amigas dela, da escola católica – era hilariante.

O pequeno Buddy, muito engraçadinho como o resoluto portador do anel, em seu mini *smoking*, conduziu Lisa através das portas da capela e pelo corredor. Quando ele passou por mim, curvei-me para beijar o alto de sua cabeça. Ele podia ter apenas 8 anos de idade, mas eu queria que ele soubesse que sempre seria meu melhor amigo.

Lisa estava radiante. Estonteante. Seus olhos de esmeralda brilhavam enquanto ela passava pelos raios de sol que atravessavam as janelas estreitas e rosadas da capela. Quando o olhar dela se encontrou com o meu, o tempo parou em um instante de realidade suspensa. Um piscar de olhos. Ofereço minha vida a você e a nosso filho, que cresce dentro de você.

Kubiak – meu padrinho principal – tirou uma garrafa de viagem com uísque do bolso de seu paletó e passou-a para os demais padrinhos. Todos tinham madrinhas virginais em suas mentes e um certo consumo de álcool era necessário para comemorar a situação.

Quando Lisa e eu olhamos um nos olhos do outro e proclamamos "Aceito", o tempo que estivera parado se realinhou, e nós três fomos um só.

Mas, se a cerimônia de casamento foi acanhada, a recepção mais do que compensou. Meus pais não permitiram que fizéssemos uma pequena reunião, como desejávamos, por medo que os outros italianos os acusassem de muquiranas, e assim eles prepararam uma grande festança italiana, com mais de duzentos convidados. Parentes dos dois lados. Skinheads e garotas da escola católica. Todos comendo e bebendo juntos e se divertindo. No som, tarantelas tradicionais italianas entremearam-se a baladas de punk rock que meus amigos bêbados fizeram o DJ tocar na marra. Os High Street Boys não estavam lá. Já quase não nos víamos. Até cruzar com algum deles nas ruas de Blue Island era uma raridade. Havia alguns dos caras de Beverly, mas também eles eram de forma geral parte do passado. Os caras do Bound For Glory, por outro lado, tinham sua própria mesa.

A polícia patrulhou o estacionamento de nossa festa de casamento. Com certeza não por terem sido convidados, ou mesmo por algo ter saído de controle, mas porque tinham sido informados de que eu estaria me casando e queriam documentar quem ia aparecer. Mais anotações para seus arquivos. Não deixei que aquilo me afetasse. Eu estava alegre demais. Cheguei a levar bolo até os carros descaracterizados deles.

A lua de mel foi curta – não consegui uma folga no trabalho – e o local não foi lá muito romântico; ficamos no *trailer* dos avós de Lisa, em um pequeno lago na região rural de Michigan, mas não poderíamos ter sido mais felizes.

Carreguei minha linda noiva através da porta do *trailer* e a coloquei no sofá-cama. Na típica tradição italiana, tínhamos recebido montes de grana de nossos convidados de casamento. Nós nos sentamos na cama e contamos as notas. Catorze mil! Estávamos ricos.

Jogamos o dinheiro para o alto, olhando enquanto caía sobre nós. Rolamos sobre ele.

Iríamos começar nossas vidas com o pé direito, como o casal mais feliz do mundo.

20

AMERIKKKA PARA MIM

ADAPTEI-ME SEM DIFICULDADE À VIDA DE CASADO. Eu estava recebendo um salário todo mês, trabalhando na pizzaria em período integral. E Lisa havia começado a trabalhar meio período em uma loja de móveis da cidade. Com algo parecido a uma estabilidade financeira, e por acharmos que ter minha mãe por perto para ajudar com o bebê podia ser bom, Lisa e eu alugamos o menor dos apartamentos do segundo andar do prédio de dois andares de meus pais. Com a grana do casamento, também começamos a pensar em comprar nosso próprio canto. Agora tínhamos o suficiente para dar entrada em um imóvel.

Eu amava Lisa. Ela me amava. Nós dois amávamos o bebê que crescia dentro dela. Como todos os casais que se apaixonam pela primeira vez, acreditávamos que nossa ligação era mais forte e mais especial do que qualquer coisa que já tivesse existido.

Christian e Lisa, 1992

O tempo que ficámos juntos era *de fato* especial. Raramente discutíamos, e tudo que fazíamos era novo e empolgante. Para provar nossa união, ela me deixou fazer uma tatuagem nela. Por aquela altura, as tatuagens recobriam meus braços e pernas, peito e costas, e parecia bem apropriado que ela também tivesse uma.

A certeza dela de que eu faria um bom trabalho, e que seria seguro, era absoluta. Como forma de ganhar uns trocados a mais, eu tinha feito dúzias de tatuagens em meus amigos, nos dois anos anteriores. Havia feito as primeiras com uma máquina de tatuar caseira, que eu tinha criado usando o motorzinho de um carro de controle remoto de Buddy. Usei uma corda de guitarra e um tubo plástico vazio de caneta para fazer as vezes de agulha, e frascos de nanquim colorido como pigmento. Economizando minhas gorjetas, por fim comprei um kit de tatuagem de verdade, que estava anunciado na capa de trás de uma revista de motoqueiros, por duzentos paus. Quando criança, eu havia sido um artista decente, aperfeiçoando minha habilidade de desenhista dentro do *closet* de casacos de meus avós, e agora os amigos menores de idade me procuravam para que eu os tatuasse. A maioria das tatuagens era racista, claro, mas meus amigos irlandeses de Beverly gostavam de trevos e de cruzes celtas.

Lisa escolheu fazer a silhueta de uma pequena margarida no tornozelo.

Junto com a felicidade do casamento, veio meu compromisso de sustentar minha família. O negócio com a Rock-O-Rama no fim foi uma fria, com o selo recusando-se a pagar os *royalties* de vendas para as bandas com quem tinham assinado contrato – fora o Skrewdriver. E trabalhar na pizzaria poderia alimentar as merecedoras massas brancas trabalhadoras, mas com certeza não me permitiria ganhar o suficiente para cuidar de minha família no padrão que eu desejava. Era hora de procurar um emprego de verdade.

Acabei conseguindo um trabalho em uma equipe de construção rodoviária, em uma empresa que fazia e distribuía barreiras de estradas e atuava no controle de trânsito – instalando bloqueios em estradas, desvios de trechos em construção, esse tipo de coisa.

Quando comecei, eu ganhava pouco mais de quatro paus por hora, mas dando hora extra, eu sabia que poderia ganhar mais do que um salário mínimo. O emprego era adequado para mim. Eu tinha força física para executá-lo, e o que poderia ser mais nobre, melhor, para eu demonstrar ser um homem branco trabalhador do que me juntar às hostes da classe operária, fazendo um trabalho braçal?

Durante uns seis meses montei sinais e placas de estradas em construção e barreiras de trânsito em um armazém, e carreguei-os em caminhões, até que um dos capatazes notou que eu dava duro e me deixou ir para as estradas, para ajudar um dos motoristas a instalar bloqueios rodoviários. Eu tirava do caminhão os cavaletes luminosos e colocava-os no lugar para desviar o trânsito.

Também me saí bem nessa função, e não demorou para que meu chefe me tornasse assistente de estrada permanente de um supervisor de turno, em um projeto municipal de longa duração de recapeamento de rodovias. Isso significava jornadas diárias de trabalho muito longas, mas eu não reclamava. Afastei-me cada vez mais dos skins de Chicago desde que descobri que Lisa estava grávida, mas sabia que aquele emprego me permitiria liderar pelo exemplo, ainda que significasse sacrificar o tempo com o grupo. Meu grupo significava quase tudo para mim, mas não à custa de minha esposa e de minha futura família.

No início foi difícil ficar separado do meu pessoal, pois o papel de liderança havia se tornado minha identidade, e o movimento se tornara minha família. Mas eu justificava a separação sabendo que estava fazendo algo muito mais nobre por nossa causa – eu era um homem branco produtivo.

Meu papel no movimento tinha começado a mudar no último ano, e eu não podia impedir que isso acontecesse. Aquilo que nos últimos cinco anos havia significado tudo para mim estava competindo com o que me dera uma vida renovada, minha família. Mas eu estava convencido de que, de algum modo, os dois podiam seguir convivendo em harmonia.

Como skinhead, eu sabia que nenhum emprego era trivial demais para sustentar mulher e filho. Eu teria acreditado nisso mesmo se não fosse um skinhead, mas talvez não sentisse tanto orgulho em ser um trabalhador braçal. Eu sabia que, com minha inteligência, eu podia fazer mais do que trabalho físico, mas ser skinhead tornava fácil satisfazer-me com um emprego que exigia fisicamente e que não dava nenhuma satisfação além de levar para casa um salário decente para sustentar minha família.

Assim, enterrei meu crescente desejo de ser meu próprio chefe, de ser empreendedor como meus pais. Calei a voz interior que queria colocar em ação minha imaginação e meus talentos, dizendo a mim mesmo que agora tinha responsabilidades maiores e não podia arriscar nosso bem-estar me dedicando a interesses que talvez não colocassem comida na panela.

Eu me entreguei totalmente ao emprego na construção viária, e era um modelo para outros skins – fazia meu trabalho com orgulho e honra, e essa dedicação chamou a atenção de meu supervisor. Com um ano naquele emprego, tornei-me motorista, tinha meu próprio caminhão e recebi o encargo de supervisionar minha própria equipe do turno da noite. Em seis curtos meses eu havia batalhado e ido de pouco mais de quatro para quase quinze dólares a hora.

Eu não alardeava minhas atividades skinhead no trabalho, mas também não as escondia. Calçava botas Doc Martens e as tatuagens estavam bem visíveis em meus braços. Mas eu trabalhava duro e era branco – duas coisas que sempre saltavam à vista em uma turma de construção dominada por minorias mal remuneradas e sem especialização. Eu dava duro, dia após dia, com toda intenção de provar a meus chefes que eu era mais digno do emprego do que meus companheiros.

Coincidentemente, eu não era o único racista por ali. Chuck Johansson – um homem gorducho, mais velho, com um bigode grisalho de pontas finas e viradas para cima – trabalhava para a companhia havia trinta anos, e não fazia nenhum segredo de sua filiação de longa data ao Partido Nazista Americano. Ele lia abertamente materiais racistas na sala de descanso do galpão, e usava camisetas *white power* embaixo do macacão, mas nunca criou encrenca no trabalho, ainda que tivesse total estabilidade no emprego. Nós nos demos bem logo de cara. Ele me deu pilhas de novos livros, que eu devorava nos intervalos do trabalho, embora já conhecesse a maior parte de seu conteúdo.

Sempre que eu tinha um tempo livre, e Lisa estava ocupada com seu trabalho, eu ainda viajava para reuniões em outros estados e me pronunciava com veemência contra nossos inimigos não brancos ou judeus. Lisa não queria saber de meus discursos racistas, e nem eu queria que ela ou nosso futuro bebê tivessem qualquer envolvimento com a hostilidade que permeava os encontros. Era impensável que aquele ódio fizesse parte de nosso mundo. Instintivamente, eu não queria que a sujeira do movimento destruísse a pureza de nossa família. Eu me enfiaria até o pescoço naquele pântano, sozinho, e carregaria Lisa e a criança em meus ombros, para que eles pudessem se beneficiar do meu sacrifício.

Continuei disseminando meu ódio a todo vapor. Enquanto olhava para minha mulher com olhos doces, cheios de amor, e punha a cabeça na barriga dela e sussurrava canções de ninar para nosso filho, e nós dois dávamos risadinhas quando ele chutava tão forte que eu via a barriga dela se mexendo, eu ainda era um racista dedicado, empenhado em causar dano a qualquer um que fosse diferente de nós.

Em setembro de 1992, dois meses antes do nascimento de nosso filho, fui para Pulaski, Tennessee, para participar da Marcha pela Unidade Ariana, um evento promovido pela Fraternal Order White Knights of the Ku Klux Klan ["Ordem Fraterna dos Cavaleiros Brancos da Ku Klux Klan"]. O local era significativo – a KKK original havia sido fundada em Pulaski, na véspera de Natal de 1865.

Não era a primeira reunião da Klan de que eu participava. Mas era uma rara oportunidade de me encontrar com muitos skinheads e companheiros *white power* de toda a América do Norte que eu conhecia e com os quais mantinha correspondência. Fui sozinho para Pulaski, de carro. Ninguém em Chicago tivera coragem de ir comigo. Não queriam largar o conforto de seus lares para passar um final de semana de solidariedade branca. Comecei a duvidar da lealdade de meu grupo. Se eles de fato acreditavam que o futuro da raça branca estava em perigo, era responsabilidade e dever deles colocar o pé na estrada. Eles podiam mentir a seus pais ou namorada ou esposa ou chefe ou quem quer que eles temessem, para tratar de assuntos importantes do movimento.

Se eles faziam questão de serem covardes, então eu sozinho representaria Blue Island, o berço do movimento skinhead neonazista americano, no berço da Ku Klux Klan. Juntos, éramos a linha de frente da revolução que se aproximava, e de forma alguma eu ficaria em casa e seria complacente.

Fazia calor no dia do evento. Estava abafado. O cheiro do asfalto quente e do ar espesso e úmido pairava como as hordas de agentes da lei postados no alto dos edifícios. O suor molhava minha testa e minha nuca. Eu usava uma camiseta que dizia "Descanse em paz, Robert Jay Mathews", para mostrar meu respeito por um de nossos heróis caídos. Matheus havia sido líder de um grupo militante nacionalista branco secreto chamado The Order – inspirado pelo *Turner Diaries* – que realizou assaltos bem-sucedidos a carros-fortes e falsificou dinheiro para financiar a revolução branca. Os filhos da puta do governo federal haviam tirado sua valorosa vida em Whidbey Island, Washington, em 1984. Eles o encurralaram e o queimaram vivo. Mathews foi assassinado por suas crenças. Ele virou um mártir. O governo que havia tirado sua vida era o inimigo, e aqui estavam eles, por todas as estradas do Tennessee. Vigiando. Esperando por nós. Mas seríamos mais numerosos do que eles. Demonstraríamos nossa unidade e faríamos nossa voz ser ouvida.

Não nos preocupava que eles tentassem nos deter. Iríamos nos postar nas escadarias da prefeitura e proclamar nossa fé, quisessem eles ou não. Estávamos todos ali para mostrar ao mundo o que significava o poder branco. Vindos de todos os cantos da América do Norte para nos reunir naquela minúscula cidade do Tennessee.

Eu estava vestido para a guerra. Minhas botas Doc Martens pretas de catorze ilhoses rebrilhava. A barra de meus *jeans* estava dobrada para cima, para que o sangue que certamente escorreria pelas ruas não os manchasse. Minha cabeça estava raspada bem rente, e tirei dos ombros os suspensórios finos. Eles pendiam dos lados de meu corpo, uma declaração a todos meus inimigos de que eu estava pronto para lutar e defender minha raça com os punhos cerrados e suados. As botas estavam pesadas em meus pés e o suor descia por minhas costas. A umidade era perigosa, assim como a tensão no ar. Os agentes federais estavam estacionados de forma não muito sutil em todas as ruas, tirando fotos nossas com câmeras de lentes tão compridas quanto os braços deles.

Centenas de skinheads, pessoas vestidas com túnicas da Klan e com uniformes nazistas e racistas variados congregaram-se na área determinada para o evento. Homens com megafones gritavam ordens para que nos juntássemos e bordões motivacionais *white power*, que eram seguidos por saudações arbitrárias com os braços erguidos.

Havia homens e mulheres. Crianças. Abraços entre pessoas que só se viam algumas vezes por ano, mas eram almas gêmeas em uma imensa família.

O ar estava repleto de bandeiras. Bandeiras confederadas, bandeiras de guerra nazistas, cartazes feitos a mão com dizeres como "Deus odeia os pretos", "Junte-se à KKK", "Salvem a raça branca! Unam-se!"

Os ataques do 11 se setembro de 2001 ainda não haviam ocorrido, mas o movimento de supremacia branca americano estava a pleno vapor, e as pessoas estavam paranoicas com cada movimento que fazíamos. Para o americano médio, éramos os extremistas mais perigosos dentro das fronteiras dos Estados Unidos.

E estávamos prontos para a ação. Ansiosos pela batalha. Alguns de nós tinham escudos de madeira improvisados, com suásticas pintadas. Alguns tinham a cruz de Deus. Havia milicianos de roupas camufladas com capacetes e braçadeiras nazistas. O líder da Klan, o Grande Dragão da Fraternal Order White Knights of the Ku Klux Klan, estava lá juntamente com várias dúzias de diferentes facções da Klan, de todo o país, todas elas mais ou menos dentro do âmbito dos Cavaleiros da KKK.

Apesar de meu entusiasmo pelo que acontecia, não pude deixar de notar que todas aquelas organizações tinham líderes diferentes. Os grupos estavam divididos e eram independentes entre si. Dentro do movimento, havíamos começado a ensinar o conceito de resistência sem líderes; a ideia era que células pequenas e independentes de ativistas poderiam causar muito mais dano ao sistema e permanecer invisíveis do que se fossem conectadas a grupos maiores. Lobos solitários. Mas aquela reunião era a antítese disso. Aqueles grupos reuniam-se e eram motivados pela cobiça. Grupos demais, líderes demais, pontas soltas e confusão demais. A demonstração era uma bagunça desorganizada de pessoas transbordando de ódio, que transpirava por todos os poros. Vociferando ordens uns por cima dos outros, embora o objetivo fosse a união.

Não havia como saber quem estava no comando. Era a Klan ou eram os skinheads? Os dois grupos pareciam que nem sequer combinavam. Os skinheads eram militantes, soldados naturais, como a SS de Hitler. Aqueles caipiras da Klan, com suas túnicas brancas, falavam de Deus e da Bíblia. Estávamos no limiar da guerra, não num púlpito. E eles pareciam patéticos, e até ridículos, usando lençóis que pareciam vestidos e aqueles chapéus pontudos idiotas. Podem ter parecido ameaçadores para as pessoas um século e meio atrás. Mas agora pareciam palhaços. Ninguém daria a impressão de ser durão usando uma roupa daquelas. Quem te levaria a sério se você se parecesse com um bufão? Mas refreei minha atitude crítica.

Apesar do caos, estávamos todos ali para lutar pelo futuro de nosso povo.

Reconheci alguns amigos. Os caras do Bound For Glory estavam lá, além de alguns colegas skinhead de Toronto, de Dallas e da Pensilvânia. Nós nos reunimos, trocamos abraços efusivos e nos sentimos reconfortados na presença uns dos outros.

"Esses caras da Klan estão ridículos", disse eu.

"Nem me fala", respondeu um de meus amigos canadenses. "De quem foi essa ideia brilhante? Os skinheads e a Klan não têm um histórico de amizade."

Era verdade. Para eles, nós éramos valentões, e para nós eles eram caipiras babacas.

Estávamos preparados para a guerra e tudo o que eles conseguiam fazer era recitar passagens deturpadas da Bíblia para provar a alegação deles de que Deus odiava bichas.

"Temos que colocar de lado nossas diferenças", disse eu. "No momento elas não têm importância. Hoje devemos mostrar ao mundo nossa união."

Todos concordaram, e lá fomos nós, marchando pelas ruas daquela cidadezinha de fim de mundo.

Respondemos aos gritos de guerra puxados pelo Grande Dragão do ramo local da Klan:

"O que queremos?"

"A supremacia branca!"

"Quando queremos?"

"Agora mesmo!"

Bandeiras rebeldes e suásticas nazistas ondularam furiosamente no ar. Quando viramos a esquina para chegar ao lugar onde aconteceria a reunião, uma energia nervosa estalava a nossa volta. Uma parede de ar úmido e espesso atingiu-nos no rosto, como a pressão de um alto-forno.

Assim como os gritos de guerra e os protestos de centenas de pessoas que haviam se reunido para se opor a nós. Pretos e brancos. Velhos e jovens. Homens e mulheres. Unidos por seu empenho em nos impedir de marchar. Eles gritavam palavras de ordem contra nós, contidos apenas por uma fina linha azul formada pelos policiais de Pulaski e pela guarda estadual do Tennessee. Nós odiávamos aqueles policiais, aquelas marionetes do governo sionista. Não seria difícil que um deles "acidentalmente" permitisse que um manifestante passasse para nos atacar.

Que tal essa ironia? As mesmas pessoas que desprezávamos e das quais desconfiávamos, os policiais, estavam protegendo nossas liberdades civis. A massa de manifestantes contrários a nós crescia segundo a segundo. Eles faziam muito barulho. Muito mais do que nós, que tínhamos um megafone.

Nossas poderosas bandeiras foram desfraldadas e nossos gritos de guerra de supremacia branca se intensificaram para enfrentá-los. Eles faziam com os dedos o sinal de paz e amor, e nós lhes mostrávamos o dedo médio, provocando-os com termos racistas e uma saraivada de obscenidades tipo "morre, traidor da raça" e "chupador de veado".

Vários dos skinheads encararam grupos de manifestantes mais barulhentos, que estavam mais a fim de confronto do que outros.

Eles carregavam cartazes de paz.

Nós carregávamos o peso do mundo.

Eles estavam errados.

Como podiam ser tão ingênuos e pensar que paz e amor poderiam ser alcançados com os não brancos queimando nossas cidades e os judeus controlando nosso governo, os meios de comunicação e destruindo nossas vidas?

Sem chance. Mais do que nada, queríamos uma sociedade branca.

Certo?

E então percebi: mais do que qualquer outra coisa, eu sentia a falta de Lisa. Mais do que eu desejava uma pátria branca. Por um breve instante, eu me senti perdido de amor e não me importava se negros e judeus ainda existiam ou se tinham sido arrebanhados e mortos, como queria o resto de meus camaradas. Talvez eu até me satisfizesse se os brancos apenas vivessem separados das outras raças. Podíamos ter nosso próprio território. Talvez pudéssemos morar na costa noroeste do Pacífico, isolados, como meu herói Bob Mathews profetizou. Que os outros ficassem com o centro das cidades.

Importava mesmo se alguns negros e gays vivessem em nossa vizinhança? Eu não era gay e não iria me tornar gay num passe de mágica.

Pela minha experiência, os gays pareciam bem limpos e em geral discretos. Eles não me incomodavam muito.

Quanto aos negros, os que eu conhecia na escola não queriam ter contato com os brancos. A maioria deles era tão racista quanto nós.

Judeus? Eu nunca havia conhecido nenhum. Para mim, parecia que eles eram algumas centenas e que alguns deles, muito poderosos, reuniam-se secretamente, esfregando suas mãos sionistas gananciosas, para tentar planejar um perverso jogo de xadrez onde os peões éramos nós. Que ameaça representavam de fato para nós?

E, maldição, eu odiava a Klan. Por que iria querer tê-los como vizinhos? Eles *eram* lixo branco. Caipirões sulistas absolutamente ignorantes que não conseguiam formular uma frase sem usar as palavras "crioulo imbecil". Os pensamentos e palavras dos últimos cinco anos de minha vida de repente adquiriram um gosto azedo.

Por que eu estava ali e não em casa, com a minha esposa grávida que eu adorava? Com o ouvido encostado na barriga dela, guardando na memória cada batida do coração de nosso bebê? De repente me senti culpado e contrariado. Eu não respeitava aquelas pessoas, os membros da Klan, o clérigo racista que usava o colarinho de um sacerdote e um *patch* da KKK sobre o coração, a mãe que carregava um bebê com um capuzinho da Klan na cabeça, o caipirão banguela com uma camiseta manchada de cerveja dizendo "Os crioulos fedem".

Mas também havia skinheads. Irmãos. E irmãs. Eu me sentia ligado a eles. Eles vinham de bairros parecidos com o meu. Selvas urbanas, e não pântanos do sul. Eles sabiam por que estávamos lutando.

Estávamos lutando porque... bom, eu na verdade já não tinha mais certeza. Tinha a ver com orgulho, acho. Com sentir orgulho de nossa cultura branca e resistir contra aqueles que queriam roubá-la de nós. Isso não é ódio, é amor. Certo?

A dúvida me invadiu, e meus pensamentos se voltaram para a primeira lembrança que tinha de Lisa em meus braços, seus olhos suplicantes buscando dentro de mim a verdade. "Por que você tem tanto ódio dentro de si?", ela havia perguntado. "Você é tão carinhoso e gentil. Qual dos dois é você de verdade?" De repente eu não tinha tanta certeza.

Mas uma coisa sobre a qual eu tinha absoluta certeza era de que, se me empurrassem, eu empurraria de volta. Subimos as escadarias da prefeitura da pequena, úmida e sufocante Pulaski, Tennessee. Os líderes da Klan proclamaram que aquele era, mais uma vez, o berço da revolução branca. Pretos, veados e judeus eram os inimigos.

Tá, tá, nós sabíamos de tudo aquilo – os pretos estupravam nossas mulheres e forçavam nossos jovens a consumirem drogas. Aquilo não acontecia na minha cidade, mas talvez fosse mais frequente nas cidades deles. Os judeus controlavam nossas vidas e os gays destruíam a propagação branca, ou assim acreditávamos – mas quem se importava? Mas talvez a multidão não soubesse disso.

Nós poderíamos mudá-los.

É, claro que sim. Ali estavam aqueles manifestantes, amantes da paz, reunidos às centenas, agitando bandeiras de paz e cantando músicas *folk* de mãos dadas, e nós provocávamos *tanto* ódio e ojeriza em seus corações sensíveis que eles arrancavam pedaços de concreto das calçadas para atirá-los em nós.

O que havia de errado nessa cena? Inspirávamos tanta hostilidade naqueles que acreditavam na paz que eles tentavam nos ferir de forma violenta.

A confusão me dominou, e senti como se tivessem acertado um soco em meu plexo solar. Junto com a respiração, minha dedicação pela primeira vez me abandonou, e por um breve instante vi com nitidez que havia um problema sério com minha realidade.

Minha cabeça rodava em todas as direções, e comecei a me sentir nauseado.

As saudações nazistas haviam cansado meu braço, e os gritos de supremacia branca tinham prejudicado minha voz.

Eu me sentia fraco, depois de um dia de calor e ódio. Mal conseguimos sobreviver.

Depois da marcha, enquanto meus companheiros comemoravam, enchendo a cara, fui invadido pelo pensamento perturbador de que talvez tudo aquilo fosse apenas um ciclo interminável de pretextos para brigar e beber e reclamar. De pertencer a um clube exclusivo de pessoas mais ferradas do que você.

Dava para ser mais superficial que isso?

Fui embora desanimado e decepcionado com tudo o que vinha fazendo de maneira tão apaixonada naqueles cinco anos. Mas eu não me permitiria desistir. Ainda não. Eu tinha que entender tudo aquilo.

Talvez o problema não fossem nossos princípios, nossas crenças. Talvez tivesse sido aquele evento. Com a Klan. Ainda precisávamos dar um jeito no mundo.

E eu precisava voltar para Lisa e o bebê que estava a caminho. Por conta do trabalho e de minhas responsabilidades constantes para com o movimento skinhead, não estávamos passando tempo suficiente juntos. Jurei mudar isso. Se havia alguma coisa sobre a qual eu tinha certeza, era que nossa família era o que importava.

Eu já tinha meio que desistido da música, mesmo que a Rock-O-Rama tivesse oferecido ao Final Solution um contrato de gravação, depois de tocarmos na Alemanha. Depois que descobrimos como a gravadora era picareta, não tivemos nenhum problema em recusar a oferta e lançar um disco por nosso próprio selo, Viking Sounds. Não muito depois, a banda se separou. O Final Solution não tinha a mesma centelha que o White American Youth, e não me enchia com o mesmo espírito. O concerto em Weimar tinha sido um ponto alto, mas, na realidade, eu já não conseguia manter a banda no alto de minha lista crescente de prioridades. Minha mente estava em outro lugar. Meu coração pertencia a minha mulher e a nosso filho. E isso transpareceu no disco medíocre que lançamos. Foram vendidos uns poucos milhares de cópias, e só. Eu não tinha tido tempo nem energia para deixá-lo consistente.

Agora era o momento de abandonar os eventos e também outras distrações. Eu teria que achar outras formas de promover minhas ideias pró-brancos. Eu não sabia como seria, mas estava envolvido demais para cair fora. Mesmo que quisesse. Aquela vida era a única que eu conhecera durante todos meus anos de formação. Quem mais eu poderia ser? Aquela era minha identidade. Onde eu iria? Aquela era minha família.

Voltei para casa pronto para tentar com ainda mais afinco provar meu valor como homem. Dediquei-me com afinco a meu emprego. A jornada era longa, o trabalho muitas vezes exaustivo e outras terrivelmente tedioso, mas precisávamos da grana. Fora o dinheiro do casamento, já destinado à compra de uma casa, estávamos quebrados, e teríamos um filho dali a dois meses.

Vivíamos à base de pacotes de macarrão instantâneo e de macarrão com queijo. Eu não tinha plano de saúde, e por isso Lisa dependia do sistema público para seu atendimento pré-natal. Eu não quis pensar muito no fato de que eu estava dependendo do dinheiro dos contribuintes para que meu filho viesse ao mundo com segurança, algo pelo qual eu criticara os negros centenas de vezes nos últimos anos.

Eu trabalhava muito além da conta. Turnos de dezesseis horas eram normais. Às vezes eu trabalhava até mais. De fato, na noite em que Lisa entrou em trabalho de parto, eu havia acabado de sair de um turno de dezoito horas. Estava morto para o mundo quando as contrações dela começaram, em casa. A mãe cuidou dela durante as dores, enquanto eu dormi até que fosse a hora de ir para o hospital.

Eu estava exausto demais para ser um pai superansioso no caminho para o hospital, mas a ficha caiu quando cheguei à sala de parto. Eu observava com atenção cada expressão de Lisa. Não pudera ir com ela ao curso para gestantes e casais, devido a meu esquema insano de trabalho, mas estava confiante de que conseguiria fazer minha parte.

O trabalho de parto foi longo, e de hora em hora, freiras idosas liam versos do Evangelho de São João pelo alto-falante do hospital. Aquilo nos deixava doidos, mas tendo que depender do sistema público de saúde, não estávamos em posição de escolher, e aquele tinha sido o hospital ao qual o órgão de assistência nos encaminhara.

Depois de uma eternidade, nosso filho Devin nasceu.

Tenho uma palavra para descrever essa experiência. Se você tem filhos, vai saber o que ela significa. Se não tem, vai saber no instante em que seu próprio filho nascer.

Magia.

Segurei o bebê minúsculo, indefeso, perfeito, não muito maior do que minhas duas mãos calejadas – mãos que tinham se fechado em punhos vingativos desde que eu era criança –, e prometi a ele que eu seria o melhor pai do mundo, não importava a que preço.

Lisa apertou minha mão e viu em meus olhos que minha carapaça externa havia começado a se partir.

Acariciado pela respiração suave de nosso filho tão frágil, em meus braços fortes e tatuados, fui transportado momentaneamente para longe da realidade incerta de ser um pai de 19 anos carregando nos ombros os vestígios de uma causa em frangalhos. O cheiro doce e precioso de meu filho encheu meus pulmões. Respirei fundo e o senti permeando minha alma.

A vida de meu filho estava em minhas mãos, literal e figuradamente, e nunca eu havia sido investido com um propósito maior.

Pela primeira vez em minha vida adulta, não resisti e chorei.

21

A SOLUÇÃO FINAL

O NASCIMENTO DE NOSSO FILHO MUDOU MINHA VIDA. Não é uma afirmação muito original. Sei que o nascimento de um filho tem esse efeito em milhões e milhões de mães e pais, todos os anos, em todos os cantos do planeta. O mundo se detém, tudo passa a ser secundário e o tempo para, na primeira vez em que você segura seu recém-nascido.

Tão puro, tão imaculado, tão absolutamente intocado por qualquer influência do mundo. Os bebês não sabem nada sobre diferenças. A cor da pele não tem nenhum significado para eles. Não se preocupam com as crenças de ninguém. Dinheiro, poder, credo ou preferência sexual não importam nem um pouco para um bebê.

Esses inocentes não se importam com o nível salarial ou a posição social de uma pessoa, e nem compreendem o conceito de tais coisas não essenciais. Nível escolar, sucesso financeiro, ter uma casa, um carro de luxo, investimentos na bolsa, são coisas sem qualquer sentido. As complicações

Christian e Devin, 1993

do mundo não significam nada para um recém-nascido. Tudo que importa para um bebê é o amor, e ele chora até que este o acolha.

Meu filho abriu os olhos e fitou os meus, e eu não vi nada além de uma completa e maravilhosa inocência. Um amor mais puro do que eu julgara possível pulsou através de meu corpo, carregando-me para um mundo de esplendor que eu abandonara havia muito, invadindo-me com uma força e uma responsabilidade maior do que qualquer coisa que eu já tivesse sentido.

E, naquele momento, a hostilidade que por meia década eu sentia contra desconhecidos ficou tão inconsequente que não era sequer um ínfimo pensamento em minha cabeça, ou um grão de emoção em meu coração. O amor bloqueou a raiva e o preconceito venenoso que eu vivera nos últimos cinco anos – quase toda minha adolescência.

Se tivesse me agarrado àquele lapso de lucidez, se pudesse tê-lo honrado em cada gesto feito daquele momento em diante, a tragédia poderia muito bem ter sido evitada.

Mas eu era jovem e irresponsável. Tão tolo que ainda hoje fico horrorizado. Em vez de respeitar o poder do amor que meu filho havia trazido para minha vida, as linhas se cruzaram e convenci a mim mesmo que, mais do que nunca, eu precisava tornar o mundo seguro para meu filho, protegendo-o dos perigos que eu acreditava existirem. Negros. Judeus. Gays. Qualquer um que não fosse branco, que não contribuísse para o bem-estar de minha família. Qualquer coisa que viesse de uma cultura que eu me recusasse a entender. Eu via ameaças à segurança de minha família em todo canto.

Minha missão de proteger a raça branca e garantir um futuro seguro para meu filho tornou-se ainda mais decisiva.

Assim como a necessidade de prover os meios de subsistência para minha família.

Lisa e eu decidimos que já era hora de comprarmos nosso próprio canto. Encontramos um duplex modesto, com três quartos, que era adequado para nós, demos como entrada o dinheiro que tínhamos ganho em nosso casamento e nos mudamos logo depois que Devin nasceu. Era assim que tinha que ser, certo? Uma família. Uma casa. Um emprego. Um futuro.

Meus pais disseram que tinham orgulho de mim. Finalmente. Aqui estava o filho deles, aos 19 anos, com um bom emprego, sua própria casa e uma família. Que garoto bom. Meus avós também estavam satisfeitos comigo. Somente Buddy não estava feliz.

"Você não fazia quase nada comigo quando a gente morava na mesma casa", ele choramingou. "Agora não vou ver você nunca."

"Claro que vai", respondi. "Vou vir aqui o tempo todo com o bebê."

Ele me empurrou e esmurrou a mesa da cozinha com sua mão pequenina. Eu nunca o vira tão nervoso.

"Você só ama o bebê. Você não me ama mais."

Aquelas palavras despedaçaram meu coração.

"Como você pode dizer isso, Buddy?", protestei. "É claro que eu te amo."

Ele correu chorando para seu quarto, e bateu a porta com tanta força que um quadro das gôndolas de Veneza caiu da parede e se espatifou em um milhão de pedaços. Podia muito bem ter sido minha alma.

"Buddy?", bati baixinho na porta. "Buddy, por favor, abre." Sem resposta. "Eu te amo."

"Vai embora! Me deixa em paz." Eu tinha ouvido aquilo antes, mas saindo de meus lábios.

Eu assistira de longe ao crescimento de meu irmãozinho tímido e inocente. E só agora ele havia se tornado visível para mim, em vislumbres turvos através de minha própria autodeterminação egoísta. Mas Buddy já não era aquele garotinho gorducho e de olhos arregalados que me incomodava e que antes eu mandava embora com tanta facilidade e sem consequências. Ouvindo suas palavras, lembrei-me de como eu tinha sido em sua idade. Solitário e zangado. Querendo desesperadamente que alguém prestasse atenção em mim.

Com meu trabalho, e agora com minha própria família, eu sabia que não havia lhe dado muita atenção no último ano. Mas como eu poderia? Não havia horas suficientes no dia.

Continuei a coordenar os Hammerskins de Chicago – embora de uma posição mais distante do que no passado –, enquanto trabalhava com diligência na empresa de construção, seis ou sete dias por semana. A dupla jornada com o movimento e o trabalho, sem mencionar minha mulher e meu filho, era uma tarefa árdua. Mas, apesar de eu me orgulhar de trabalhar mais duro do que qualquer pessoa a meu redor, ao voltar para casa no fim do dia eu não tinha nenhuma sensação de realização. E eu desejava isso. Desesperadamente.

Eu precisava trabalhar em algo que não interrompesse as atividades durante os rigorosos invernos de Chicago, como acontecia com meu emprego. Já era difícil sobreviver com o seguro-desemprego quatro meses ao ano quando éramos só dois. Com um bebê, era praticamente impossível. Devin nasceu em 11 de novembro de 1992, e fui dispensado no dia de Ação de Graças, duas semanas depois.

Logo percebi que poderia suplementar meu cheque do seguro-desemprego importando e vendendo música para meus cada vez mais numerosos amigos skinhead. A música *white power* era extremamente difícil de encontrar. A maioria das pessoas contentava-se com gravações de terceira geração do que quer que conseguissem. As lojas de discos não vendiam nossa música, e assim ou você trocava fitas com sua rede de amigos, ou encomendava da Europa. Podia demorar semanas até que seu CD chegasse, e as taxas alfandegárias faziam com que a importação quase não valesse a pena.

Descobri que era possível economizar no envio e nas taxas se eu fizesse um pedido grande. Assim, ressuscitei minha relação com a Rock-O-Rama e comprei deles um monte de títulos a preços de atacado, aumentando o preço em alguns dólares. Comecei a oferecer diversos títulos *white power* – velhos e novos – e sempre tinha algo novo para vender.

Por qualquer ângulo que olhasse, era uma oportunidade de ouro de trabalhar ao mesmo tempo em meus dois compromissos – vendendo música enquanto estava afastado do trabalho, eu conseguia 300 dólares a mais por semana para minha família, e podia continuar divulgando a mensagem *white power*. Pela primeira vez, os dois mundos pareciam se mesclar sem problemas.

Na primavera de 1993, a HBO apresentou *Skinheads USA: Soldiers of the Race War* ["Skinheads EUA: soldados da guerra racial"], documentário sobre os skinheads *white power* que viviam no sul do país. A abertura do filme era minha banda Final Solution tocando ao vivo durante uma comemoração do aniversário de Hitler nas instalações da Frente da Juventude Ariana no Alabama, um pedaço de terra montanhoso cujo proprietário e administrador era um neonazista mais velho chamado Will Manfredi, que eu nunca encontrara em pessoa. Achei que seria uma propaganda incrível para o movimento, embora o filme abordasse principalmente aspectos negativos e mostrasse os skinheads como um bando de lunáticos. Mesmo que houvesse algum elemento de verdade nisso, com certeza não correspondia à cena skinhead como um todo. Não é?

Dois dias antes do evento, reuni a banda de novo para aquele último show, e então pegamos a estrada. O Aryan Youth Front, liderado por Manfredi, tinha um grande número de seguidores, militantes skins que adoravam festas. Isso significava uma grande plateia para o concerto de despedida do Final Solution. Skinheads do país inteiro compareceriam à festa, e havíamos sido convidados no último minuto, quando os organizadores se deram conta de que não tinha sido planejada muito coisa em termos de entretenimento. Não hesitei. Reuni os caras para nossa última apresentação, carreguei minha picape Chevy com nosso equipamento e fomos para o sul, rumo a Birmingham.

Chegando ao local, instalamos o equipamento no único trecho de terra plana da propriedade – uma pequena faixa de terra junto ao fedor persistente de uma "casinha" que transbordava, em pleno pico da onda de calor do Alabama – e tocamos um *set* de músicas contagiantes, que incluíam as favoritas tanto do Final Solution quanto do WAY. O calor era sufocante, quase insuportável, mas a multidão adorou. Tenho que admitir que foi divertido ficar atrás do microfone uma última vez.

Terminamos de tocar e eu, curioso em saber por que o sujeito em cuja propriedade estávamos não tinha assistido ao show, perguntei quando poderia conversar com Manfredi. Eu estava ansioso para conhecer o homem que havia reunido tantos seguidores skinhead, e perguntar a ele se teria algum interesse em comprar em quantidade, para seu grupo, alguns dos CDs que eu estava importando. De imediato, um garoto ruivo magricela que morava na propriedade me informou que Manfredi, "aquele filho da puta", não estava presente por ter sido preso na noite anterior, sob a acusação de porte ilegal de armas, e estava sendo mantido sob custódia para averiguações quanto a vários casos envolvendo ato obsceno e sodomia forçada com um menor.

"Desculpa aí, mas que porra é isso?"

"É, Will abusava sexualmente da maioria de nós, e a gente finalmente resolveu denunciar ", disse o adolescente sardento.

Jesus Cristo.

O fato é que dezenas de garotos menores de idade – muitos deles fugitivos desiludidos – viviam com Manfredi no local. Ele lhes dava comida, água e abrigo e, em troca, eles lhe forneciam sexo. A história que me contaram foi que, depois de resgatar aqueles garotos da vida nas ruas e de, com o passar do tempo, doutriná-los para que o venerassem, transformando-os em novos skinheads, ele abusava sexualmente deles, e a seguir ameaçava expô-los como homossexuais se dissessem alguma coisa.

Se, antes do convite para a banda ir tocar lá, eu tivesse tomado conhecimento dessas coisas sobre aquele cretino doente, sem muita elegância eu o teria mandado ir comer merda e morrer e o teria denunciado ao resto do movimento como um pedófilo escroto. Agora que eu sabia de tudo, eu só queria enfiar uma de suas armas ilegais no cu dele e puxar o gatilho. Eu adoraria vê-lo desintegrar e virar uma névoa sangrenta. Manfredi não sabia a sorte que tinha por estar em uma cela, e não no concerto. Se estivesse ali quando fiquei sabendo, ele não teria saído vivo de sua própria montanha.

Por aquela altura, Lisa havia começado a me pressionar por eu continuar envolvido com o movimento. Ela sempre tivera medo por mim, mas agora também estava se sentindo abandonada. Minhas responsabilidades de líder consumiam o tempo que eu deveria estar passando com ela e com nosso filho.

Ela estava certa. Apesar de meu esforço em manter a vida com Lisa separada de minha atividade como skinhead, os dois mundos estavam se chocando. O primeiro incidente aconteceu não muito depois do casamento.

Eu havia sido preso de novo, acusado de ter participado de uma briga na qual não me envolvera. Alguns skinheads de Milwaukee estavam de visita e eu os levei de carro para comer algo, tarde da noite, e então eles começaram uma confusão no restaurante, com alguns saradões bêbados. Quando os policiais a paisana que nos seguiram de minha casa até o restaurante apareceram, com as luzes ligadas e apontando as armas, todos fugiram e me largaram na mão. Fiquei lá, segurando um saco com meu jantar, um sanduíche de *pastrami* de trinta centímetros e batatas fritas com manteiga e alho.

Por sorte, o promotor não pôde provar que eu havia atacado ninguém fisicamente, e apenas fui considerado culpado de envolvimento com quadrilha e conduta desordeira, não de agressão. Fui colocado em prisão domiciliar por trinta dias. Se o paquistanês que era dono do lugar não testemunhasse a meu favor, afirmando que eu não tinha tomado parte na briga, com certeza eu teria ido parar na cadeia. Uma vez mais meus preconceitos se chocavam com a razão.

Na delegacia, os policiais levaram embora meu jantar e me pressionaram durante duas horas para que eu desse os nomes dos demais envolvidos, em troca da retirada das acusações restantes. Eu não tinha interesse em cooperar com eles. Eu estava puto com os caras de Milwaukee por terem vindo para minha cidade criar confusão, me largando sozinho para consertar tudo, mas eu não era dedo-duro.

Um segundo incidente que aterrorizou Lisa, e com razão, aconteceu quando Devin tinha 5 meses de idade. Eu havia recebido de um de nossos agentes duplos a informação de que uma gangue rival antirracista planejava detonar uma bomba caseira em nossa casa, no aniversário da fundação deles. Saí correndo do trabalho e fui para casa; mandei Lisa e Devin para a casa da mãe dela, onde estariam a salvo, e juntei seis de meus companheiros mais fiéis. Montamos guarda à noite com rifles e escopetas carregados, apontando para fora pelas janelas, à espera de alguém que se aproximasse na escuridão.

Por volta da meia-noite, vimos um vulto sair das sombras. De imediato miramos nele as armas. Meu dedo pousou no gatilho de minha AK-47, pronto para apertá-lo.

"Não atirem!", gritou um dos homens armados. "É Steve!" Steve era um jovem Hammerskin em período probatório que havia chegado tarde para a vigília.

Baixei a arma e apoiei as costas na parede. Pela terceira vez na vida eu quase tinha atirado em alguém. Todas as vezes, em alguém inocente. Estremeci ao pensar como havia chegado perto de abrir fogo contra um amigo. Isso só aumentou minha ira por alguém estar ameaçando minha família.

Como ousavam me colocar naquela situação?

Furioso, ordenei que todos voltassem a suas posições. Retomamos a tocaia. Passaram-se horas, e nada aconteceu.

De manhã, estávamos exaustos pela falta de sono, agravada pela vigília inútil, e Lisa ficou furiosa comigo por deixá-la preocupada por nada.

Sem estar claro em que momento as coisas começaram a ficar ruins, a vida de casado de repente já não era tão divertida. Eu adorava Devin, e ainda dava valor a meu casamento, mas Lisa e eu já não concordávamos em quase nada. Passamos a discutir o tempo todo sobre minhas atividades extracurriculares. Eu buscava motivos para sair porque as brigas me desgastavam.

Em um fim de semana do inverno de 1993, viajei de carro para um concerto em Buffalo, Nova York, para me desestressar de mais uma de nossas brigas. Um show skinhead de alta voltagem, que prometia me dar uma folga de todo o drama doméstico. A casa noturna No Alibi, de Buffalo, organizou o show e convidou o The Voice, da Filadélfia. O Aggravated Assault, de Atlantic City, juntou-se ao programa. A música e a cerveja animaram o pessoal e, antes que percebêssemos, alguns skinheads tiraram proveito da abundante coragem líquida que haviam ingerido e um exército mambembe de bêbados aspirantes a guerreiros invadiu o cortiço que existia na frente do local do show. No edifício, arrombaram portas e surraram gente e arrancaram à força da cama famílias negras e latinas, no meio da noite. Só por farra. As sirenes da polícia soaram na escuridão. Saí do bar pela porta dos fundos e penetrei nas sombras, indo cautelosamente na direção de meu carro, estacionado rua abaixo, para poder voltar em segurança para Chicago. Eu não estava interessado em tomar parte na brutalidade irracional daquela noite. E eu não podia correr o risco de ser preso. De novo. Da próxima vez que me pegassem, seria cadeia na certa.

Tivesse ou não minhas reservas quanto a todo o movimento skinhead *white power*, para mim era muito difícil abandoná-lo. Ele havia sido toda minha identidade, desde os 14 anos, e eu ainda saboreava meu papel como líder.

Em agosto de 1993, Big Ed, do Bound For Glory, pretendia que eu assumisse a direção da organização dos Northern Hammerskins. Isso queria dizer que eu controlaria as operações do Hammerskin Nation em todos os estados do norte dos Estados Unidos. Quase duzentos skinheads estariam sob meu comando direto.

Big Ed já liderava o grupo por quatro anos, mas queria se concentrar mais em sua banda, pois vinha fazendo turnês e gravando quase sem parar desde nosso concerto inédito juntos na Alemanha. Era sua responsabilidade, como atual diretor, nomear seu sucessor, e ele não fazia objeções a passar o bastão para mim. Ele sabia que eu merecia. Eu inclusive o ajudava, de tempos em tempos, a cuidar das coisas quando ele estava ocupado, em turnê ou no estúdio com a banda. Embora nunca tivesse sido oficializado, eu mais ou menos assumia a posição interina de diretor dos Northern Hammerskins na ausência dele.

No mês seguinte, eu estava na casa de Big Ed em Saint Paul, Minnesota, no processo de assumir o cargo, quando recebemos um telefonema do grupo skinhead Blood & Honour ["Sangue e Honra"], da Inglaterra, com uma notícia inimaginável. Ian Stuart, líder e força motora do Skrewdriver, tinha morrido em um trágico acidente de carro, naquela manhã. Ficamos passados. Ian Stuart era um herói popular, uma inspiração para muitos skinheads, e era um tremendo modelo para mim. Eu nunca tivera a oportunidade de me encontrar em pessoa com Ian, mas as poucas cartas que tínhamos trocado sempre foram cordiais e inspiradoras. Ele era inteligente, influente e um pioneiro inquestionável da música skinhead, racista ou não.

Havia suspeitas de que o governo britânico ou os antirracistas estivessem envolvidos na morte dele, mexido no carro que ele dirigia, mas nenhuma prova jamais surgiu para corroborar tais teorias. No entanto, a morte de Ian Stuart colocou em ação os skinheads *white power* do mundo todo, concentrando-nos em nossa missão e unindo-nos mais por algum tempo. Mas acho que todos sabíamos que o movimento nunca seria o mesmo sem a voz de Ian.

Pensei por um momento em Clark Martell. O responsável por minha introdução à música barulhenta do Skrewdriver e ao estilo de vida skinhead quando eu era um garotinho, com 13 anos e meio. Por onde andaria ele? Eu tivera contato com ele por um breve período durante seu prolongado encarceramento, mas tinha ouvido dizer que ele havia obtido uma redução de pena, sendo enviado para um centro de reabilitação ao norte dos limites da cidade de Chicago.

As cartas que ele havia enviado tinham ficado esquisitas demais, e seus desenhos obscenos demais. Parei de lhe responder depois dos primeiros anos. Suas correspondências continuaram a chegar com a precisão de um relógio por quatro anos, até por fim minguarem e pararem. A última correspondência que me lembro de ter aberto veio com uma foto polaroide de sua nova tatuagem da prisão – no centro da testa dele havia uma águia alemã segurando uma suástica, recém-feita. Na foto, Clark parecia velho. Acabado. Doente. No verso da foto havia uma carinha sorridente simples, desenhada a mão, com as seguintes palavras, quase ilegíveis: "A gente vai se ver quando se ver! Longa vida à Deusa Ariana! 14/88. CM." Não demorou muito para eu descobrir que outras pessoas também vinham recebendo correspondências semelhantes de Clark, e sua reputação outrora mística rapidamente se evaporou.

Enquanto eu estava lamentando a morte de Ian Stuart, perguntei-me onde o homem que havia prometido salvar minha vida encontraria sua própria segurança. Correu a notícia de que, logo após sair da prisão, Clark havia fugido do centro de reabilitação e ido para Michigan, onde se meteu numa confusão em uma casa noturna de Detroit e golpeou um Hammerskin com uma chave de fenda (em inglês, *screwdriver*). A ironia não me passou despercebida.

REVOLUTION
STARTS
HERE!

22

CAOS ORGANIZADO

Receber o cheque do seguro-desemprego e vender uns CDs podiam ter aliviado o problema de ser dispensado de meu emprego na construção viária a cada inverno, mas Lisa e eu mal conseguíamos nos sustentar financeiramente. Às vezes nem sequer nos falávamos, exaustos com as brigas constantes. O encantamento e a magia de sermos recém--casados e de ter um bebê na família foi erodido pela dura realidade das fraldas e de mais contas e de pouco dinheiro e tempo um para o outro. O casamento não era a maravilha que tão ingenuamente imaginávamos quando começamos nosso relacionamento, ainda adolescentes. Nossa lua de mel no *trailer* estava terminada.

Quando ficava com raiva, Lisa me dizia que desejaria ter ido para a universidade em vez de se casar comigo.

"Fico aqui dentro o dia inteiro lavando roupa e limpando a casa e só saio para comprar comida de bebê e fraldas!", ela reclamava. "Por que

Chaos Records, 1994

você não me ajuda em vez de ir nesses encontros idiotas de skinheads e de ficar por aí com seus amigos imprestáveis?"

"Você está falando dos amigos que já quase não vejo mais porque estou trabalhando 74 horas por semana? Esses amigos?", eu devolvia.

Ela inevitavelmente chorava. E então o bebê chorava.

"Meu Deus, como eu queria ter ido para a faculdade para poder sair e procurar um emprego de verdade. Eu não ia depender de você para criar meu filho."

"Seu filho? Seu filho!" Fiquei tão bravo que joguei meu prato na pia, partindo-o em pedaços. "Ele é *nosso* filho, Lisa, e eu sustento vocês dois, para que você não precise trabalhar. Para que você possa ficar com a bunda no sofá o dia inteiro."

Eu não acreditava naquilo de fato, e as coisas só iam ladeira abaixo dali em diante.

Lisa gritava a plenos pulmões, para que toda a vizinhança ouvisse.

"Você é um pai e um marido ausente! Você não sabe o que é criar um filho", ela gritava. "Você recebeu tudo durante toda sua vida, e nem sabe dar valor ao que tem. Você é um garoto mimado. Sei que você se queixa de sua mãe e de seu pai por não terem estado presentes, e agora você se tornou exatamente como eles. Tenha colhões e vire um homem! Você é só uma criança. Você não merece uma família. Devin nem sabe quem você é, e francamente, não quero que saiba!"

E ela continuava sem parar, a voz aumentando em volume a cada estocada venenosa, sem parar nem para respirar.

Em geral aquela era minha deixa para apanhar as chaves do carro e bater a porta ao sair. As palavras dela me feriam, e eu tinha medo de não conseguir me controlar. Nunca bati nela, mas podia sentir que começava a querer fazer isso. Assim, eu saía por medo de perder o controle e feri-la fisicamente ou dizer algo que jamais poderia retirar.

Algumas horas mais tarde eu voltava, depois de ter me encontrado com algum de meus skinheads para beber e me lamentar. Lisa estaria trancada no quarto com Devin, e eu dormia no sofá até a hora de sair para o trabalho na manhã seguinte.

Era doloroso para mim procurar trabalho, ou dar duro o dia inteiro em um emprego que sentia não me levar a lugar algum, e então ter que voltar para casa, para uma esposa irritada e um bebê chato. Caímos no mesmo padrão em que a maioria dos casais jovens cai quando o mundo real bate à porta. Esqueça as flores e o romance e os sonhos com o futuro e a vida cor-de-rosa que teríamos juntos. Na realidade éramos jovens e imaturos demais para lidar com a responsabilidade do casamento e da criação de um filho. Lisa e eu amávamos Devin com todo nosso coração, e realmente queríamos ser uma família amorosa e feliz, mas nem ela nem eu tínhamos muito entusiasmo para fazer as coisas que tornariam saudável nossa relação.

Lisa queixava-se de se sentir presa em uma armadilha, e que nunca dormia enquanto eu estava fora, envolvido com assuntos do movimento. Ela passou a se opor de forma terminante a tudo que eu fazia com os skinheads. Não apenas desprezava o racismo, sua preocupação constante era se eu ia acabar na cadeia ou morto, deixando-a com toda a responsabilidade de cuidar sozinha de nosso filho.

Em nossos momentos mais tranquilos, conversávamos sobre como estávamos nos afastando. Como ambos nos sentíamos sobrecarregados de responsabilidades. Continuávamos os dois a insinuar que era mais fácil para o outro. E, depois de eliminar cada saída possível, a solução final para salvar nosso casamento foi cometer mais uma tolice. De forma egoísta, racionalizamos que, se tivéssemos outro filho, de algum modo criaríamos uma oportunidade de nos aproximarmos mais, para assim consertar nossa relação deteriorada. Então, começamos a fazer amor pensando em outro filho. Isso reacendeu nossa afeição mútua e nos deu uma nova determinação, e quando Devin tinha um pouco mais de um ano, Lisa ficou grávida de novo.

Big Ed me ligou certa noite, bem tarde, pouco depois de recebermos a notícia da gravidez de Lisa, para me parabenizar e marcar uma data para nos encontrarmos de novo. Com sua agenda de viagens lotada e a notícia repentina da morte de Ian Stuart, ele não tinha finalizado formalmente a transferência da liderança dos Northern Hammerskins para mim.

"A última coisa de que precisamos para oficializar isto é que você fale pelo telefone com Shane Becker." Becker era o diretor nacional do Hammerskin Nation e um dos fundadores dos Hammerskins de Dallas que estivera no encontro de Naperville, em 1998. "Vai ser meio complicado, porque ele ainda está na cadeia, mas, se definirmos uma data e um horário específico para você esperar ao lado do telefone, pode dar certo."

"Ed, eu estava mesmo pensando em ligar para conversarmos." Hesitei um pouco antes de ir ao ponto. "Com o trabalho e o novo bebê e tudo isso, vou ter que jogar a toalha."

"Bom, é decepcionante." Eu percebia em suas palavras, sem que ele precisasse de fato dizer, que ele compreendia meu dilema. Éramos muito amigos, e eu lhe havia confiado várias vezes meus problemas conjugais. "Eu entendo. Cuide bem de sua família, e venha nos visitar logo em Saint Paul. Julie e as crianças vão adorar ter visitas."

"Vou sim, Ed. Por favor, mande um beijo para as garotas."

No dia seguinte, enquanto eu embalava meu almoço antes de ir para o trabalho, recebi um telefonema de uma instituição penal do Texas. Era Shane Becker, perguntando se eu reconsideraria. Depois de algumas amenidades, polidamente recusei a oferta, e desejei-lhe tudo de bom.

Fiz o possível para não demonstrar, ao menos publicamente, mas ter de recusar a liderança dos Northern Hammerskins foi doloroso para mim. Eu tinha dado duro para me estabelecer como um líder nacional de destaque dentro do movimento *white power*, e agora, de uma tacada só, eu havia frustrado minhas próprias esperanças. Mas eu não podia deixar que a decepção me derrubasse. Mesmo que não tivesse recusado aquela chance, eu teria que desistir de muito mais coisa. No aspecto doméstico, eu havia jurado fazer com que meu casamento desse certo. E eu ainda tinha trabalho para fazer no movimento. Eu tinha que fazer as duas coisas funcionarem.

Eu ainda importava CDs *white power* da Europa para complementar minha renda, e as vendas informais iam tão bem que comecei a pensar em abrir uma loja de discos e ser meu próprio patrão. Minha loja poderia vender não só música, mas também pôsteres, camisetas, botas e suspensórios, e outros acessórios que eu sabia que skins e punks comprariam. Eu poderia usar meu tino empresarial para alimentar minha família e ao mesmo tempo manter forte a cena skinhead local, sem ter que abandonar nenhum dos dois.

Minha liderança e o envolvimento devotado nos últimos seis anos tinham ajudado o movimento americano de supremacia branca a crescer a partir de suas primeiras raízes – o legado que recebi do triunvirato fundador, Clark Martell, Carmine Paterno e Chase Sargent. Mas com a responsabilidade de trabalhar e de cuidar da família e o receio de Lisa por minha segurança, eu já não tinha muitas condições de ir a reuniões, recrutar novos membros, manter o grupo e as outras ações que haviam me lançado à posição de liderança.

Tendo uma loja para vender nosso estilo único de música e alimentar nossa cultura, eu poderia contribuir para a causa de uma forma diferente, mas significativa. A música que eu venderia nos manteria cientes de nossas prioridades e inspiraria gente nova a juntar-se a nossa missão, e a flexibilidade de ser meu próprio patrão me permitiria passar mais tempo com minha família.

A princípio, Lisa não foi contrária a eu abrir a loja, embora não estivesse convencida de que a coisa funcionaria. Mas ela concordou que precisávamos de grana, e assim consegui convencê-la de que minha ideia aliviaria nossos problemas financeiros e nos daria tempo de investir em nosso casamento. Depois do que pareceram meses de debate, nos quais eu elencava as vantagens, ela finalmente decidiu concordar. Não seria fácil. E uma lojinha não nos deixaria ricos, mas o que mais tínhamos a perder?

Ávido por realização profissional, desesperado por uma vida melhor, desejoso de uma oportunidade para provar minha capacidade como marido e pai, apostei nossas miseráveis economias e um pequeno empréstimo de três mil dólares da mãe de Lisa, e implementei rapidamente minha ideia. Passei a procurar o local perfeito para a Chaos Record – o nome que eu escolhera meses antes –, com o ritmo do grande sucesso soando em minha cabeça. O pensamento de que aquilo sustentaria minha família, permitindo-me ao mesmo tempo permanecer conectado ao movimento, me enchia novamente de determinação.

Aluguei barato uma loja vazia perto de um cruzamento movimentado, pouco a oeste do limite de Blue Island. Já fazia algum tempo que o local estava fechado, um fato que usei para negociar um valor razoável para o aluguel. Eu mesmo construí todo o interior da loja, dos balcões aos *racks* de roupas e às prateleiras, e paguei cinquenta dólares a um artista, amigo da escola, para pintar as paredes, usando *airbrush*, com imagens apocalípticas que combinavam melhor com o luminoso *néon* gigante "anarquia" que brilhava na vitrine. Pendurei do teto, com fio de náilon, dúzias de discos de vinil estragados, colei nas paredes meus velhos pôsteres de punk rock e ladrilhei o piso num padrão xadrez preto e branco. Passei semanas escolhendo cuidadosamente e organizando meu estoque musical – apenas música independente ou *underground* que não era oferecida em nenhuma outra loja na região, ao menos não em lojas de disco normais, como a Record Town ou a Sam Goody. Eu não tinha interesse em competir com elas.

As vendas de música *white power* eram meu ganha-pão, mas eu também vendia coisas mais corriqueiras, como *Oi!*, punk, *ska*, *hardcore*, *rockabilly* e *black metal*. Era um negócio, afinal de contas. Eu precisava de um acervo variado que fizesse os clientes pagantes entrar pelas portas. Mas era o acervo *white power* e os clientes regulares skinhead que me mantinham funcionando.

A polícia passou a vigiar a loja no instante em que ela foi inaugurada. As viaturas policiais viviam parando no estacionamento, à espera de encrenca. Eu vendia música subversiva, que poucas lojas do país vendiam. Sem dúvida a preocupação era de que minha loja pudesse ser uma fachada para coisas ilegais. Talvez algum dos dois *slogans* da Chaos

Records, que eu usava na propaganda impressa e que estavam pichados com *spray* nas paredes internas, fosse o que os enfurecia: "A Revolução Começa Aqui" e "Foda-se a Paz. Eu Quero o Caos!"

Se eles me conhecessem minimamente, teriam percebido que, embora o movimento ainda me considerasse como a principal liderança dos skinheads *white power* de Chicago, eu tinha pouco envolvimento com qualquer atividade rotineira. Eu havia transferido a maioria delas para veteranos de meu grupo. Já não escrevia cartas ou distribuía panfletos. Havia quase um ano que não ia a reuniões fora do estado e tinha parado por completo com o recrutamento. A glória de minhas duas bandas se evanescera. Eu ficava nos bastidores enquanto o resto do grupo atuava sem supervisão na maior parte do tempo. Liderei a partir da retaguarda por algum tempo e, embora outros de meu grupo ainda estivessem ativos, era evidente que nosso contingente haviam se reduzido.

Foi difícil para mim abrir mão. Meu egoísmo e minha insegurança não haviam permitido que eu preparasse um sucessor para assumir o grupo na minha ausência. Claro, havia alguma pressão da parte de Kubiak e de alguns outros para que eu tivesse um maior envolvimento, mas em geral eles compreendiam que eu tinha uma família para sustentar. Afinal de contas, um dos preceitos principais das catorze palavras que regiam nossa vida era construir um futuro para nossas crianças.

Eu dizia para o grupo que era mais como se eu estivesse me aposentando das ruas, mas a verdade é que eu tinha perdido o gás, e estava inoperante e fatigado. Ainda assim, ninguém questionava minha lealdade.

Não muito depois da inauguração da loja, dois policiais à paisana apareceram. Era difícil serem mais óbvios. Os dois canas foram entrando, ambos com seus trinta e poucos anos, com roupas informais, apáticos e arrumadinhos, como soldados num campo de treinamento.

Com um sorriso sarcástico, fui até eles, estendi a mão e disse, no meu tom mais educado:

"É um prazer recebê-los, policiais. Me deixem adivinhar, vocês vieram para comprar o novo disco do Cradle of Filth ou para comprar os ingressos para o show acústico do Anal Cunt, que vamos apresentar aqui na loja na semana que vem. De qualquer modo, posso ajudá-los. Dinheiro ou cartão?"

Com as caras vermelhas, eles se entreolharam, encolheram os ombros e disseram:

"Você nos pegou."

Eles deram meia-volta e se foram.

Antes de ter minha loja, eu teria sido grosseiro com eles. Diria que não tinham o direito de invadir minha propriedade e os expulsaria por serem traidores da raça. Teria jogado na cara deles meu direito constitucional de servir quem eu quisesse.

Mas preferi não trabalhar daquele jeito. Eu mordia a língua e tratava com respeito e de forma justa todos que entravam em minha loja. O bem-estar de meus filhos dependia disso.

E, por causa disso, sem querer me tornei mais tolerante com pessoas cujo ponto de vista não batia com o meu. Até o dia em que Sammy, o skinhead antirracista negro, entrou em minha loja.

Eu mantinha uma pistola 9 mm carregada atrás do balcão. Só por precaução. Quando Black Sammy e três de seus capangas entraram, não demorou muito para que a arma fosse para seu lugar, enfiada por trás de meu cinto, ao alcance da mão.

Eu estivera examinando catálogos de futuros novos lançamentos, anotando os novos títulos que eu queria comprar no mês seguinte, quando Sammy entrou com sua turma. Meu sangue gelou quando casualmente ergui o olhar e o vi parado à porta, a jaqueta preta de aviador pendurada em seu corpo magro, os olhos negros ameaçadores, os cúmplices resolutos a suas costas. Nós nos encaramos por uns quinze segundos. Sammy era baixo e esguio, e o branco de seus olhos estava desbotado e sem vida. Nossos olhares se encontraram, desconfiados e a postos.

"Você tem algum disco do Skrewdriver nesta birosca?", zombou Sammy enquanto entrava pela porta da frente da loja. "E do White American Youth ou do Final Solution?"

Sammy era um skin da velha guarda muito conhecido, um dos fundadores do grupo antirracista SHOC – Skinheads of Chicago – junto com Dwight, outro skinhead negro que havia sido criado nos conjuntos habitacionais barra-pesada de Chicago. Eles se conheceram quando eram punks jovens e solitários que frequentavam os shows na zona norte da cidade, duas anomalias de pele escura em meio a um oceano de suburbanos brancos usando couro com rebites e moicanos tingidos. Depois que os membros da CASH começaram a distribuir folhetos da Romantic Violence na porta de shows punks, em casas noturnas como Cabaret Metro e Medusa, em 1985, os dois decidiram que iriam fazer frente a Clark e seu grupo, formando uma gangue rival antirracista – antecedendo os SHARPs de Chicago em quase meia década.

"Acho que você está no lugar errado, Sammy", respondi, olhando-o de cima ao sair de trás do balcão.

Eu estava sozinho na loja. Minha mão pairava por trás das costas, perto da arma.

"Qual é, Picciolini, eu sei que essas coisas ficam atrás do balcão." Ele soava sério, apesar da tatuagem curiosa em sua testa. Sammy era um enigma. Ele era um virulento skinhead antirracista negro, perturbado o suficiente para ter uma suástica gigante tatuada na testa. Um odiado símbolo nazista na testa de um skinhead antirracista negro? É isso aí. Aquilo nunca fez sentido para nós, skins *white power*, mas atribuímos o caso a seus frequentes apagões alcoólicos e a uma ponta de insanidade. Até seus companheiros achavam que ele era maluco. Eu não iria arriscar.

"Sammy, você e seu pessoal são bem-vindos aqui", as palavras saíram de minha boca antes que eu percebesse o que tinha dito. "Mas não quero encrenca."

"Ótimo, agora me dá tudo o que você tem da porra do Skrewdriver."

Ele se aproximou, e minha mão ajeitou, nervosa, o cinto.

"Tudo bem, então tá", eu disse, entrando em ação. "Que álbum você quer?"

Voltei para trás do balcão, criando uma barreira entre mim e os quatro capangas que agora estavam espalhados pela loja.

"Todos. Quero tudo que você tem."

Puta merda. Lá vamos nós, pensei. Não me faça atirar em você, Sammy. Não na minha loja. Não hoje.

Quando me abaixei atrás do balcão para pegar a caixa de CDs, cautelosamente tirei do cinto a pistola já com a bala na agulha e a segurei atrás das costas, de prontidão. Passaram-me pela cabeça as várias maneiras como eu poderia meter duas balas em Sammy primeiro e ainda ter tempo para alvejar os outros três e derrubá-los com as balas 9 mm de ponta oca restantes. Com certeza seria autodefesa justificada em resposta a um roubo.

"Quanto custam?"

Meu dedo nervoso encontrou o gatilho enquanto eu me erguia devagar com a arma escondida embaixo da caixa de CDs.

"Você aceita cartão de crédito?", Sammy perguntou.

"Hein?" Eu não tinha certeza de ter registrado o que ele tinha dito.

"Você aceita cartão de crédito? Eu não estou falando suaili, cuzão."

Os amigos dele riram.

Com cuidado retornei a arma engatilhada para a cintura, atrás das costas.

"Aceito. MasterCard e Visa. American Express não." Virei-me para escanear os códigos de barra no computador. Hesitante, virei-me para ele. "Sammy, por que você está comprando Skrewdriver, porra?"

"Por que você vende, porra?" Ele fez uma pausa. "Essa merda é do caralho, mano!"

Não me dei ao trabalho de perguntar sobre a tatuagem nazista, durante os trinta minutos seguintes, que passamos discutindo outras bandas skinhead "do caralho" e relembrando os primeiros tempos dos skins de Chicago e minha época no WAY e no Final Solution. Eu ri quando ele me contou que odiava o Bound For Glory porque a música deles era "metal demais", mas o WAY até que "era maneiro, para ser música de brancos". Brinquei, dizendo que ia transmitir a opinião dele a Big Ed.

Naquela tarde, antes de irem embora, Sammy e seus amigos gastaram mais de trezentos dólares em discos e camisetas. De longe a maior compra por um único cliente desde que eu havia aberto a loja. Antes que eu me tocasse, estávamos apertando as mãos, e um sorriso bizarro se formou em meu rosto. Que podia eu dizer? Minhas crenças estavam ruindo bem diante de meus olhos. Aquele cara não era menos do que eu. Podiam estar faltando alguns parafusos em sua cabeça, mas ele era só outra alma perdida, tentando encontrar seu caminho em um mundo difícil e de cabeça para baixo. Aquele pensamento persistiu em minha mente.

Assim que eles se foram, descarreguei minha arma e tranquei-a no cofre do quarto dos fundos. Naquele dia, de novo eu havia chegado perto de um assassinato, e não queria cometer aquele erro outra vez.

Com o tempo, dúzias de antirracistas apareceram para comprar músicas *Oi!* e *ska*, mais apolíticas, que de outra forma só conseguiriam se percorressem mais de trinta quilômetros cidade adentro. Eles haviam sido meus inimigos jurados por quase sete anos, mas eu oferecia preços melhores e uma vasta seleção da qual escolher. Eu tinha títulos que as lojas de discos da cidade não tinham em seu acervo. Até mesmo algumas das bandas skinhead antirracistas. Isso às vezes falava mais alto que seus sentimentos negativos por mim.

Apesar de tudo, se eu queria que a loja tivesse êxito e sustentasse minha família, não podia enfiar uma arma na cara deles e expulsá-los da minha loja, ou recusar-me a vender para eles. Assim, eu conversava com eles. Jogava conversa fora. Lembrava-me de seus nomes. Respondia a suas perguntas e nas conversas ficava sabendo sobre suas vidas pessoais. Fiquei surpreso ao descobrir que eram decentes. E mais, que eram *pessoas*. Ponto. Política à parte, tínhamos muitas coisas em comum, e comecei a humanizá-los. Eles já não eram mais apenas um alvo que meu grupo deveria eliminar, eram seres humanos. A maioria de nós não era violenta por natureza. Muitos vinham de famílias que trabalhavam duro. Todos tínhamos nossos problemas uns com os outros, e nossa cota de brigas de rua, mas nenhum de nós era um sociopata de verdade. Pensando bem, Sammy poderia ser um sociopata – e Clark definitivamente era –, mas a maioria de nós não era. Apesar de tudo, com o tempo ficamos conhecendo uns aos outros. Ligados pela música. Até passamos a ter uma relação amigável.

Enquanto isso, meus clientes *white power* foram diminuindo. Comecei a ter menos e menos contato com Kubiak e o grupo. Eu imaginava que era porque estavam sempre sem dinheiro, ou porque nenhum deles era casado nem tinha filhos para sustentar; imaginava que eles deviam achar que ficar em uma loja de discos chata não era tão emocionante quanto estar nas ruas arrumando encrenca. Não pensei muito naquilo, na época. Estava concentrado em manter o negócio funcionando bem e nas novas conexões amigáveis das quais estava desfrutando. Para ser totalmente sincero, porém, eu quase já não pensava em meu grupo. A loja era decente e me mantinha mais do que ocupado. E o pouco tempo que eu tinha naqueles primeiros meses, eu passava com minha família. Os caras pareciam estar indo bem sem mim – ao menos era essa a impressão – e então nem pensei naquilo.

Surpreendentemente, minha clientela era bem diversificada. Comecei a conhecer clientes gays e judeus, e cada vez mais eu me via sendo genuinamente amável com eles, bem como com outras minorias. Nossas conversas eram breves. A princípio cautelosas, mas aos poucos íamos nos conhecendo por meio de nosso interesse musical compartilhado. E eles sempre voltavam. Por meio da música, achamos o que tínhamos em comum, e eu me vi pensando claramente, "São pessoas do bem. Não quero fazer mal a elas". Falávamos sobre bandas, ríamos, trocávamos histórias sobre concertos aos quais havíamos ido. Nós nos relacionávamos de formas que eu não imaginava serem possíveis.

A primeira cliente judia que conheci era uma punk de seus vinte e poucos anos, que se apresentou como "Godiva". Era uma morena deslumbrante, com um belo corpo e seios fartos. Sei disso porque, quando ela veio até o caixa para pagar pela camiseta dos Sex Pistols, tirou a blusa bem na minha frente para experimentá-la, não apenas revelando os seios nus, mas também uma enorme estrela de davi tatuada ao lado do mamilo esquerdo. Tenho certeza de que me esqueci de cobrar a camiseta, ainda mais distraído depois que ela se debruçou sobre o balcão e me beijou no rosto, dizendo "Valeu!" antes de sair. Eu só consegui sorrir.

Conheci clientes punks de todas as cores. Metaleiros da América Latina. Uma banda de rockabilly da Argélia. Um casal gay cristão procurando música *lounge death metal underground*. Eu não tinha, mas encomendei para eles. E conheci o primeiro gay judeu ateu meio-asiático, meio-porto-riquenho. A vida se tornou interessante, de um jeito que nunca imaginei que pudesse ser.

A camaradagem inesperada que comecei a estabelecer com os clientes da loja me transportou de volta para o verão em que minha família se mudou para Blue Island, entre meu oitavo ano do fundamental e o primeiro ano do ensino médio. Um período do passado recente, e no entanto parecia a uma vida inteira de distância.

Em meus devaneios nostálgicos, recordei de quando era um garoto inseguro de 13 anos de idade, que adorava jogar com seus amigos da High Street, ser parte de um time, pertencer, divertir-se.

Sentia falta daquilo. E era bom ter de volta um pequeno vislumbre daquela inocência. Ter amigos que não se importavam com quais eram suas "crenças". De repente percebi que a amargura que me rodeava havia começado a se atrofiar. A empatia tinha se infiltrado e preenchia o vazio resultante.

Em agosto de 1994, pouco antes do nascimento de nosso segundo filho, decidi assistir a um concerto que aconteceria em memória de Ian Stuart em Racine, Wisconsin. A Resistance Record, uma nova gravadora americana de música *white power*, cuja música eu vendia na loja, estava patrocinando aquele tão aguardado evento.

Lisa não ficou nem um pouco feliz com minha decisão de ir, mas sabia que eu manteria minha promessa de me afastar das atividades do movimento para passar mais tempo com a família. Ela sabia que aquele concerto era algo único e de especial significado para mim. Stuart tinha sido um de meus ídolos musicais, alguém com quem eu havia me correspondido e que imitei durante anos. O que a preocupava era que muita gente iria. E onde os grupos de skinheads se reuniam, com certeza havia confusão.

Minimizei a possibilidade de acontecer isso, garantindo a Lisa que eu não faria nada que comprometesse o relacionamento que estávamos restaurando, e que eu pegaria as duas horas de estrada de volta para casa logo depois do fim do concerto. Observei que eu já não me considerava um ativista. Tinha até decidido deixar de vender música *white power* na loja. E eu havia parado, de forma completa e voluntária, de usar termos racistas ofensivos, agora que minorias e gays tinham se tornado meus clientes. Não porque eu quisesse vender mais, mas porque havia feito amizade com eles, e não queria insultar ninguém.

Um pouco mais tranquila, Lisa me abraçou e pediu que voltasse a salvo.

Quando cheguei, o concerto vibrava de tanta energia. Música ótima. Centurion e Das Reich, do Wisconsin. Aggravated Assault e seu grupo AC Boys, vindos em caravana de Atlantic City. Nordic Thunder, de Delaware. Berserkr, vindo de Tulsa. Rahowa, do Canadá. No Remorse, da Inglaterra. E Bound For Glory. Além de eu ter sido muito próximo dos membros de todas as bandas que estavam tocando, a plateia também estava lotada de velhos amigos. Abraços e histórias compartilhadas encheram a noite.

"Olha só quem está aqui. Como vão as coisas, estranho?" Era Big Ed.

"Oi, cara. Que bom te ver!", respondi.

"Como vai a loja de discos? Está vendendo o novo disco do Bound For Glory?"

"Bom, estou pensando em diminuir um pouco a música *white power*. Já não vende tão bem quanto antes. A Rock-O-Rama aumentou os preços e eu tenho que cobrar mais, e acho que as pessoas não conseguem comprar", menti.

"Sério? É uma pena." Ele parecia querer dizer mais do que isso. "Bom, quem sabe você pode incrementar as vendas com um pouco de música de crioulo, tipo *rap*?" Ele riu.

Big Ed não estava insinuando nada com aquilo, mas mesmo assim me senti inquieto. Àquela altura, a primeira banda já havia subido ao palco e estava tocando a primeira música. Dei uma risada meio forçada.

"Cara, foi muito bem te ver. Muito legal que o No Remorse conseguiu vir, mesmo nessas circunstâncias sombrias."

"É. Tenho que me preparar para a apresentação." Ele me deu um abraço forte e começou a se afastar. "Ah, acabo de me lembrar, um cara que diz que é do seu grupo de Blue Island me mandou uma carta faz umas semanas. Acho que você devia lê-la."

"Sério?", fiquei realmente surpreso. "Falando o quê?"

"Ele falava um monte de merda sobre você. Julie está com minha sacola. Depois do show eu te dou a carta e você pode levar para casa e enfiar no cu dele. Você devia ler." Eu disse que faria isso. "Não é nada legal."

"Ah, tudo bem."

Fiquei preocupado. Do que diabos ele estava falando? E, mais importante, de quem diabos era a carta? Ninguém em Blue Island tinha me falado nada. Eu não estava saindo com o grupo, mas ninguém parecia aborrecido por isso. Eu sabia que alguns deles não estavam muito satisfeitos com alguns tipos de música que eu vendia, mas esses caras tinham visitado a loja e nunca falado nada, só tinham me zoado um pouco.

Não consegui tirar da cabeça a conversa com Big Ed. Repassei pela cabeça todas as possibilidades. Teria eu insultado alguém? Teria dito algo que ofendeu algum deles? Então o No Remorse subiu ao palco e as vozes incômodas em minha cabeça sumiram.

Antes de começar a música, o vocalista Pete Burnside, com quem eu trocara correspondência e fizera amizade ao longo dos anos, e cuja música me inspirava desde que era um jovem skinhead, começou a apresentação com uma fala comovente sobre Ian Stuart. E, por um momento, deixei-me ser puxado para o passado, levado pelo momento e pela intensidade daquela noite. A música pulsava em minhas veias. Milhares de skinheads lotavam o lugar. Braços estendidos no ar, em homenagem a um herói dos skinheads do mundo inteiro. As preocupações e responsabilidades com minha família passaram para segundo plano de novo, quando o desejo de ser parte daquele mundo conturbado voltou a me inundar. Velhos companheiros que eu não via fazia anos estavam felizes em me ver, enchendo-me de perguntas sobre o que eu andava fazendo.

"Ah, sabe, a família... a loja", eu respondia.

Mas a euforia durou pouco.

Menos de uma hora depois do fim do concerto, uma tragédia aconteceu. Enquanto comprava cerveja em uma loja de conveniências ali perto, Joe Rowan, um companheiro Hammerskin e vocalista da banda Nordic Thunder, foi alvejado e morto em um confronto com jovens negros. Joe tinha sido meu amigo. Alguém que eu havia conhecido por vários anos e que havia aprendido a respeitar. Havíamos conversado, no lugar onde o concerto ocorrera, menos de vinte minutos antes que ele fosse assassinado. Atiraram nele minutos depois que entrei no carro para ir para casa. Joe tinha muito orgulho de seus filhos, e falou deles com carinho, e me mostrou a foto deles que carregava na carteira. Agora ele havia deixado aqueles dois bebês órfãos de pai e uma jovem viúva sem meios para cuidar deles.

Não fiquei esperando por Big Ed para que ele me entregasse a carta. Eu não tinha mais interesse. Eu só queria ir embora.

Eu já não podia negar minha ambiguidade, minhas dúvidas sobre aquela existência miserável que eu havia criado. Aquela vida não era para mim. Aquela máquina doentia de moto perpétuo, de violência e desespero intermináveis, que eu havia ajudado a criar, não era mais algo a que eu tinha orgulho de pertencer. Chorei por Joe e por seus filhos sem pai todo o caminho de volta. Outra parte de mim chorava por meus próprios filhos.

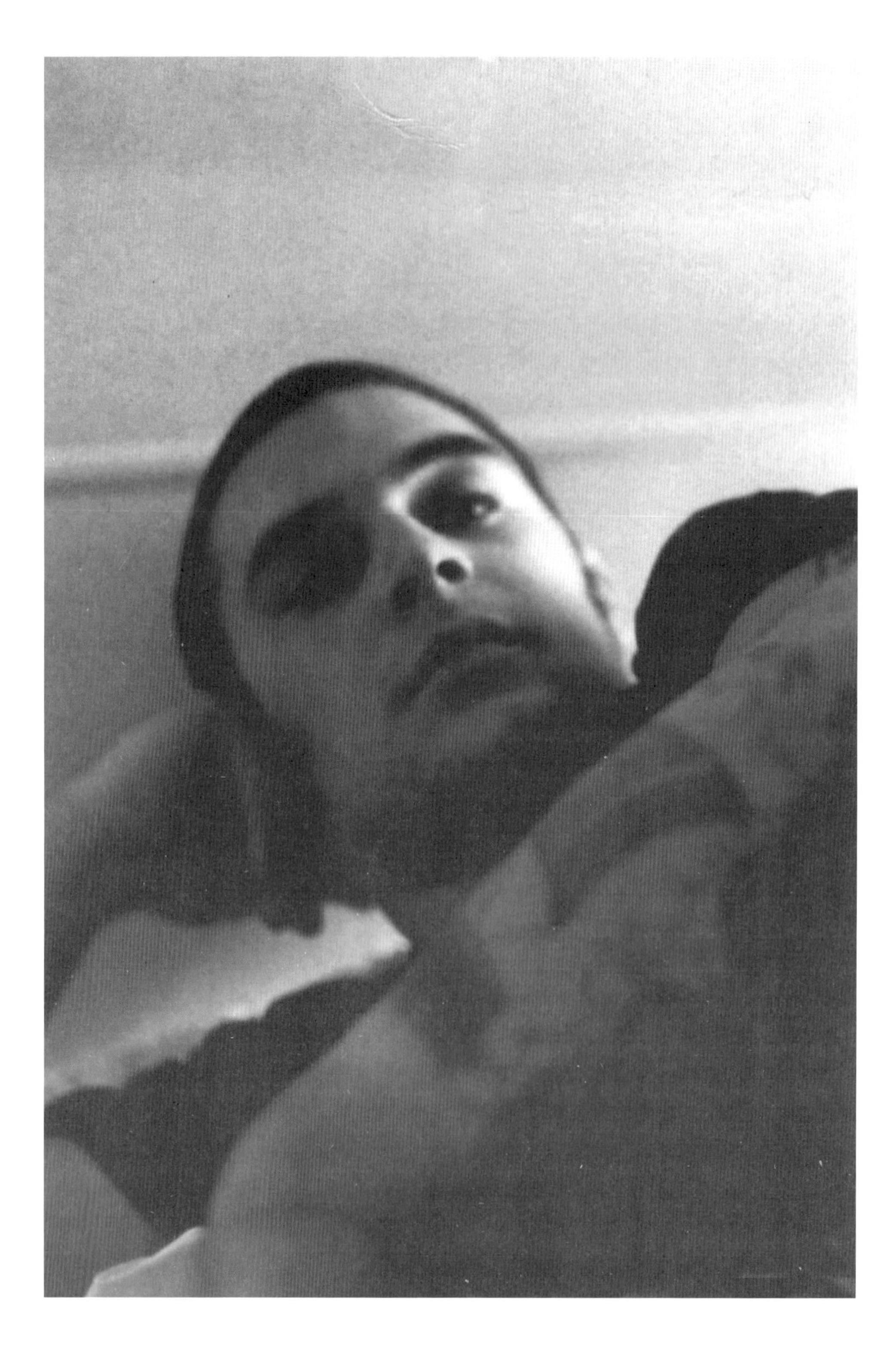

23

CAMINHE SOZINHO

Entre a morte de meu amigo, decorrente do ódio, minha desilusão com o movimento que eu ajudara a construir e o fato de que, devido a minha experiência na loja de discos, eu não podia mais odiar, baseado unicamente em princípios, as pessoas que antes queria eliminar, comecei a abandonar meus vieses. Descobri tantas coisas em comum que não poderia, em sã consciência, ridicularizar ninguém com base em diferenças superficiais. Eu simplesmente não podia mais justificar ou racionalizar meus preconceitos.

Lembranças de meus últimos sete anos passaram por minha cabeça e me deixaram furioso. Pensei na Ku Klux Klan e seus ridículos chapéus de burro e fantasias de palhaço feitas com toalhas de mesa; os constitucionalistas soberanos racistas que iam ao mercado portando armas automáticas e que achavam que as leis humanas não se aplicavam a eles; os desequilibrados da Identidade Cristã, que distorciam a Bíblia para que se adequasse a

Christian, 1994

seus dogmas perversos, transformando Deus em um vingativo senhor da guerra ariano, decidido a exterminar as raças não brancas, segundo eles reencarnações do Diabo; os revisionistas que afirmavam que o Holocausto nunca havia ocorrido, e que seis milhões de judeus de algum modo tinham evaporado por mágica da superfície da Terra; os patéticos soldados do Partido Nazista Americano, vestidos como se todo dia fosse Halloween, com suas camisas marrons de escoteiros e culotes engraçados; os odinistas racistas, que acreditavam que deuses vikings loiros que viviam nas nuvens iriam acertar os infiéis de pele escura com raios e marteladas de Thor; e os skinheads neonazistas que iludiam a si mesmos, acreditando que tinham um grama sequer de coragem correndo por suas veias, quando na realidade estavam recheados com um coquetel volátil de cerveja barata e desprezo por si mesmos para alimentar seu ódio. Agora, quando olhei no espelho, vi a concha vazia de um homem – um desconhecido – cheio com esses mesmos elementos tóxicos, devolvendo-me o olhar.

Por um terço de minha vida eu havia mascado e engolido pedaços amargos de cada uma dessas ideologias deturpadas, e agora tudo o que queria fazer era enfiar os dedos na garganta e vomitar tudo no banheiro mais próximo. Eu me sentia nauseado. Como um viciado que precisava de poder e controle egoístas, em vez de heroína – sempre necessitando mais, e cegamente vivendo a vida no fio da navalha para conseguir a próxima dose de ódio.

As ações horrivelmente equivocadas de meus últimos sete anos tinham começado com minha solidão quando criança, cristalizando-se em ódio vingativo e fanatismo. Culpei a todos, exceto a mim, por aquilo que acreditava ter sido tirado de mim quando criança. Fiquei furioso com meus pais por me abandonarem devido a suas carreiras e voltei minha agressão contra o mundo; em vez de assumir a responsabilidade por meus próprios sentimentos e ações, culpei aqueles que não me esforçava em compreender.

E por ser tão cego, e ambicioso demais para prestar atenção em minhas emoções reais, acabei culpando os outros – negros, gays, judeus e qualquer um que eu achasse não ser como eu – por problemas de minha vida para os quais eles não haviam contribuído. Meu pânico infundado manifestou-se rápida e injustamente como um ódio venenoso, e me tornei um radical, incentivado por pessoas que viram em mim um jovem solitário pronto para ser moldado. Por buscar tão desesperadamente algum significado – por desejar erguer-me acima do comum –, devorei qualquer migalha que tivesse a aparência de grandiosidade. Transformei essas migalhas em minha identidade, ofuscando meu caráter real. O mesmo do qual me cansara quando criança. E por meio de minha agressividade equivocada, eu havia me tornado um valentão grande, gordo e racista. Um obeso mórbido, engordado pelas incontáveis mentiras com que havia sido alimentado por aqueles que se aproveitaram de minha juventude, ingenuidade e solidão. Pelas toxinas com as quais me banqueteara, ávido. Agora, eu só queria que o veneno que havia dentro de mim fosse embora.

E eu estava exausto.

Passar sete anos negando minha humanidade, de forma tão obstinada, drenou uma quantidade incrível de energia. Com 21 anos, eu não tinha mais força para continuar travando a batalha constante com minha própria consciência.

Agora, pessoas que antes eu aterrorizara de forma consciente relacionavam-se comigo, sem se importar com minhas crenças passadas. Eu achava que não merecia a bondade delas. Elas sabiam de toda minha sórdida história, mas nunca me julgaram nem causaram qualquer dano a minha loja, como eu temia que fizessem. Nunca me condenaram, nem chutaram os faróis do meu carro ou picharam obscenidades em minha loja ou machucaram minha família. Não eram as pessoas que eu queria ter como clientes quando decidi abrir meu negócio, mas o impacto inegável que tiveram em mim durante aquela época me deu uma perspectiva da vida que abriram meus olhos. Elas enxergaram além de minha fachada em ruínas e pressentiram minha dor antes mesmo que eu reconhecesse a delas, e entendi então que, durante tanto tempo, apenas eu causara dano a todos nós.

Os não brancos e os judeus não eram do mal e nem estavam atrás de mim; os gays amavam-se do mesmo modo como eu amava minha mulher e meu filho; as pessoas que eu covardemente agredia eram todas vítimas dos mesmos percalços na vida. Estávamos todos no mesmo mundo – no mesmo canto esquecido. Desviando-nos o tempo todo, junto às cordas do ringue, com a guarda erguida na luta para sobreviver em um mundo cheio de golpes a esmo – no fim, tudo o que queremos é ser amados pelo que realmente somos. Devíamos *confiar* uns nos outros, não *ferir* uns aos outros.

Essa verdade a princípio foi terrivelmente doída e vergonhosa, mas foi a chave que desmontou a forte barricada que havia aprisionado minha alma.

Toda minha antiga tribo parou de visitar a loja. Eles se convenceram de que estavam sendo expulsos de meu círculo de amizades por todas aquelas pessoas diferentes. Eles se cansaram de minhas desculpas para não sair nem ficar na companhia deles: eu estava cansado; o bebê estava doente; eu precisava fazer o inventário do estoque da loja. Logo comecei a ouvir comentários de que eu tinha perdido a garra, que eu era um capitalista tentando enriquecer com música *white power*. Fiquei nervoso. Com receio de deixar claros meus sentimentos, preocupado que os outros pudessem me achar um covarde, eu acabava com os boatos assim que ficava sabendo deles, e transformava em exemplos aqueles que os espalhavam. Fazia-os passar vergonha. Desacreditava-os. Virava a mesa. Até mesmo Kubiak e eu havíamos nos afastado depois da despedida de solteiro dele. Ele havia me convidado meio sem vontade, quando nos encontramos por acaso no posto de gasolina, na noite anterior.

"Que porra aquele fã de crioulos está fazendo aqui?", ouvi um rosto novo zombar assim que cheguei, enquanto descia a escada para o porão do decrépito centro do VFW.* "Ele não devia estar na loja dele, enfiando o nariz no cu de algum judeu imundo?"

Um grupinho se reuniu ao redor dele, rindo em silêncio por trás das latas de cerveja que levavam aos lábios.

Passei por cima de Kubiak, que já estava mais pra lá do que pra cá, caído nos degraus da escada.

"Que porra você disse?"

Eu nunca havia notado aquele sujeito antes, mas a inexpressividade de seu olhar me lembrava algo que eu já tinha visto um milhão de vezes em meu próprio espelho.

"Eu disse que você é um veado que curte crioulos e chupa o pau de judeus."

Agindo com base unicamente na memória muscular, saltei do último degrau em cima do cara. Não sei o que veio mais rápido, a bile que inundou minhas entranhas com as palavras dele ou meu punho cerrado arrebentando-lhe o queixo. De qualquer modo, meu soco garantia que, por algum tempo, seria mais fácil para ele cuspir fora vários dentes do que repetir aquilo. O pessoal correu para nos separar e Kubiak veio por trás e me deu uma gravata.

"Você tem que ir embora", grunhiu Kubiak enquanto lutava para me arrastar para fora. "Você não pode ficar aqui."

Gente que tinha sido ferozmente leal a mim havia começado a criticar meu compromisso com a causa por trás de minhas costas. Fazia meses que o pavio estava queimando, com eles sussurrando entre si – e naquela noite a fagulha finalmente havia atingido o barril de pólvora, resultando numa explosão. Eles viram a mudança que estava acontecendo comigo e decidiram entre si cortar a cabeça da fera antes que eu pudesse engolir a cápsula de veneno e acabar com o grupo junto comigo. Eu me tornara um pária. E por mais aterrorizado que estivesse com as possíveis consequências de

---

* Veteranos de Guerras Estrangeiras (em inglês, *Veteran of Foreign Wars*), organização que reúne veteranos de guerra, fundada em 1899. (N.T.)

minha suposta traição, pela primeira vez em minha vida fiquei satisfeito com o sentimento de *não* pertencer. De imediato, reneguei minha responsabilidade para com eles, sem saber o que meu futuro me reservaria.

Logo me vi preferindo a solidão da loja a qualquer outro lugar, e passava ao menos doze horas por dia lá. Isso não agradou muito a minha mulher.

Nem a futura chegada de nosso segundo filho, nem o dinheiro extra que a loja proporcionava faziam muita diferença em nosso casamento. De novo comecei a evitar Lisa, cansado das brigas, das acusações de não passar tempo suficiente com ela e com Devin, das queixas de que ela estava cansada da maneira como vivíamos. A amargura e a melancolia me consumiam. Eu havia desistido de todo meu envolvimento com o movimento. Tudo o que fazia era trabalhar para sustentar minha família. O que mais ela queria de mim?

Eu era jovem demais, e estava cego e magoado, e não percebia que o que ela e Devin mais precisavam de mim era simples – eles estavam ávidos por meu tempo e minha atenção. E eu acreditava piamente que nada que eu fizesse poderia agradá-la. Vendo em retrospectiva, hoje percebo que eu estava extremamente infeliz comigo mesmo, não com minha mulher. Estava desapontado comigo.

Uma de minhas maiores motivações para abrir a loja, além de sustentar minha família, era que eu queria uma chance de começar meu próprio negócio, como meus pais haviam feito. Na época eu não conseguia expressar, e sequer tinha consciência disso, mas eu precisava desesperadamente de aceitação e respeito. De meus pais. De meus amigos. Do movimento. De Lisa. Esse desejo se tornou mais forte do que qualquer outro fator motivador, ironicamente ofuscando minha dedicação à família. Nunca me dei conta da ironia evidente de que, por estar tão concentrado em meu próprio egoísmo, eu estava perdendo o respeito daqueles de quem eu o procurava.

Assim, continuei a encontrar refúgio no trabalho, ignorando as necessidades essenciais de minha mulher grávida e de meu filho pequeno, certo de que, enquanto eu estivesse sustentando financeiramente minha família, eu estava agindo certo.

Mas Lisa e eu continuávamos a discutir o tempo todo sobre as mesmas coisas. Ela ficava furiosa por eu nunca estar em casa para desfrutarmos a companhia um do outro. Ela estava certa. Ela precisava de um companheiro, e eu havia caído fora. Nunca percebi que ela só precisava de uma folga. Uma mulher jovem, mal saída da adolescência, cujos sonhos haviam sido roubados, atribulada com um garotinho de 2 anos e prestes a dar à luz de novo. Eu estava envolvido demais com minhas necessidades egoístas para ajudar. Eu deveria ter estado presente para partilhar a intimidade e as pequenas coisas que muitas vezes significam tanto. Irresponsável, tratei minha própria mulher e meu próprio filho como meus pais haviam me tratado. Foi um golpe duro.

Nosso segundo filho, Brandon, nasceu em 18 de novembro de 1994, logo depois que fiz 21 anos e quase exatamente dois anos depois do nascimento de Devin. O nascimento dele foi tão emocionante e mágico quanto o do irmão, e Lisa e eu de imediato nos apaixonamos loucamente por ele.

Mas seu nascimento não conseguiu salvar nosso casamento. Se alguma coisa pudesse ter feito isso, teriam sido nossos filhos.

Era tarde demais.

Eu soube que estávamos condenados na noite em que voltei tarde para casa, de novo, e encontrei Lisa prendendo Devin e Brandon em suas cadeirinhas, no carro. Eu havia perdido o jantar, como na noite anterior. Um olhar nos olhos inchados dela, que evitavam os meus como veneno, me mostrou que ela tinha chorado. Ela disse que não me amava mais. Não só isso, eu lhe "dava calafrios", ela acrescentou, cravando-me um olhar gélido, morto, enquanto apertava Brandon, de quatro meses, contra si.

Isso me feriu mais do que todas as brigas que já tivéramos. Naquele momento eu soube que toda esperança estava perdida. Eu não sabia se nos recuperaríamos daquele sentimento fatal.

"Eu quero o divórcio. Eu quero que você vá embora", gritou Lisa, batendo a porta do carro.

Lisa partiu para o minúsculo *trailer* de seus avós na margem do lago, em Michigan – o mesmo onde havíamos passado nossa primeira noite como felizes recém-casados –, levando nossos filhos. Fiquei parado na rua e vi minha família desaparecer na escuridão à minha frente. Eu tentara dar-lhes tudo, mas em vez disso meu egoísmo havia sequestrado suas vidas. Eu não tinha o direito de impedir que partissem.

Passei duas solenes horas colocando em uma mochila de lona os únicos pertences a que eu julgava ter direito – algumas camisetas, duas calças Levi's surradas, um punhado de cuecas e meias, e as pesadas botas Doc Martens em meus pés. Era tudo que eu merecia. Dormi no chão do quarto dos fundos da loja, junto a uma pilha de discos de vinil quebrados.

Meu casamento havia terminado.

Em silêncio.

Sem pedidos de perdão. Sem novas promessas de mudança.

Quando o dia seguinte nasceu, bati à porta de meus pais e me mudei de novo para o apartamento do porão que eu adorava aos 15 anos.

Simples assim.

De volta a meu alojamento skinhead nazista. Empoeirado e sujo. O ar cheirando a mofo e úmido.

Eu ultrapassara a fase que aquele quarto representava. E ele era um lembrete constante de meu fracasso.

Nem Buddy, com seus 11 anos, queria a minha companhia.

"Ei, Buddy. Eu estou precisando de alguém para me ajudar a fazer inventário do estoque na loja. Quer vir trabalhar comigo amanhã?"

"Não, vou ao cinema com Flaco. Quem sabe outra hora."

Eu tinha estado ocupado demais com o movimento e com minhas próprias aspirações para dar atenção a ele. Ele estava no fundamental 2 agora, com seus próprios amigos. Eu pensava nele com frequência. Sentia a falta dele. Mas nas festas de fim de ano e nas raras ocasiões em que a família toda se reunia, eu havia prestado atenção demais a minhas próprias necessidades egoístas e ignorado meu irmão menor, que me idolatrava quando pequeno, mas que agora se ressentia comigo por abandoná-lo quando mais precisara de mim.

Debruçado no balcão, cansado e sozinho depois do trabalho, naquela noite, percebi que eu tinha agido exatamente como meus pais. Eu havia repetido os erros deles, com o pensamento irracional de que se devotar a qualquer outra coisa exceto às necessidades dos entes amados era sinônimo de ser um bom pai. Ocupado demais em ganhar dinheiro em vez de encontrar tempo para minha família. E eu até havia levado a coisa mais além. Se eu tivesse sido completamente honesto comigo mesmo, teria percebido que não era o desejo de colocar comida na mesa que havia me mantido longe de minha família. Era meu sonho egoísta de ser alguém importante, de fazer diferença. De ser um herói. Quando tudo o que eu precisava fazer, para atingir esses objetivos, era simplesmente prestar atenção ao que estava bem na minha frente o tempo todo.

No fim das contas, a única coisa que eu havia conseguido foi me tornar alguém que eu não respeitava. Movido a arrogância, desconectado daqueles a quem eu amava, plantando mentiras e semeando o ódio para mascarar meus próprios sentimentos de insegurança e de solidão. Criando o medo, dividindo as pessoas e lançando-as umas contra as outras. Em vez disso, eu havia me tornado alguém de quem eu nem sequer gostava. Exatamente o que eu desejara, desde o início, não me tornar. Um vilão.

A Chaos Records não realizou meu desejo de prover o sustento de minha família. Em vez disso, ela nos separou. Depois que tirei de meu acervo a música racista, que correspondia ao grosso das vendas da loja, meu rendimento despencou, e não demorou para que eu não conseguisse manter as portas abertas. Dois meses depois que Lisa e eu nos separamos, fechei a loja.

Decidimos que ela ficaria na casa e nos autos de nosso divórcio o juiz concedeu a ela a guarda de nossos filhos. Eu estava sem nada. Não tinha emprego, casa, amigos, mulher e não morava mais com meus filhos – os seres mais importantes que restavam em minha vida. Minha identidade – a pessoa que eu achava ser, que durante sete anos eu lutara para me tornar – implodiu.

Cada golpe duro se tornava um catalisador para o próximo.

Aos 21 anos de idade, eu havia perdido tudo.

Quatro meses depois, na manhã de 19 de abril de 1995 – um dia antes da comemoração, por nazistas do mundo todo, do 106º aniversário de Adolf Hitler –, o supremacista branco Timothy McVeigh foi até o Edifício Federal Alfred P. Murrah, na cidade de Oklahoma, estado de Oklahoma, transportando uma bomba de fertilizante de duas toneladas na caçamba de sua picape Ryder recém-alugada. Ele a detonou, matando 168 pessoas inocentes – incluindo 19 crianças – e ferindo muitas centenas mais. McVeigh tinha com ele um envelope contendo algumas páginas do *Turner Diaries*, o relato ficcional de Earl Turner e um exército de revolucionários brancos que detonam uma guerra racial ao explodirem a sede do FBI com uma picape-bomba.

O mesmo livro que Clark Martell havia me dado quando eu tinha 14 anos.

O mesmo livro que eu havia lido e relido vezes sem conta.

O mesmo livro que mantive no bolso de meu casaco por quase sete anos.

Que diabos eu tinha feito com minha vida?

24

RAGNARÖK

Nos cinco anos seguintes afastei-me do mundo e mergulhei em uma depressão cada vez mais profunda, na qual passei a querer dormir só um pouquinho mais a cada manhã, até que no fim eu já não via mais a luz do sol. Eu abria os olhos, torcendo para que a escuridão a meu redor significasse que eu estava morto. Não sabia quem eu era, qual deveria ser meu lugar no mundo, ou sequer se me importava o suficiente comigo mesmo para dar um jeito naquela situação miserável.

Eu havia perdido tudo que tinha valor em minha vida. Minha mulher e meus filhos já não faziam parte de minha rotina diária. Havia muito tempo que eu tinha me afastado de meus pais, avós e irmão. Minha estrutura social e meu negócio haviam desmoronado. Era doloroso, para mim, reunir energia para procurar um emprego significativo e, quando me forcei a encontrar trabalho – porque eu queria sustentar meus filhos –, o máximo que consegui foi um emprego de meio período,

Christian Picciolini (foto de Meredith Goldberg)

recebendo salário mínimo, sem grandes esperanças de autorrealização. Uma vez mais, eu me sentia completamente sozinho. Isolado e vazio. O mesmo que eu havia sentido quando era um garotinho sentado de pernas cruzadas no *closet* de casacos de meus avós, olhando pelo vidro da janela para além de meu próprio reflexo, desejando ser parte do vibrante filme da vida que era projetado lá fora.

Quando era criança, nos anos antes de me juntar ao movimento *white power*, eu havia olhado o mundo de longe, desconectado dele como se fosse alguém de fora. Minhas esperanças inocentes de pertencer a algo flutuavam no horizonte – fora de alcance – a um milhão de quilômetros de distância.

Em retrospectiva, tudo parecia perfeito visto à distância. Era romântico. Em minha solidão, eu sonhava ser o herói, o ator principal, o protagonista, para que os outros pudessem me aceitar com mais facilidade, em vez de acolher quem eu de fato era, quem eu estava destinado a ser – um indivíduo; com defeitos e medos, mas que tinha muitas qualidades incríveis em comum com outras pessoas com defeitos e medos maravilhosos. Imprudente, assumi riscos mal calculados e adotei histórias alheias como minha própria identidade.

Quando era criança, eu desejava desesperadamente ser como Rocky Balboa ou Han Solo ou Indiana Jones. Que criança não desejaria ser como eles ao crescer? Eu ansiava pelo mesmo tipo de aventuras incríveis que via na tela do cinema, e achava que se eu fosse mais como eles, as pessoas gostariam mais de mim e me deixariam fazer parte de seu mundo. Mas, quando fiquei mais velho e vi a aceitação se afastar mais, para fora de alcance, comecei a perder aquela inocência simples – a busca fundamental para fazer parte – na esperança de que conseguiria alcançar mais depressa meu próprio destino se eu assumisse, ao contrário, o papel de um gângster durão e respeitado – *à la* Robert De Niro como Johnny Boy em *Caminhos Perigosos*, ou Vito Corleone em *O Poderoso Chefão*.

Quando aquelas pequenas apostas começaram a render dividendos na forma de atenção, subi ainda mais o valor da aposta por uma chance de ganhar ainda mais respeito e assim poder imitar as pessoas da vida real que estavam a minha volta e que eu admirava, como Carmine Paterno, Chase Sargent e Clark Martell. Enquanto meu ego se inflava e saía de controle, eu não me contentava apenas em ser respeitado, e passei a desejar ser temido. Assim, eu me atirei de cabeça e apostei contra a casa, só para perder tudo enquanto tentava, de forma insensata, desempenhar o selvagem papel de Earl Turner, o revolucionário racista do livro *Turner Diaries*.

Eu desejava com tanto desespero ter uma história para contar que ignorei tudo que já me pertencia. Apostei tudo, e no fim perdi tudo. A sensação familiar de desespero que sentia quando criança – não muito diferente daquela sentida por um corvo solitário pousado no galho quebrado de uma árvore, balançando com o vento e buscando uma última refeição – retornou com tudo e me sufocou. Estava tão debilitado por causa da falta de autoaceitação, que minha alma definhou, assim como acontece com o corpo privado de alimento e nutrição. Tornei-me uma casca fina de pele e osso, sem coração nem alma.

Durante meus sete anos de envolvimento com o movimento *white power*, trabalhei incansavelmente, não apenas para perturbar a vida de tanta gente inocente, mas para sabotar a mim mesmo, privando-me de tudo o que era absolutamente essencial – amor, a bondade humana básica e um claro objetivo de vida. Durante anos, após abandonar a cruzada cáustica que havia ajudado a criar, eu sofreria essas perdas de amor, bondade e propósito, de novo e de novo. Mesmo quando parei de ingerir e de cuspir o fanatismo venenoso do movimento, eu ainda negava a mim os nutrientes da redenção e a purificação natural que ocorre quando a toxicidade é exposta à luz e ao ar fresco. Eu impedia que minha própria verdade saísse de meus lábios.

Encontrei-me vagando perdido dentro do mundo solitário que havia construído para mim. Não confiava em ninguém e evitava a maioria das pessoas. Apenas minha própria tristeza me oferecia um refúgio. Uma sentença de morte autoimposta. Eu não conseguia entender o que estava sentindo – e assim deixei que aquilo me dominasse.

No fim, o único modo que eu conhecia de destruir o mundo convoluto que criara para mim foi padecer sob seu peso.

Eu precisava de amparo. Tanto físico quanto espiritual. Eu era pai de dois filhos. Tinha uma vida para reconstruir. Uma alma para reparar. Assim, quando um conhecido meu falou sobre um emprego temporário na IBM, no fim de 1999, não tive escolha senão aceitá-lo, apesar de não saber absolutamente nada sobre tecnologia, computadores e *softwares*. Eu tinha confiança em minha capacidade de fingir até aprender. Eu precisava me erguer sobre meus próprios pés, e tinha dois menininhos que ainda dependiam de mim para ser o pai deles.

Eu havia falhado com eles até então, mas estava determinado a me redimir. Eu garantiria que nunca lhes faltasse nada. Resolvi ser, para eles, o pai que sempre quis que o meu fosse para mim. Eu conviveria com eles. O máximo de tempo que pudesse. Cada final de semana. Descobriria quais os interesses deles e faria todo o possível para encorajá-los em seus sonhos. Se praticassem algum esporte, eu nunca perderia um jogo, e estaria ao lado deles para encorajá-los a se erguerem quando caíssem. Arranjaria tempo para treiná-los. Se gostassem de ciências, eu lhes compraria kits de química e microscópios e computadores e telescópios e visitaríamos os melhores museus de ciência para que eles pudessem ver que coisas incríveis eram possíveis se apenas tivessem a coragem de sonhá-las.

Se gostassem de história, eu os levaria para cada local de importância histórica no mundo e lhes apresentaria culturas tão antigas quanto o pó na face da Terra. Se fosse a música o que os inspirava, eu lhes conseguiria instrumentos e aulas. Se fossem apaixonados por arte, eu os encorajaria a pintar ou fazer esboços, e os apresentaria aos artistas mais importantes do mundo. Nunca mais lhes faltariam meu amor e meu apoio, minha fé neles, meu interesse inabalável em tudo o que fosse vital para que tivessem vidas produtivas e afetuosas. Exatamente como Lisa e eu havíamos conversado tantos anos atrás, quando nos apaixonamos, e quando fizemos um ao outro a promessa de que seríamos melhores para nossos filhos do que nossos pais haviam sido conosco.

Consegui o trabalho na IBM.

Minha primeira tarefa foi uma prestação de serviços de informática, como assistente do gerente de projeto, no Distrito Escolar 218 de Illinois. Ironicamente – ou por alguma intervenção divina –, era o distrito escolar ao qual pertenciam a Eisenhower e a PIE. E em quem eu esbarraria em minha primeira semana no emprego senão no senhor Taylor, o segurança negro em quem eu vomitara toda minha amargura racista no dia em que fui levado algemado para fora da escola.

"Droga!", murmurei quando o vi, e me escondi atrás de uma parede. "Que diabo..."

Minha colega de IBM me lançou um olhar curioso.

"O quê? Você conhece o chefe de polícia?"

Quase engoli minha língua.

"Chefe de polícia? Ele é da segurança."

"Não mesmo. Ele é o chefe de polícia agora, e controla a equipe de segurança do distrito." Minha colega me olhou desconfiada. "Então, você tem algum problema com ele?"

"Infernizei a vida dele quando eu era aluno aqui", respondi. "Quase trocamos socos uma vez. Eu era um imbecil ignorante, racista e criava todo tipo de problema para ele."

"Racista?", perguntou ela, surpresa. "Você?"

A descrença dela me banhou como uma chuva purificadora. Por anos, durante meu envolvimento no movimento *white power*, nada me deixava tão orgulhoso quanto minha reputação racista, e agora ali estava alguém que ficava incrédula ao ouvir aquela palavra associada a mim. Fazia cinco anos que eu deixara tudo para trás, mas ainda não tinha confrontado publicamente meu passado. Envergonhado e assustado, eu havia fugido dele, lutando para ficar fora de suas garras.

Eu vivia amedrontado já fazia cinco anos, torcendo para que meu passado não me alcançasse e impedisse que eu fosse adiante profissional e socialmente. Meu terror era que as centenas, talvez milhares de pessoas violentas que eu ajudara a criar viessem atrás de mim e me ferissem ou a meus filhos. Durante o tempo em que me dediquei ao movimento, era uma prática-padrão, encorajada, demonizar qualquer um que abandonasse o movimento como "traidor da raça". Deixar o movimento era um convite aberto para uma agressão brutal ou um assassinato. Um bom exemplo foi o ataque violento cometido por Martell, em 1987, contra Angie Streckler, a ex-skinhead cujo corpo quase sem vida foi abandonado, espancado e ferido, sob uma suástica pintada na parede com seu próprio sangue.

Naquele momento, senti como se os céus tivessem se aberto e me envolvido em raios de luz redentora, e de imediato soube o que tinha que fazer.

Fui em busca de meu antigo inimigo. Encontrei-o quando ele saía do edifício. Pela primeira vez, corri na direção de algo naquela escola, em vez de correr para longe.

"Senhor Taylor!", gritei. "Espere, por favor."

Ele se virou, seu sorriso desaparecendo de repente ao me reconhecer.

"Desculpe. Lembra-se de mim, senhor Taylor?"

"Você é difícil de esquecer", ele disse, sua voz disfarçando qualquer emoção.

"Eu queria lhe dizer... que sinto muito", eu disse, recobrando o fôlego. "Aquele monte de coisas horríveis que eu disse. As coisas que fiz. Meu ódio. Eu dificultei muito sua vida quando estudei aqui nesta escola. Eu apagaria tudo, se pudesse. Não vou tentar me justificar. Mas quero que saiba que não sou mais aquela pessoa."

Seu olhar encontrou o meu, estudando-me, penetrando tão fundo em meus olhos que parecia estar vendo minha alma. Depois de um curto intervalo, ele acenou de leve com a cabeça e me estendeu a mão.

"Fico feliz em ouvir isso, senhor Picciolini." E, num instante, as palavras dele decifraram o que meus olhos cegos não haviam visto: "Libertar-nos de verdade de nossos demônios exige muito sacrifício e muita dor. Acho que você sabe do que estou falando. Sua responsabilidade agora é contar ao mundo o que o curou. Bem-vindo de volta."

As lágrimas arderam em meus olhos quando nossas mãos se tocaram, e baixei o olhar para ver mãos, antes cerradas em punhos ansiosos para atacar, agora apertando-se em respeito mútuo.

O conceito era puro. Simples. Verdadeiro. Eu tinha que lidar com minha própria dor antes de poder começar a consertar o dano que havia causado aos outros. Eu tinha que me expor totalmente à luz para que o mal que antes cultuara pudesse ser varrido para longe de uma vez por todas.

Na antiga mitologia nórdica – algo que Hitler e os nazistas usaram amplamente e deturparam para justificar seu conceito corrompido de "guerreiro branco" –, existia o conceito de uma série simbólica de eventos apocalípticos, conhecida como *Ragnarök*, uma grande batalha entre os deuses vikings que lutavam entre si, e que no final resultaria na destruição violenta do mundo maculado onde eles viviam, para que um mundo novo e fértil pudesse surgir em seu lugar. Era muito apropriado que esse mesmo conceito pudesse ajudar a me curar. Calcinar a terra infestada onde minhas raízes antes apodreciam, para que a nova vida pudesse ser fertilizada e crescer das cinzas.

A noção de refletir e de curar a mim mesmo a partir do interior, para poder destruir os demônios que me assombravam havia tanto tempo, foi uma inspiração para mim.

Com 18 anos, subi ao palco no prédio que havia abrigado uma catedral da Alemanha, com gritos de "Heil Hitler!" pontuando o rugido de milhares de skinheads europeus que gritavam o nome de minha banda.

Naquele momento, eu era responsável pela eletricidade no ar, a adrenalina correndo pelas veias pulsantes, o suor escorrendo das cabeças raspadas.

A devoção absoluta ao *white power* corria pela multidão naquela tarde enevoada de março, em 1992. Imaginei na época que deveria ser como Hitler tinha se sentido ao liderar seus exércitos na missão de dominar o mundo.

Eu falava sobre como as leis favoráveis aos negros estavam roubando empregos dos brancos, e como estávamos sobrecarregados com impostos usados para amparar programas assistenciais. Eu acreditava que bairros de famílias brancas respeitadoras das leis e trabalhadoras estavam sendo dominadas pelas minorias com suas drogas. Os gays, uma ameaça à propagação de nossa espécie, estavam exigindo direitos especiais. Nossas mulheres estavam sendo enganadas em relacionamentos com não brancos. Claramente a raça branca estava em perigo.

Ou era o que tinham me ensinado a crer.

Comecei com uma boa intenção. Eu desejava sentir algo mais, fazer algo nobre, e tracei um plano conveniente para preencher tais necessidades. Com frequência, os resultados eram mundanos, inofensivos. Às vezes, até gloriosos. Outras vezes, as coisas davam terrivelmente errado.

Quando agi de forma insensata para "proteger aqueles a quem amava", a justiça egoísta colidia com a justiça social. Tentei absolver a mim mesmo de minha própria dor, tomando qualquer remédio que eu achasse que me livraria daquele peso. Meu ego inchado turvava meu julgamento. E ao escolher contornar minha dor, em vez de lidar com ela de forma mais racional, vieram consequências e responsabilidades assustadoras. Algumas pessoas preferem evitar a escolha totalmente e fugir, apenas para ser perseguidas para sempre; outros desmoronam sob seu peso e os poucos que restam são levados pelo ímpeto que às vezes resulta de suas decisões. Creio que uma pessoa iluminada encontra o equilíbrio entre a paixão de seu coração e a razão de sua mente. Não é a decisão destrutiva de redefinir a realidade diante de si como algo que se adequa a você, mas que é tóxico para aqueles que o rodeiam.

A verdade era que meus pais nunca haviam perdido o emprego para alguém de alguma minoria. Eles davam duro para sobreviver como a maioria dos americanos faz. Para ter seu próprio negócio e sustentar a família trabalhando duro. Para se estabelecer em algum subúrbio e reivindicar sua fatia da torta americana. E quando, como um tolo, escolhi me aventurar sozinho na escuridão, tendo como missão exigir respeito, no lugar de conquistá-lo, eu estava fugindo de algo. Eu não sabia então, mas percebo agora que estava fugindo de meu próprio medo de fracassar.

Eu estava convencido de que ser um guerreiro significava destruir o "inimigo", combatendo o tempo todo qualquer um que não fosse igual a mim, e espalhando o medo pela comunidade. Quando, na verdade, é a fraqueza quem carrega uma espada ensanguentada, e a força real vem de estar disposto a falhar. Uma vez atrás da outra. Para aprender com seus erros. Para ser vulnerável e honesto e aceitar que você não sabe. Para ser humano.

Do alto daquele palco em Weimar, para todo lugar que eu olhasse, bandeiras com suásticas enchiam a antiga catedral alemã. Cruzes retorcidas brilhavam sobre a pele, cobriam roupas, pendiam em bandeiras.

Eu estava naquele palco para garantir que ninguém se esqueceria de quem eu era.

Quanto poder.

Quanta *ignorância*.

Quando penso naquela época, mal posso respirar. Como pude ser tão idiota? Tão insensível à dor que, sem cerimônia, eu infligia a pessoas inocentes? Tudo em nome de aceitação e do desejo de fazer parte.

Claro, parte de meu comportamento irracional não era nada além da natureza rebelde normal de um adolescente inseguro em busca de um modo de ser ouvido. Eu olhava ao redor e via gente como meus pais, trabalhando muito sem poder desfrutar a vida. Eu não queria ser daquele jeito algum dia. Não queria ser comum. Eu tinha certeza de estar destinado a algo maior. Como a fraqueza, o fracasso também não era uma opção. Assim, quando surgiu a chance de ser algo mais, eu a agarrei sem pensar nas consequências daquela decisão.

Depois de provar aquele sucesso, fiquei com sede de poder e reconhecimento. Eu queria algo que me fizesse sentir o sangue quente correndo nas veias.

A música tinha aquele efeito. Por meio da música *white power* conheci pessoas que achei que gostavam de mim e que eram iguais a mim. Eu não era mais um garoto que não pertencia a lugar nenhum. Em vez disso, eu acreditava estar liderando outros em uma missão valorosa.

Eu confundia ódio e intimidação com paixão, medo com respeito. Entre nós, falávamos sobre honra. Mas, quando falávamos com o mundo exterior, tudo era uma fraude. Um engodo. Trapaça. As mentiras eram nossa defesa – nossa verdade. Para sobreviver a essa mentalidade orwelliana,* tínhamos que fechar os olhos constantemente e dominar a arte do perjúrio. A verdade e a mentira tinham que ter o mesmo sabor.

Os franceses têm uma expressão, *l'appel du vide*, "o chamado do vazio". Ela descreve aquela vozinha que temos na cabeça, que até a pessoa mais racional deve ouvir, que nos desafia a virar o volante para ir de encontro ao caminhão que vem no sentido contrário, ou a sensação de quando olhamos para baixo e sentimos medo de cair, mas temos o impulso aterrorizante de pular. Por cinco anos após deixar o movimento, ouvi constantemente aquela voz me incomodando, sempre murmurando em meu ouvido que eu precisava encontrar um jeito de matar o que havia ajudado a criar. Mas eu tinha medo das consequências e não sabia por onde começar. Foi só quando percebi que a estrada para a recuperação começava em mim que deixei de tentar silenciar aquela ânsia, na esperança de que minha morte figurada de algum modo matasse todo o mal literal que eu havia ajudado a criar.

Essa dura descoberta foi para mim o começo de uma nova vida. Somente quando alcancei o ponto de finalmente abrir mão de tudo foi que

---

* Referência ao conceito de *doublethink* ("duplipensar") que George Orwell expõe no livro de ficção *1984*: a capacidade da mente de acatar simultaneamente duas crenças opostas e excludentes. (N.T.)

a mudança começou a se consolidar. Assim, quando finalmente cheguei ao fim da estrada e alcancei a beira daquele precipício, nem pensei em parar e avaliar a situação. Já não temia. Depois de sete anos de desonestidade comigo mesmo, estava cansado demais de manter as mentiras e esconder os medos. Eu vinha cometendo suicídio aos poucos, a cada dia um pouco mais. Era hora de encarar a verdade. Pisei fundo no acelerador e me atirei no precipício metafórico. Pisei com tudo, feliz porque os demônios dentro de mim estavam caindo rumo a sua morte. E só então, quando permiti que aquela morte dolorosa e simbólica ocorresse – a carcaça enferrujada de meu antigo eu ardendo nas rochas pontiagudas lá embaixo –, só então pude postar-me e ver a fênix renascer, erguer-se dos destroços e estender as asas.

Com uma visão de vida mais positiva, logo minha depressão começou a desaparecer. Os anos seguintes transcorreram num piscar de olhos. A IBM me contratou em período integral e fiz uma carreira bem-sucedida em marketing e operações. Enquanto trabalhei lá, fiz proveito do incentivo educativo que a empresa oferecia. Em 2001, matriculei-me na Universidade DePaul, uma das duas instituições que não haviam me aceitado enquanto eu ainda estava na escola alternativa, e novamente voltei a estudar. Mas, desta vez, de muito bom grado. Atirei-me de cabeça nos estudos. No passado, a escola havia sido o calvário da minha vida, mas agora eu desfrutava cada momento das aulas. Conheci alunos de todo tipo, e interagi com eles numa intensidade que nunca acreditara possível. Os professores abriram minha mente com novas ideias e teorias. Um mundo infindável surgiu. Acolhi a diversidade e me formei não apenas como um aprendiz da vida, mas com uma média acadêmica quase perfeita de 3,98 e duas especializações, em negócios internacionais e em relações internacionais.

O ponto alto de minha formação universitária aconteceu quando visitei as Nações Unidas como parte de uma conferência global nas

Metas de Desenvolvimento do Milênio. Tomei conhecimento das horrendas e corriqueiras atividades de exploração e tráfico de mulheres e crianças, a fome mundial, a pandemia de AIDS e os estragos causados pela pobreza e pela discriminação de classes sociais. A experiência me fez perceber quanto trabalho havia para ser feito no mundo para tornar justa a vida de pessoas de todas as raças, crenças religiosas, gêneros e preferências sexuais.

Apesar de nosso relacionamento tumultuado, Lisa e eu somos amigos de novo. Tenho muita sorte em tê-la como parceira na criação de nossos filhos. Ela é uma mãe incrivelmente dedicada e um ser humano cheio de afeto. Juntos, criamos dois jovens respeitosos e preciosos, com muitos talentos para compartilhar com o mundo.

Em meio a tudo isso, honrei a promessa que fiz a mim mesmo de estar presente na vida de meus filhos. Eu raramente namorava, pois reservava para eles todo o tempo livre. Ia com eles a todos os eventos da escola e às reuniões de pais e mestres, ajudava-os com a lição de casa e os projetos escolares, e estive presente quando chutaram a primeira bola de futebol.

A única coisa que me deu tanta felicidade quanto o tempo que passava com os garotos foi conhecer Britton. O amor de minha vida. Como eu, ela trabalhava na IBM, mas em um centro de vendas em Dallas, a meio país de distância. Antes de nos conhecermos em pessoa, estávamos em contato constante por conta do trabalho. Não foi um caso de amor à primeira vista. Foi amor *antes* da primeira vista, à medida que nos conhecíamos por meio de e-mails e telefonemas. Minha maior preocupação era que ela olhasse minhas tatuagens antigas, que eu ocultava com mangas longas, visse as provas de meu passado e saísse correndo. Eu sabia que ódio e preconceito eram conceitos alheios a ela, e achava que ela jamais poderia amar alguém com uma história como a minha.

Mas ela é uma mulher incrível, e enxergou além dos erros que eu havia cometido quando era um jovem tolo. Ela enxergou o homem que eu havia me tornado. Quando finalmente nos encontramos em pessoa, depois de meses nos conhecendo à distância, foi melhor do que qualquer encontro que Hollywood já filmou. Corremos um para os braços do outro e nos beijamos antes de dizer uma só palavra. Nunca deixaremos de nos beijar, de nos amar, de crescer e de desfrutar a vida juntos.

Oito meses depois daquele primeiro abraço, Britton se mudou para Chicago, insistindo em morar em seu próprio canto para que pudéssemos introduzi-la na vida dos meninos aos poucos, e para que ambos tivéssemos certeza de que era a situação ideal para todos nós. Nós nos casamos três anos depois. Dessa vez não foi um casamento de adolescentes. Não estávamos brincando de adultos. Era de verdade. Duas almas empenhadas em apoiar, honrar e valorizar uma à outra.

Reconciliei-me com meus pais. Sei que ter a mim como filho não foi fácil. Eu testei os limites deles e, agora que eu mesmo sou pai, entendo o porquê dos sacrifícios que fizeram. Eu era um moleque desagradável, arrogante, egoísta e mimado, que nunca reconheceu os gestos de apoio desinteressado que fizeram por mim até eu mesmo ter de encarar os mesmos desafios. Eles me amavam, e fizeram o que na época achavam ser o certo para dar uma vida melhor a mim e a meu irmão. Eu os respeito por isso.

Depois de tudo que eu havia feito, de toda a dor e o sofrimento que causara, o ódio que disseminara, as vilanias que cometera pelos Estados Unidos e até no Canadá e na Europa, eu me sentia incrivelmente afortunado por ter uma formação universitária, uma esposa incrível, dois filhos fantásticos, por fim uma boa relação com meus pais e uma vida da qual podia me orgulhar.

Mas, em um segundo, tudo mudou.

25

PECADOS DE IRMÃO

Meu irmão Alex. Buddy.

O cara mais doce que existia. E ele me amava. Eu era seu irmão mais velho descolado. Quando era pequeno, ele esperava que eu chegasse da escola. Ele me seguia pela casa, cantando quando eu cantava, dançando quando eu dançava. Ele pedia para descer ao meu quarto no porão quando eu tinha 15 anos e ele tinha 5, para poder ficar comigo. Ele queria ir comigo aonde quer que eu fosse, fazer tudo que eu fazia. Mas ele era pequeno demais, e eu era egoísta demais.

"Buddy, quando eu for mais velho, vou ser forte como você?"

"Vai. Você vai ser mais forte", eu respondia.

"Você vai me ensinar, Buddy? Eu também quero ser durão e bater nas pessoas."

"Se é isso que você quer...", eu ria.

Christian e Buddy, 1985

Ele sorria e me envolvia com os braços, fingindo que estávamos brigando.

Nunca perdi o interesse por ele, mas à medida que me envolvia mais e mais no movimento de supremacia branca, e depois me casei, e tive meus próprios filhos, eu tinha menos e menos tempo para partilhar com ele.

Às vezes ele ficava triste, e fazia força para conter as lágrimas que enchiam seus olhos, quando eu dizia:

"Não, não posso levar você comigo hoje, Buddy. Quem sabe da próxima vez."

A próxima vez dificilmente vinha. Ele sabia, mas, ainda assim, sorria e dizia:

"Tá legal. Promete?"

Eu prometia.

Mas nós dois sabíamos que seria difícil.

Quando ficou mais velho, ele parou de fingir que "alguma hora" chegaria. Ele ficou bravo comigo. Ficou irritado por eu deixá-lo para trás. Sentiu-se traído. Abandonado. Seu tom de voz não era compreensivo quando ele tinha 14 anos de idade e disse à mamãe que eu era mais um parente distante do que um irmão. Ele queria o irmão de volta. Seu Buddy. Embora ele nunca tivesse me pedido ou me falado isso ele próprio.

Mas, mesmo não estando ao lado ele, ainda assim eu, o irmão mais velho, o influenciava. Como acontece com os irmãos mais novos.

Assim, ele começou a ter um mau comportamento quando chegou ao ensino médio. Começou a conviver com influências negativas. Gangues. Ele conquistou para si uma reputação como a que eu tinha. Mas a dele era diferente. Eu era conhecido por ser desafiador, durão, alguém que não recuava. Um líder.

Buddy, por outro lado, era um seguidor. Dava para contar com ele para juntar-se ao que quer que estivesse rolando. E ele seria o bode expiatório e, se fosse necessário, seguraria a barra de quem quer que precisasse. Ele me vira ser preso e julgado por contravenções menores. Não era nada grave. A vida seguia adiante. Dava para lidar com as consequências.

Como eu, ele bebia. Mas bebia mais do que eu, e não para ser sociável, mas para ficar bêbado. E, diferente de mim durante meus dias de skinhead, ele usava drogas. Ele foi preso por porte de maconha e de arma de fogo ilegal. A quantidade de erva era pequena, insignificante, mas a arma foi suficiente para mandá-lo para a cadeia. O juiz o sentenciou a fazer serviços comunitários, pois era sua primeira transgressão, mas Buddy quis provar que era mais durão do que eu e solicitou ir para a prisão. Não entendi por que ele tinha pedido algo tão idiota. Eu já fizera minha cota de serviços comunitários. Não era difícil. Mas a prisão era. Fiquei preocupado com as escolhas dele, escrevi para ele e fui visitá-lo enquanto estava preso. Tentei voltar a me aproximar dele, descobrir o que estava rolando com ele. Como eu poderia ajudar. Eu sabia que ele ainda tinha amizade com gente que fazia parte de gangues como os Latin Kings. Aquilo me preocupava. Ele me garantiu não pertencer a nenhuma gangue, mas eu sabia que conviver com membros de gangues – fosse ou não um membro oficial – resultaria em mais problemas. Violência. Perigo.

Apesar de suas amizades nas gangues, o fato de ter sido preso e seu mau comportamento, Buddy era um bom garoto. Totalmente doce. Um coração mole. Era como um urso de pelúcia gigante. Não mais o garoto gorducho com quem eu costumava brigar de mentira quando criança, era agora forte, sólido. Um homem. Com ele eram garantidos um bom sorriso e uma companhia agradável.

Quando me mudei de volta para o porão de meus pais, depois do divórcio, fiquei mais e mais preocupado com as escolhas dele. Tentei falar com meus pais e dizer a eles onde aquilo tudo levaria. Mas eles não me deram ouvidos, sem ter coragem de fazer frente a ele, da mesma forma que havia acontecido comigo.

Eu tinha brigas com meu irmão quanto ao caminho que ele estava seguindo, dando-lhe lições de moral mesmo sabendo que não havia forma que me desse ouvidos. Meus esforços em afirmar que nada de bom viria daquele estilo de vida só o deixavam mais zangado.

"Quem caralho você acha que é pra me dizer isso?", ele dizia. "Você não é meu pai. Você nem se lembrava de que eu existia, até agora. Você não pode voltar depois de tanto tempo e achar que simplesmente vai ser meu irmão de novo."

"Buddy, esses caras com quem você está saindo não são boa coisa", eu alertava.

"Meu nome é Alex. Não sou Buddy."

Em outras vezes ele me jogava na cara que, na idade dele, eu tinha sido muito pior que ele, e ria. Era um riso amargo, que gelava meu coração.

"E olha o que aconteceu comigo", eu dizia. "Minha mulher me largou. Quase perdi meus filhos. Tudo que era importante para mim desapareceu. E desperdicei sete anos de minha vida. Você quer que isso aconteça com você? Abra os olhos. Por favor, Buddy, veja o que vai acontecer."

"Vai se foder."

Depois de algum tempo, desisti de tentar me comunicar com meu irmão. Aquilo só o provocava ainda mais. Além disso, quem precisava dessa chateação? A vida se interpôs. Trabalho. As aulas. Dois filhos para criar.

Certa noite ele estava dirigindo por um bairro barra-pesada com alguns de seus amigos membros da gangue, tentando comprar um pouco de maconha. Nenhum deles sabia que, um mês antes, duas gangues rivais da área – uma negra e uma latina – haviam se enfrentado e correra sangue. Um carro passara atirando. Um lance bem ruim.

Numa esquina, alguns jovens negros viram a van desconhecida, na qual estava meu irmão, percorrer a rua deles na escuridão da noite com um jovem mexicano ao volante, e acharam que eram membros da gangue rival, vindo se vingar deles.

Eles abriram fogo.

O motorista, o amigo de meu irmão, Flaco, foi atingido na coluna. Outro tiro pegou de raspão o abdome de meu irmão. Um segundo projétil acertou sua virilha, cortando a artéria femoral.

Os outros dois passageiros, que estavam no banco de trás, abaixaram-se e não foram feridos.

Gravemente ferido, Flaco conseguiu levar o carro até o hospital. Os dois que estavam no banco de trás saltaram do carro e fugiram.

Flaco não conseguiu chegar a tempo. Meu irmão – meu Buddy – já chegou morto ao hospital. Faltava um mês para ele completar 21 anos.

O que se seguiu – a prisão, a acusação, o julgamento e por fim a absolvição da pessoa que supostamente matou meu irmão – talvez seja tema para outro livro. Um livro que ainda não estou pronto para escrever. A culpa pelos atos de minha própria juventude desperdiçada, que talvez tenham levado à morte de meu irmão, ainda é forte demais.

Senti à época, como ainda sinto, que a responsabilidade foi minha. Eu gostaria de ter me envolvido mais com a vida dele, ter insistido mais para que ele ficasse longe das gangues e da violência. Ter sido um modelo. Ele estava seguindo meus passos.

Mas, mais do que isso, eu senti que, de algum modo, a morte dele foi uma retribuição por toda a violência e ódio que espalhei pelo mundo, pela dor que causei a outros por conta da cor da pele, e por minha ideia equivocada de que, agredindo-os, eu seria alguém.

Meu irmão foi morto porque ele estava em um carro com gente cuja cor da pele ameaçava um grupo de jovens ignorantes com outra cor de pele.

A morte de meu irmão foi minha culpa.

No funeral, meus antigos amigos racistas, os amigos de meu irmão, até membros da família que nunca na vida haviam se envolvido com atividades racistas ou de gangues, vieram me perguntar se eu ia buscar vingança. Eles pediram que o fizesse. Chegavam a estar ansiosos por isso. As contas tinham que ser acertadas.

Dizer que eu fiquei perplexo é pouco. Cheio de culpa e de arrependimento, a última coisa que eu queria era dar continuidade ao ciclo de violência.

Aquilo devia terminar em mim – em Buddy. Nunca mais eu faria parte daquele mundo de ódio. Nunca mais viveria em um mundo onde a cor da pele e o objeto do amor ou da fé de alguém inspirariam violência e condenação.

Meu irmão havia pago por meus pecados.

Eu passaria o resto da vida pagando por eles.

EPÍLOGO

E COMO SE DEU MINHA EXPIAÇÃO?

Depois de sete anos na IBM, retornei ao ramo da música e ao mundo do empreendedorismo. Fui gerente geral e produtor executivo da JBTV, um programa musical icônico, ganhador do Prêmio Emmy, que ajuda a revelar ao mundo artistas emergentes. Sou escritor, professor, proprietário de uma gravadora e empresário artístico, representando bandas com base na força de sua música e de seu caráter.

Enquanto estava me graduando pela Universidade DePaul, tive a oportunidade extraordinária de trabalhar como relator para a 57ª Conferência Anual sobre a Sociedade Civil e os Objetivos de Desenvolvimento do Milênio, das Nações Unidas. Como resultado, consegui fazer um curta de divulgação, na esperança de inspirar as pessoas a se unirem em paz para trabalhar em problemas globais sérios, como pobreza, fome e AIDS, e promover a igualdade de gênero nos países em desenvolvimento.

Christian com Britton, Devin e Brandon, Grand Canyon

Como trabalho de conclusão de curso, escrevi uma tese de vinte páginas detalhando meu envolvimento no movimento *white power* e meu posterior afastamento do extremismo violento da extrema-direita. Dez anos depois, aquele projeto tornou-se este livro.

Em 2008, fui convidado a escrever um editorial de opinião para a popular revista de música *Alternative Press*, no qual descrevi meus sete anos de ódio. A publicação desse texto foi crucial para mim, pois foi a primeira vez que falei abertamente sobre meu passado em um grande fórum público. Pedi aos leitores que dessem ouvidos a minha história e encontrassem um modo de tornar o mundo um lugar melhor. Um mundo que promovesse a inclusão e a igualdade para todos.

Durante anos, depois disso, fui treinador voluntário dos times de futebol de meus filhos, e encorajava todos os jovens atletas sob minha responsabilidade a lutar pela integridade em tudo que faziam, tanto dentro quanto fora do campo.

No aniversário do doutor Martin Luther King Jr., em 2010, fui um dos fundadores da Life After Hate, uma organização sem fins lucrativos que busca ser um agente de mudança para todos aqueles que lutam com seu próprio ódio. Divulgando nossas perspectivas ímpares sobre empatia e compaixão, e promovendo a bondade humana básica, queremos ser um farol de esperança para aqueles que se sentem aprisionados pelo racismo e o preconceito. A liderança dentro da organização é feita totalmente por ex-skinheads *white power* – tanto homens quanto mulheres. Sem dúvida, algumas das melhores e mais corajosas pessoas que conheço.

E escrevi este livro, reconhecendo o legado sombrio que deixei, sabendo que ervas daninhas tóxicas podem ainda estar brotando das sementes infectadas que plantei tantas décadas atrás. Sabendo que pode haver retaliações tanto dos racistas que ajudei a criar, e que ainda são fortes em meu país, quanto das forças da lei, que ainda me conservam em seus arquivos. E com a esperança de que ele impeça que outras pessoas, ainda que seja só uma, tomem as mesmas decisões egoístas e tolas que tomei, que sigam a trilha sombria e maligna do racismo e que cultivem a crença ignorante de que alguém pode ser melhor que os outros com base apenas em raça, gênero, religião ou preferência sexual.

Os arrependimentos de meu passado ainda me perseguem, mas fiz mudanças significativas em minha vida, e agora posso me olhar no espelho sem ver um monstro me devolvendo o olhar. Formei-me na DePaul e me casei com Britton, a mulher mais compreensiva e amorosa do planeta, alguém que nunca conheceu um instante sequer de racismo. Todos os dias, agradeço às deusas do destino por deixar que meu caminho se unisse ao de uma mulher com sua força, caráter, inteligência, empatia e natureza amorosa.

Sou para meus filhos o pai que eu gostaria que o meu tivesse sido para mim. Compareci a cada um de seus jogos de futebol e de futebol americano, eventos na escola e reuniões de pais e mestres. Agora que são jovens adultos, muito mais sábios do que eu era na idade deles, ainda os considero responsáveis por suas próprias ações e não tenho medo de falar com eles quando fazem algo que sei que pode causar dano a eles ou a outra pessoa. E é a meu papel de pai que credito a maior parte de minha transformação. Foi ele que me forçou a me questionar constantemente quanto ao caminho que estava trilhando, pois ele com certeza me separaria de meus filhos, pela morte ou pela prisão, como fizera com tanta gente que conheci.

Uma vez dados os primeiros passos para longe do movimento e rumo a meus filhos, cada passo seguinte foi mais fácil. Eu sentia um grande prazer em fazer coisas novas com meus filhos, sem me preocupar com barreiras injustas de raça e preconceito, que poderiam ter ofuscado aqueles momentos especiais. Pensar em alguém ferindo meus filhos – ou aliás o filho de qualquer um – porque eles eram "diferentes", evocava em mim uma dose tremenda de emoção. E eu prestava muita atenção a esses sentimentos poderosos, imaginando a dor que podiam ter sentido os pais de filhos e filhas que feri ao longo de minha jornada.

Em 1996, durante os primeiros e mais negros dias de minha depressão e do medo, depois que deixei o movimento, passei a usar drogas recreativas e álcool para atenuar minha dor. Mas isso só fez com que meus sentimentos de valor se tornassem ainda mais tênues. Sabendo que o consumo de drogas e o fato de ter me distanciado de repente da sociedade depois de fechar minha loja haviam começado a me destruir, agarrei-me a uma tábua de salvação e decidi voltar para a única coisa que eu sabia fazer bem – a música. Reuni uma banda punk pouco conhecida, chamada Random55, para tentar evitar que minha mente entrasse em parafuso. Desta vez as letras falavam de corações partidos e de perdas, e não sobre preconceito e ódio. Durante minha fase com o Random55, tive a grande sorte de conhecer um dos ídolos de minha juventude – a venerada Joan Jett.

Uma pessoa que eu conhecera em minha loja era promotora de concertos em uma casa noturna do outro lado da cidade. Ela me ligou, certa tarde, após um cancelamento de última hora de uma das bandas que estavam agendadas para abrir um show importante naquela noite. Perguntou se podíamos ajudar e fazer o show de abertura. Achamos o máximo. Antes que eu pudesse perguntar quem era a banda para quem daríamos apoio, ela desligou. Pegamos nosso equipamento e fomos para o lugar do show. Quando chegamos, ficamos deslumbrados ao saber que o Random55 iria abrir o show de Joan Jett and the Blackhearts.

Envolto pela excitação da noite, por dentro eu lutava com a depressão solitária que quase me incapacitava e que constantemente me fazia questionar se minha vida valia a pena. Pouco antes de as portas se abrirem naquela noite, enquanto terminava a passagem de som antes de ir para o camarim, Joan me viu sentado, quieto, nos bastidores. Ela deve ter sentido que eu não estava bem, porque se aproximou e passou o braço à minha volta.

"Vi a passagem de som de vocês", ela disse. "Vocês são bons."

"Obrigado", respondi. Fiquei com estrelas nos olhos, e aquilo me tirou de meu baixo-astral.

"Acho que vocês têm um futuro brilhante. Qual o seu nome?"

"Christian. Meu nome é Christian Picciolini", respondi, mas acho que ela na verdade havia perguntado o nome da banda.

"Christian, sou Joan." Eu ri quando apertamos as mãos. Claro que eu sabia o nome dela. Ela envolveu meus ombros com o braço de novo. "Suba lá e aqueça a galera para mim."

Eu disse que faria isso.

Nos bastidores, mais tarde naquela noite, depois do segundo bis, mencionei a Joan que na verdade eu a havia visto brevemente uma vez, quando tinha 13 anos. Tinha sido durante as filmagens de *Luz da Fama*, em que ela trabalhou junto com Michael J. Fox e que tinha sido filmado em parte em Blue Island.

"Obrigada por me fazer sentir velha", ela brincou. "Por que você estava tão triste antes do show? Vocês tocaram muito bem para uma casa lotada. Você devia estar feliz."

Contei a ela que as coisas estavam difíceis.

"Sabe, relacionamentos, trabalho, esse tipo de coisa", respondi.

"Bom, anime-se. As coisas só vão melhorar se você deixar." A voz dela era gentil e carinhosa. "Na verdade, vamos fazer uma turnê no inverno. Se vocês não estiverem ocupados, eu adoraria que sua banda fosse conosco e abrisse alguns dos shows."

Até hoje, aquelas apresentações continuam sendo alguns dos pontos altos de minha vida. E durante toda a turnê, Joan continuou esbanjando empatia comigo.

As palavras e gestos dela ajudaram a salvar minha vida. Naqueles dias sombrios e confusos, quando com frequência me perguntava se valia a pena viver, foi a bondade dela que elevou meu ânimo, quando eu mais precisava.

Todos os seres humanos têm necessidade de compaixão e possuem a capacidade de senti-la. Sentir empatia – quando nos colocamos no lugar de outra pessoa e nos permitimos compreender a dor que ela sente, quando a humanizamos – é a coisa mais importante que podemos fazer. Todos compartilhamos a capacidade de rir, de desfrutar a vida e de amar.

De processar a dor, a perda e o medo. Coisas arbitrárias como cor da pele ou sexualidade não têm efeito sobre estas e outras maravilhosas capacidades humanas.

Estou longe de ser perfeito. Sei que nunca serei. Vou tropeçar e posso até cair, mas pelo resto de minha vida vou continuar a me erguer e a me esforçar para honrar todas as pessoas e tentar ser útil para aquilo que beneficiará a humanidade.

Eu sou meu pai. Minha mãe. Meus avós. Meu irmão. Minha esposa. Meus filhos. Meus amigos. Sou parte de todos que já conheci e eles são parte de mim.

Somos parte uns dos outros. Unidos pelo fato de sermos seres humanos. O que acontece com a espécie humana é responsabilidade de todos e, quando um de nós falha, todos falhamos. Quando um de nós se recusa a fazer parte do que existe de errado no mundo, o mundo fica mais brilhante para todos nós.

Peço a você que compreenda este fato e que o honre em atos e decisões.

Seja parte do bem do mundo. Parte da crescente comunidade que busca a justiça e a compaixão. Todos temos a capacidade de *fazer o bem acontecer*, se simplesmente tentarmos.

Você é eu e eu sou você.

Paz para todos nós.

STORAGE
BOX
BE
KIND

AGRADECIMENTOS

Este livro não teria sido possível sem o apoio extraordinário de diversas pessoas, a começar por Britton, minha incrível esposa, a rocha sobre a qual minha nova vida foi construída. Embora eu já tivesse dado os primeiros passos rumo à transformação antes de conhecê-la, Britton, você foi o amparo de que eu precisava para seguir adiante a cada dia. Sua sabedoria e sua mente racional foram o lastro bem-vindo para minhas frequentes decisões arriscadas e impulsivas. Você é minha parceira e minha melhor amiga, e sou eternamente grato por fazer parte de sua vida. Tenho a esperança de que meu amor infinito por você represente algum consolo por minhas inúmeras preocupações.

Não sei nem como agradecer a meus filhos, Devin e Brandon, que foram os catalisadores para que eu despertasse de meu entorpecimento. As palavras não são suficientes para expressar o orgulho imenso que sinto desses excelentes rapazes. Possam eles se lembrar de que todo mundo é

Arte de rua em Chicago ("Seja gentil", em inglês) (Artista desconhecido)

imperfeito, e que por meio de nossas imperfeições nós nos tornamos parte da mesma família – a raça humana. Se eu pudesse dar algum conselho a eles seria: sigam seus sonhos e deixem que suas palavras e ações reflitam seu verdadeiro coração. Assegurem-se de que tudo que fizerem contribua para a paz e promova a aceitação, o afeto e a igualdade para todos. Amo demais vocês dois.

Quero expressar meu amor e gratidão a meus pais, Anna e Enzo Picciolini. Devo muito a eles por se recusarem a me expulsar quando mais precisei da ajuda deles. Olhando para trás, entendo perfeitamente que sacrificaram o tempo deles usando-o comigo, por me amarem e por desejarem dar a mim e a Alex uma vida melhor do que a que tiveram, e respeito-os por isso. Agradeço a eles por darem o melhor de si e por serem pessoas boas e decentes, que de fato se importam e amam com todo o coração.

Obrigado a Zia Lina, a quem devo todas as minhas ambições criativas e artísticas. A Zia Mary, em cujos braços me lembro de ser embalado, enquanto suas cantigas ninavam-me até adormecer. Ela era a amiga que eu necessitava quando criança. Devo meu espírito de aventura, a esperteza das ruas e a inventividade a Zio Nando. A você, digo que às vezes é preciso um monte de atalhos errados na vida para finalmente voltarmos ao caminho certo. Esses três eram meus verdadeiros heróis quando eu era pequeno, e devo a eles muito de minha inspiração. Espero que continuem influenciando aqueles a seu redor com sua presença positiva e sua natureza afetuosa.

Devo um grande número de lembranças indeléveis a Nonno Michele, o avô a quem eu tanto admirava quando era uma criança impressionável. Ele não apenas construiu mesas e cadeiras, mas ajudou a construir também a mim. E onde estaria eu sem Nonna Nancy, que para sempre ficará em nossos corações como a base de nossa família. Tenho saudades de sua força, de suas deliciosas almôndegas e de sua preocupação constante com meus sapatos desamarrados.

Meu velho amigo Mike W., que partiu desta vida cedo demais para completar sua própria transformação, mostrou-me que as ações realmente falam mais alto que as palavras, mesmo sendo ações de dois jovens desorientados e encrenqueiros. Ele me ensinou, por meio de seus atos desprendidos, que a lealdade e o apoio a parentes e amigos são coisas que você defende primeiro e deixa as perguntas para depois. Com ele, aprendi que ter alguém em quem confiar e se amparar faz com que você se empenhe em tornar-se uma pessoa melhor, para ser, por sua vez, alguém em quem os outros podem confiar e se amparar quando precisarem.

A Sarge, meu velho amigo, fui eu quem tomou toda sua cerveja naquela noite. Tenho a esperança de que você finalmente esteja livre. Descanse em paz, cara.

Paz, amor e gratidão a minha família estendida do Life After Hate – alguns dos seres humanos mais incríveis e transformados deste planeta – Angela King, Frankie Meeink, Tony McAleer, T. J. Leyden, Tim Zaal, Robert Örell e Sammy Rangel. Obrigado por sua constante bondade, sua gentileza e a inspiração no dia a dia. Vivam e amem.

Joan Jett, que posso dizer? Para mim, você é tão inspiradora hoje como no primeiro dia em que ouvi sua voz e sua música, há tantos anos. O que você me disse em 1996, velha amiga, foi certeiro, e eu nunca o esqueci. Você é uma mulher incrível e um ser humano inspirador. Em nome de todos aqueles a quem você tocou e que acompanhou ao longo das décadas, obrigado.

Muito obrigado a Nora Flanagan, a professora de inglês mais tatuada e mais legal que conheço. Se não fosse pela amizade dela, e pelo incentivo invariável, este livro nunca teria sido concluído.

A meu editor e amigo Michael Mohr. Sou muito grato por termos terminado esta jornada juntos. Sua visão inestimável e seu encorajamento constante, cada vez que eu ameaçava desistir, exausto, me levaram a me tornar um escritor melhor e uma pessoa melhor. Você também me ensinou a "matar meus queridinhos" e, no processo, me fez amar a arte da escrita. Obrigado.

Jill Bailin, minha extraordinária revisora de texto, posso não ser tão bacana quanto seu cliente Hunter S. Thompson, mas provavelmente sou tão grato quanto ele era por ter o prazer de trabalhar com você. Você era o ponto de exclamação perfeito para a enorme frase interminável que era meu manuscrito. Eu não poderia pedir ninguém melhor para trazer à luz este bebê.

A todos os apoiadores e amigos que se juntaram e me ajudaram a financiar a edição inicial deste livro, eu não poderia ter feito isso sem vocês. Obrigado por acreditarem em mim.

E o último a ser citado, mas sempre primeiro em meu coração, este livro é para Alex. Meu irmão. Meu Buddy. O maior arrependimento de minha vida é não ter estado presente para ajudar quando precisou de mim. Você me inspirou a escrever sobre minha história e sua morte trágica me mostrou que a vida é algo a ser respeitado, celebrado e recordado, que nunca deve ser desvalorizada ou esquecida – não importa o quanto possam ser sombrias algumas lembranças. Não somos mais os mesmos desde que você nos deixou.